なぜこの店で買ってしまうのか

ショッピングの科学

パコ・アンダーヒル
鈴木主税 訳

早川書房

なぜこの店で買ってしまうのか

――ショッピングの科学

WHY WE BUY

The Science of Shopping

by

Paco Underhill

Translated by
Chikara Suzuki

First published 2001 in Japan by
Hayakawa Publishing, Inc.
This book is published in Japan by
direct arrangement with
Obat, Inc., New York
c/o Glen Hartley
of Writers' Representatives, Inc.

装画／添田あき
装幀／守先　正

一九八七年以来、私のまわりには協力者のコア・グループができて、彼らがよいアイデアを現実のビジネスに変える助けとなってくれた。現在のエンヴァイロセルは国の内外に正社員二〇名、非常勤社員五〇名を擁する企業だが、私のいまの生き方を支えてくれたのは以下の六人である。彼らに本書を捧げたい。

トム・モーズマン
バーバラ・ワイスフェルド
トニー・トラウト
クレイグ・チャイルドレス
リー・スミス
アン・マリー・ラズロー

エンヴァイロセルをつくりあげるうえでの彼らの尽力と、本書を完成するまでの忍耐と協力に感謝する。

目次

第3部 ショッピングの統計的研究

第1部

ショッピングの科学の誕生

1 こうして科学が生まれた

歩きやすい靴、アメリカ商業地にとけこむ迷彩服――カーキパンツ、オリーブ色のポロシャツ、アフターシェーブなし、灰褐色の厚手のソックス。

よし、歩け、歩け、歩け……ストップ。

クリップボードとペンをだせ。

しっ、静かに。あのヤシの鉢植えのかげに隠れろ。今日の最初の追跡《トラック》だ。

調査の対象は四十代の女性、ベージュのトレンチコートにブルーのスカートといういでたち。バス用品の売り場でタオルの肌ざわりを試している。さあメモしよう――先ほどからタオルを一枚、二枚、三枚、四枚なでた。そのうち一枚の値札をたしかめる。これもメモ。おっと、彼女が顔をあげた――通路の人ごみにまぎれろ。彼女は陳列台からタオルを二枚取って売り場を離れるところだ。時間を記録しよう。それでは彼女のあとをつけて次の売り場へ。

これはフィールドワークのありふれた一日。現場は、売上げに問題があるありふれた家庭用品売場。

われわれの目的は、ショッピングの科学による百貨店の分析だ。だが、まずは「どういうところに問題があるのか」というところから始めよう。

ショッピングの科学はいつから存在するのか

どうだろう。たとえば文化人類学者が旧来の買い物客を取り上げ、彼らとショッピング環境（商店のほかに銀行、レストランも含む）のかかわりかたを研究し、そのときラック、棚、陳列台、看板、バナー、パンフレット、道順の案内、コンピュータを利用した対話型情報案内、入口、出口、窓、壁、エレベーター、エスカレーター、階段、スロープ、レジの列、銀行の窓口の列、カウンターの列、化粧室の列、あらゆる通路の端から端――駐車場の隅から店のいちばん奥――まで漏れなくカバーすれば、それがショッピングの科学の始まりと言える。そもそも、文化人類学がすでにこういうことを研究していたなら……店の研究ばかりでなく、店内で人が実際に行なうこと、行くところと行かないところ、行くまでの経路、見るものと見落とすもの、読むものと読まないもの、目にした品物にどう対応するか、いわばどのようにして買うか――どのように棚からセーターを引っぱりだして胸にあて、胃腸薬の効能書やファストフード店のメニューを読み、買い物カゴを使い、ATMの列に反応するか――の厳密な解剖学的メカニズムと行動心理……しつこいが、そもそも文化人類学がこういうことに注意を払っていたなら、しかもただ注意を払うだけでなく、あらゆるデータ［それも大きい区分（土曜日の朝の来店者の年齢、性別、何人連れか）から小さい区分（スーパーマーケットで、三十五歳以下の男性のなかでシリアルの箱の栄養成分表を読んだ客は、前面のイラストだけを見た客よりも、実際にシリアルを買うことが多いか？）まで」を照合し、咀嚼《そしやく》し、グラフにし、相関関係をさぐっていたなら、われわれがショッピングの科学を開発する必要はなかっただろう。

しかし、文化人類学はこのような些事に注意を払わなかった。そういうわけで、私のオフィスの廊下のつきあたりには、およそ五〇台ものカメラをおさめた部屋がある。ほとんどがビデオカメラだが、スチルカメラやデジタルカメラ、旧式の8ミリ・シネカメラも二、三台、放りこまれている。そのかたわらには新品の8ミリ・ビデオテープのケースの山。一つのケースに一二〇分テープ五〇〇本が保管されている。われわれは年に約一四ケース、七〇〇〇本のテープを使う（一九九二年にスーパーエイトのフィルムで大量の微速度撮影を行なったとき――その費用は総額でおよそ六万ドルかかった――コダック社は、われわれがスーパーエイト・フィルムの世界最大の顧客だと言った）。また、数万人分のインタビューを保存できる携帯用のコンピュータも十数台、半端なラップトップが数台。そして、あらゆる種類の三脚、支持台、レンズなどカメラ用アクセサリー、大量のダクトテープ。加えて、これらすべての防護ケース。どれもこれも四六時中持ち歩くためだ。この部屋にある機器は、世界の各地で収集したデータをもとにオリジナルな研究を量産する大学の文化人類学か実験心理学の研究室にも匹敵する。

これほどのハイテク機器を備えているものの、実はわれわれがもっとも重視する調査ツールはローテクもローテク、ただの紙である。この記録用紙《トラックシート》と呼ぶ紙をもつ追跡者《トラッカー》は、ショッピングの科学のフィールドワーカーであり、ショッピングの、より正確には買い物客のリサーチャーである。トラッカーの仕事の基本は、買い物客をこっそり尾行して、その行動を逐一記録すること。たいていは店の入口あたりをさりげなくぶらついて、客が入ってくるのを待つ。この時点で、トラックが始まっている。トラッカーは何も知らない人（人びと）に張りついて、店内をどこまでも（試着室や化粧室は別だが）追いかけまわし、トラックシートに客の行動をことこまかに記録する。店が大きい場合には、怪しまれないようにチームを組むこともある。

現実の世界で発達した学問にふさわしく、つまり象牙の塔とは大違いだという意味だが、トラッカーは通常の研究者のタイプとはかなりちがっている。当初、われわれは環境心理学専攻の大学院生を雇ったのだが、彼らにかならずしも適性があるわけではなく、むしろ自分が習った教科書の理論を当てはめたがり、結果として買い物客の行動を虚心に見つめる忍耐に欠けることが多かった。

さらに、大学院生にはスタミナの問題もある。われわれは灼熱のメソポタミアで土埃りにまみれるわけではないが、蛍光灯でまばゆく照明されたKマートを一二時間も自分の足で歩きまわるのも、ピクニック気分とは言いがたい。フィールドワークとは、自然科学でも社会科学でも難儀なものだ。そのうちにわかったのだが、われわれの仕事に求められるのは、頭がよくてクリエイティブな人びと、すなわちアーチスト、俳優、作家、人形使いなのである。崇めるにせよ攻撃するにせよ、理論のもちあわせなどないし、それ以上に彼らの職能がすぐれた観察力に根ざしているためだ。また、スケジュールに融通がきくのもありがたい。ブラジルのビール会社、オーストラリアのタンポンメーカー、アメリカのファストフード店の経営者が電話してきても、好奇心もあればスケジュールに余裕もあることとて、二つ返事ででかけていくのだ。

調査に適した人物

この仕事に適した気性と知性を備えていそうな人間が見つかると、まず訓練を受けてもらう。学ぶべきことはたくさんある——観察しながらメモをとる方法、人が案内板を読んでいるのか、横の鏡を眺めているだけなのかを見分ける方法など。なかでももっとも重要な技能は、人に気づかれずに近づく方法である。見られていると意識させないことが、われわれの仕事では決定的に重要なのだ。自然な行動を見分ける術《すべ》はない。本当のところ、店内でずいぶん近づいても人がなかなか気づかないのには、いまだに驚かされる。われわれが発見したところでは、客の背後に立つのはまずい。見られているというあの感じは、誰もが知っている。だが、横に立たれた場合、客は視界の隅にうつる人間を他の客、つまり無害で注意するほどのこともない人間として「読みとる」。この位置からは、客が実際に何をしているのかを間近に見ることができる。たとえば、客が手をのばしたゴルフ用手袋が八組でも一〇組でもなく九組だとわかる。

つぎに、トラッカー候補を現実の世界に投げこむ。店内での彼らの行動を観察するのだ。多くの候補はこの時点で姿を消してしまう。テクニックは教えられても、この仕事をうまくやるのに必要な知性と若干の情熱を、彼らに植えつけることはできない。

国内のトラッカーのコア・グループ三〇名のうちの半数以上が五年以上この仕事を継続しており、なかには一〇年以上の者もいる。きつい仕事だが、やみつきになる魅力もある。わが社の社員をリーダーとして三人から一〇人のグループで、アメリカ、カナダ、ヨーロッパ、南米、オーストラリアを股にかけ、およそ思いつくかぎりの小売業、銀行、ファストフード店、高級ブティック、倉庫のようなディスカウントストアのほか、それ以外のさまざまな店を訪れる。国際業務の便宜と効率化をはかり、三年前からはイタリアのミラノ、二年前からはオーストラリアのシドニーにも調査チームを駐在させている。

トラッカーは買い物客のめぼしい行動をすべて計測し、カウントするだけでなく、その意味についてコメントすることも求められる。観察を土台にした鋭い推理である。これらのコメントが、ある環境と、その使われかたについてのさらにくわしい情報となる。

常に変化するトラックシート

トラッカーが用いるトラックシートは、われわれがこの調査に従事してきた二〇年以上の歳月をかけて進化してきた。それは事業全体を通じての鍵であり、情報の集積および検索に関する技術（非デジタル部門）の発展の成果である。

初期のトラックシートには、購買行動について、およそ一〇の異なったパターンが記録された。現在はこれがおよそ四〇にのぼっている。トラックシートは調査プロジェクトのたびに改訂されるが、たいていはまず現場の詳細な地図の作成から始まる。現場は商店のこともあれば、銀行、駐車場（ドライブスルーのプロジェクトの場合）、あるいは店内の特定の区画、売り場のこともある。地図には出入り口と通路、ディスプレイ、棚、ラック、台、カウンターがすべて記入される。さらにトラックシートには、買い物客の特徴（性別、人種、推定年齢、服装）と、店内での行動を書きこむスペースがある。トラッカーはマークや文字、符号を組みあわせた速記を使って、たとえば次のようなことを記録する。

赤のセーターとブルージーンズ姿で顎髭を生やした髪の薄い男性が、土曜日の午前十一時七分に百貨店に入ってきて、まっすぐ一階の財布売場へ向かい、陳列されている一二個のすべてを手に取り、または触れてみて、そのうち四つの値札をたしかめ、一つを選んで、十一時十六分に近くのネクタイの棚へ移り、七本のネクタイをなで、七本全部の素材表示をたしかめ、そのうち二本の値札をひっくり返し、結局は買わずにレジへ直行して選んだ財布の支払いをした。そうそう、マネキンの前にしばらくたたずんで、マネキンが着ているジャケットの値札もたしかめていた。それから十一時二十三分にレジの行列の三番目に並び、順番がくるまで二分五一秒待ち、クレジットカードで支払いをして、十一時三十分に店をでた。

店の規模や標準的な客の滞店時間にもよるが、トラッカーは一日に五〇人までの買い物客を調査することができる。通常、われわれは一つの現場に数名のトラッカーを配備し、一つのプロジェクトについて週末ごとに複数の都市にまたがる三、四カ所で追跡《トラッキング》を実施する。

調査が終わるまでには、信じがたいほど膨大な情報がシートに記録される。オフィスに戻ってきたトラックシートを、担当責任者がまる一日かけて「クリーニング」する——符号が判読できるか、埋めるべき欄がすべて埋まっているかどうかをたしかめるのだ。つぎに、社内のデータ部がもう一日か二日かけてすべての情報を、すべてのトラックシートの記述を一つ残らずデータベースに入力する。

長年にわたり、わが社は数万ドルの資金と、コンピュータ・プログラマーとのフラストレーションに満ちた膨大な時間を費やして、このような業務に対応できるデータベース・システムを開発しようとしてきた。問題は、毎回、同じ数字を同じように処理しているが、プロジェクトによってはやるべきことが少し異なる。別種のデータを集め、新たに発見した事実を比較するのだ。

われわれは優秀なコンサルタントと契約し、半年間にわたってコンピュータ・システムの構築に挑戦した。彼らはわれわれがプログラムに望むことをすべてリストアップするよう求めたが、われわれが毎週新たに六個ものリストをつけ加えるため、前の月からの彼らの努力は水泡に帰した。それから、もちろん、プロジェクトの切り替えはすばやく行なわなくてはならない。というわけで、プロジェクトごとにシステムを抜本的に変更する時間はない。われわれは今日のプロジェクトのために新たな比較をする必要があるかもしれないが、その機能をまた使うのは七カ月後かもしれないのだ。

最近まで、われわれは業務の大半をマイクロソフトのエクセルに頼っていた。エクセルはデータベース・プログラムではなく表計算ソフト、会計担当者が比較的単純なフラット計算をするためのものだ。エクセルの美しさは、オープン・アーキテクチャにある。ユーザーが起動していじくりまわし、性能をアップさせることが可能なのだ。まさにそのとおりのことを、われわれはやってきた。マイクロソフトが一〇年前に建造したすばらしい自転車を、われわれはデータ処理専用のラフロード走行車に改造したのだ。現在は業務の大半をファイルメーカーとＳＰＳＳで処理しているが、いまでもエクセルでチェックしている。

現場からビデオテープが戻ってくると、また別の人間が最初から最後まで見直す。店の規模にもよるが、一〇台のカメラを一日八時間、特定のエリア、たとえば出入り口、陳列棚など――に向けてまわしつづける。われわれが撮影する営業中の商店のビデオは、年間二万時間にものぼる。

ビデオはさらに確実なデータも提供する。たとえば調査目的の一つが、レジの設計が店の従業員の疲労にどのように影響しているかを探ることであれば、われわれはビデオとストップウォッチを使って、店員が一回の処理に要する時間が、午前十時と午後四時でどれほどちがうかを比較するかもしれない。

調査すべき項目のリスト――われわれはデリバラブルと呼んでいる――は、プロジェクトのたびに増えていく。最近数えたところでは、買い物客と商店のかかわりあいについて、およそ九〇〇もの異なる側面から測定されていた。それらすべての結果として、われわれは店のなかでの人間の行動についてかなりの知識を得た。

- 試着室にもって入ったジーンズを実際に買う割合
  男……六五%
  女……二五%
- コーンチップスを買う前に袋の栄養成分表示を読む客の割合
  企業や学校のカフェテリア……一八%
  町のサンドイッチショップ……二%

- コンピュータを眺めている客が実際に買う割合
  土曜日の午前中……四%
  午後五時以降……二一%
- ショッピングモールの家庭用品の店で
  客が買い物カゴを使う割合……八%
  カゴを使う客が実際に品物を買う割合……七五%
  反対にカゴを使わない客が品物を買う割合……三四%

この場合は当然、過去に学んだことのすべてを利用して、カゴを使う客の数を増やす方法を提案する。ショッピングの科学とは、あえて言うなら、調査、比較、分析を通して商店や商品を買い物客により適合させるための高度に実践的な学問だからだ。

ショッピングの科学がもたらしたもの

この科学は、われわれの経験のなかから生みだされた、生き生きと息づいた学問である。何が発見されるかまったくわからない。そのときでさえ、自分たちの見たものの正体を理解するために立ち止まって考えなくてはならないことがある。

●事例1

たとえば、お尻がぶつかって（こすれて）生じる現象は、ほとんど偶然に発見された。ニューヨークのブルーミングデール百貨店に依頼された初期の調査で、われわれはカメラを一階の正面入口の一つに据えつけたのだが、レンズはたまたま入口の近くの主要な通路に置かれたネクタイの棚もとらえていた。混雑時に買い物客が入口をどのようにして通り抜けるかを調査するためにテープを見直していたとき、われわれはネクタイの棚で奇妙なことが起こっているのに気づいた。買い物客は棚に近づき、立ち止まって品定めしようとするが、店を出入りする人びとにちょっと押されると、ネクタイ探しを諦めてしまうのだ。何度も見直したが、明らかに客は、背後からぶつかられたり、触られたりすることを好まないようだった。とくに女性がそうで、男性はある程度まで気にしないようだ。女性たちはそれを避けるために、興味のある商品から離れることもある。クライアントにたしかめたところ、このネクタイの棚の売上げが主要通路としては低いことがわかった。この棚の成績が悪い理由はお尻がぶつかるためだとわれわれは推測した。

これを店長に告げたところ、彼は会議室の椅子から飛び上がって電話をつかみ、例のネクタイの棚を主要通路から少し離れた場所へ移動させた。数週間後に、ストアプランニングの責任者が私に電話をかけてきて、ネクタイの棚の売上げが目に見えて上昇したと告げた。その日以来、われわれは狭すぎる場所のせいで買い物客が追いたてられてしまう似たような事例を無数に目撃した。どのケースもわずかに調整することで売上げが見違えるように変化した。

●事例2

辛抱強い観察と分析のなかでのもう一つの「偶然」は、スーパーマーケットの調査をしているときに訪れた。ドッグフード会社の依頼で、ペット用品売場を観察していたところ、ドッグフードは大人が買っていくのにたいして、レバー味のビスケットのような犬のおやつを買うのが子供か老人であることに気づいた。思うに、高齢者にとってペットは子供のようなもので、甘やかしの対象である。また、犬に餌をやるのは子供にとってかならずしも嬉しい仕事ではないかもしれないが、クッキーを食べさせるのはすごく楽しい。親は子供たちのおねだりを聞いてやっていたのである。クッキー売場と同じだ。

ペットのおやつを実際に誰が買っているのか（あるいは買わせようとしているのか）に注目した者がそれまでいなかったので、ペットのおやつはスーパーマーケットの棚の上のほうに積まれているのがふつうだった。そのため、われわれのカメラには棚によじのぼっておやつを取る子供が映されていた。ある老婦人などは、アルミホイルの箱を使って、目当ての犬のビスケットを叩き落としていたが、その場面も目撃された。

商品を子供や小柄な老婦人の手が届く場所へ移動させるよう、われわれはクライアントに助言した。クライアントがそのとおりにしたところ、一夜にして売上げが伸びた。

明らかな真理でさえ、店舗のこまごましたプランニングや陳列のなかで見失われることがある。私はクライアントにたびたび言う。明らかなことは目に見えるとはかぎらない、と。

●事例3

あるドラッグストア・チェーンの化粧品売場を調査していたときだった。六十代の女性が壁ぎわの棚に歩みより、慎重に調べていたかと思うと、床にひざまずいて、彼女にとって唯一必要なもの、しみやそばかすを隠すコンシーラーを探しだした。魅力的な商品とは言えないため、陳列棚のいちばん下に置かれていたのだ。また、ある百貨店での光景だが、肥満した男性が自分に合う下着を探していた。やがて、あぶなっかしい格好で、床すれすれまで身をかがめ、商品を取りだした。どちらのケースも、論理的に考えれば、ディスプレイは利用者である買い物客に合わせるべきであって、製作者であるデザイナーに合わせるべきではない。われわれは、コンシーラーを棚の上方へ移動して、ティーンエージャー向けの商品を床の近くに置くようアドバイスした。ティーンエージャーは、欲しいものならどこにあろうと見つけだすからだ。

●事例4

ときに、われわれは集めた情報のすべてを総合して、商店や百貨店の全体像を描き上げることがある。大手ジーンズメーカーから、自社の製品が百貨店でどのように売られているかを知りたいとの依頼があった。そこで、われわれはある週末にニューイングランドの二カ所と、南カリフォルニアの二カ所へでかけた。百貨店はどれも似ていた。ジーンズ売場は四角形で、八から一二の陳列台と、壁ぎわに棚がいくつかある。まずは各売り場のくわしい地図を描くことにして、商品陳列、売り場に出入りする通路のほか、看板や掲示など販促用の宣材が置かれている場所も書きこんだ。その週末は、合計八一五人をトラックし、それよりもさらに大勢の客を、ビデオと微速度撮影用のカメラで観察した。特に「ドアウェイ」――われわれは店舗区画に出入りする通路をこう呼ぶ――に注目した。どの通路に人気があるかをクライアントが知らなければ、どこに何を陳列し、あるいは買い物客を誘いこむ目玉商品をどこに配置するか、的確に判断することはできないからだ。

調査が完了するころには、顧客の何割がどの通路から売り場に入ってくるかがわかった。それがわかると、たとえば案内板や掲示の多くが間違った場所にあることが明らかになった。常識的に、店の正面入口と向かいあうようにして置かれていたのだが、ジーンズを買いにくる客は、たいていまったくちがう方向から売り場に入ってきていたのだ。メーカーの巨大なネオンサインやロックビデオを流すモニターさえ見当ちがいな方向を向いていて、最大多数の買い物客にメッセージを送るという本来の役目をはたしていなかった。トラッカーは買い物客のあとについて陳列台をまわり、どこで足を止めたか、どの掲示を読んだか、ビデオのモニターに目をとめたかどうか、商品をどう扱ったか、何かを試着室にもちこんだかといったことを観察した。連れの者にジーンズを見せていれば、それも記録した。ビデオには買い物客のインタビューもおさめられている。客の年齢層やライフスタイル、考えかたなど、その行動と結びつけて考察するためだ。たとえば、高卒の若者でジーンズを買うときはブランド優先という客が値札を見るかどうかといったことである。

調査が終わり、数字が処理され、解析されてから、われわれは判明した事柄にどのような意味があるかを考える。たとえば、男性客は最初にでくわした棚からジーンズを買う確率が高かったとする。そして男性用アクセサリー売場から入ってくる客のほうが女性用ジーンズ売場やエスカレーター側から入ってくる客よりも多いならば、われわれはクライアントにたいして、男性用アクセサリーの近くに陳列棚を置かせるよう助言する。あるいは、別の要素があるかもしれない。女性同伴の男性で、売り場の女性部門からやってくる客のほうが、一人だけの男性客よりもジーンズを買う確率が高いなど。その場合は、もっとも力を入れたい陳列台を女性向け商品のそばに置くことになる。しかし、われわれがデータを集めるまで、誰もたしかなことはわからないでいたのだ。

●事例5

また別の例で、小規模な小売りの相互作用を詳細に調査することもある。そのようなプロジェクトの一つで、高級シャンプーのメーカーから依頼されて、女性客がノーブランドやストアブランドの美容製品を選ぶ決断のプロセスを調べることになった。クライアントは、女性が買い物のたびにもちこむ「価値の方程式」に興味をもっていた。午前中にスーパーマーケットのストアブランド売場で買い物をして、午後にノードストローム百貨店で買い物をする女性は、どの製品をどこで買うかを、どのように決めているのだろうか？　彼女の肌は高級ブランドに値するが、髪はストアブランドで十分なのか？　その昔は、低価格を優先する人びとだけが買ったストアブランドを、いまどきは誰もがカゴに入れている。ここで買い物客二四番の女性を見てみよう。

三十代の女性で、黄色いパンツに白いセーター姿、就学前の女の子を連れている。水曜日の午前十時三十七分、彼女がスーパーマーケットのヘルス&ビューティのコーナーにやってきた。ショッピングカートではなく、カゴを手にさげ、なかにはすでにストアブランドのビタミンCのカプセル、ジョンソン・ベビーパウダーの大容器、写真現像ブースで受け取ったばかりのスナップ写真のプリントが入っている。彼女の手には買い物リストと広告のちらしも握られている。彼女はシャンプーの棚に直行すると、パンテーンのボトルを取って前面のラベルを読み、それからストアブランドのボトルをつかんでラベルを読んだ。それから、パンテーンの値札を調べ、ストアブランドの値札を調べたうえで、ストアブランドをカゴに入れてでていった。

売り場に入ってきてから四九秒後のことだ。この短い遭遇のなかに、集めるべきデータが山ほどある。彼女が何に触れ、何をどの順番で読んだかなど、しめて二五あまりのデータ・ポイント。この店のヘルス&ビューティのコーナーで一〇〇人の客をトラックすれば、二五〇〇ものデータが集まる。また、この女性が売り場をでていくところを引きとめて、合計二〇の質問をした。つまり二五のデータ・ポイントを二〇の回答とひとつひとつ突きあわせなければならない。これはかなりの難事である。

私の知るかぎり、ショッピング環境での行動について、それに匹敵するような研究に手をつけた大学はどこにもない。アカデミズムの世界に身をおく旧友は、われわれを羨望と恐怖の目で見ている。羨望はわれわれがやっていることと、それで報酬を得ていること、恐怖はわれわれがわざわざ危険をおかして、成功するにせよ失敗するにせよ自分たちがする提案に責任をもっているからだ。この仕事を始めてかれこれ二〇年になる現在、わが社の顧客リストには超一流企業が名をつらねており、ときに失敗があっても、クライアントの四分の三はリピーターである。

ショッピングの科学のルーツを探る

私はショッピングの科学にかかわることになった「偶然」を重視している。二〇年以上も前のことだが、学生だった私は、この国を代表する社会学者ウィリアム・H・ホワイトに傾倒していた。『組織のなかの人間』『都市とオープンスペース』『小都市空間の社会生活』といった非常に影響力のあった書物の著者である。彼はまた、一九七〇年代初めの「ストリートライフ・プロジェクト」や、一九七四年にフレッド・ケントおよびロバート・クックと共同で行なった「公共空間のためのプロジェクト（PPS）」の発案者でもあった。私も二年間参加したPPSは、現在もニューヨーク市を拠点として、都市景観の保護と改善に大きく貢献しつづけている。

ウィリアム・H・ホワイト、通称「ホリー」がもっともさかんに活動していたころ、彼はいささか型破りな愛すべき人物だった。グレーの髪と古風で保守的な銀行マンを思わせる貴族的な雰囲気をただよわせながら、ニューヨークの街路と恋におち、どうすれば人びとがそこで暮らしやすくなるかを解明すべくひたむきに研究した。ホワイトの最大の業績は、人びとがどのようにして、街路や公園、広場などの公共の空間を使うかに関する研究だった。微速度撮影や覆面トラッカー、インタビューを利用して、彼と仲間たちは都会の広場やミニパークなどに張りこみ、いわば一日の一分ごとを、数日間にわたって調査した。これが終わるまでに、彼らはすべてのベンチ、柵、小道、噴水、茂み、とりわけそうしたものと人びととのかかわりかた——昼食をとる、日光浴する、おしゃべりする、人間観察をする、うたた寝する、ただくつろぐ場所として利用するなど――を、すべて報告できるようになる。ホワイトらは、すべてを調査した。腰をかけるのにちょうどよい柵の幅、日当たりや日陰や風が公園の利用におよぼす影響、周辺のオフィスビルや建設現場や学校や住宅が公共の空間の質をどのように決定するかなど。

ホワイトは本質的に街頭の科学者だった。つまり、この分野にもっとも早く着手した一人だ。彼が登場する前にどれほど長いあいだ街路が存在したかを考えると、これは驚くべきことだ。ホワイトの研究は、公共の空間を改善して市民により使いやすくするために利用され、それがまた都市を改善するのに役立った。ホワイトの方法は一種のレンズであって、それをとおして物理的な環境を研究し、改善することができたのだ。そして、私のショッピングの科学は、彼の方法論とＰＰＳでの経験に多くを負っている。

ショッピングへの関心がビジネスに

一九七七年当時、私はニューヨーク市立大学の非常勤講師として、環境心理学科の学生にフィールドワークの技術を教えていた。さらに、私はマンハッタンのダウンタウンにあるイアー・インというバーを共同で所有していた。そこの客で友人に、リンカン・センターの看板や掲示をデザインした人物がいた。リンカン・センターはメトロポリタン・オペラハウス、ニューヨーク・ステート・シアター、エイヴリー・フィッシャー・ホールなどを擁するパフォーミング・アートのための一大複合施設である。友人の話によれば、こうした建物のすべてを駐車場と地下鉄駅に結ぶ地下コンコースの利用状況と、人の流れのパターンを調査できる人材を探しているとのことだった。当時、地下コンコースには小さいギフトショップがあったが、リンカン・センターはもっと大きい店をだしてもやっていけるかどうかを知りたがっていた。だが、まずは店が歩行者の通行の邪魔にならないかどうかを調べる必要があった。友人の口ききで、私がその仕事を手に入れた。

私は学生を集め、カメラを数台かかえて、観察スポットに繰りだし、通る人の数を調べ、地図の作成にとりかかった。混雑するかどうかの問題について答えをだすのは簡単だった。われわれは建設しようとする店と同じ広さをロープで囲い、もっとも混雑する時間帯に行き交う通行人を観察し、フィルムにおさめた。調査を開始してから四週間後に報告書を提出したところ、リンカン・センターの理事会は地下コンコースに複合商業施設と案内所を建設することを承認した。これは今日も繁盛している。

リンカン・センターは私の提案をほぼそのまま採用した。助言の一つに、リンカン・センターを訪れる高齢者のために、コンコースにベンチを置くことがあった。クライアントは当初、この提案の採用を渋ったが、半年もしないうちに、高齢者からの不満に答えるかたちでベンチが設置された。また、私は女子用トイレを倍の広さにするよう強くすすめたが、リンカン・センターを運営する男たちはその意見を採用しようとしなかった。二〇年たった現在、混雑時の女子トイレの行列はドアの外までつづいている。みっともよい眺めではない。

報告書をまとめるためにデータを解析し、撮影した何時間分ものフィルムを見ながら、私はある位置に据えつけられたカメラを通じて、現在のギフトショップの機能性が、商品の閲覧から購入にいたるまでよくわかることに気づいた。そこには、二人の客がレジに並んでいた。一人は裕福そうな女性でたぶんオペラ見物の客、カウンターに小箱を山のように積み上げていた。その隣は十代の少女で、彼女の買い物は小さい茶色の紙袋一つだった。何が起こっているのかわからなかったものの、私は興味をそそられた。

翌日、ギフトショップの店員と話したところ、あの女性はメキシコの外交官夫人で、母国へのおみやげにしゃれたオルゴールを買おうとしていたのだった。高価なオルゴールを十数個も買うと、代金は九〇〇〇ドルにもなった。彼女は休憩が終わらないうちに支払いを済ませておこうとして急いでおり、しかも商品宅配の手続きをしなければならなかった。さらに、外交関係者ということで、売上税を免除してもらう手続きもあった。控え目に言っても、ややこしい手続きである。

しかもこの手続きは、店員が十代の少女の買い物を処理するあいだ待たされた。先にレジに並んでいた少女は、自分の買い物――バレリーナの小さい人形のついたペン――を手にしていた。

私のような門外漢の学者にも、レジの列を少々手直しし、もっとわかりやすくしたほうがよいことははっきりとわかった。この二つの買い物の処理は、同じ店員に扱わせるべきではない。そのとき、私の頭にぱっと電球がともった。**都会の文化人類学者のツールを利用して、ショッピング環境への人びとのかかわりを研究してはどうか?**

その二、三年前、私は著名な社会学者で作家のアーヴィング・ゴフマンとジャック・フルインの論争を近いところで見ていた。ジャックはニューヨークおよびニュージャージーの港湾管理委員会の技術責任者で、当時はニューアーク国際空港の計画および建設という巨大事業に取り組んでいた。そしてジャックは、アカデミズムの世界への不満をぶちまけていた。専門の学者に部下の技師や建築士の手伝いをしてもらおうとしたのだが、期待していた明快な助言をするどころか、自分の知識を現実の設計に応用することについて学者たちははなはだしい不快感を示したのだ。論争ではゴフマンに分があった。だが、いまでもはっきりと覚えているが、私はこう思った。アーヴィングと働くよりもジャックと働いたほうが楽しそうだ、と。アーヴィングは象牙の塔に隠れていたが、ジャックは外にでて活動していた。

リンカン・センターの仕事が終わってまもないある晩、私は数人の友人とともにグリニッチ・ヴィレッジのナイトクラブにいた。CBSの傘下にあるエピック・レコードの若い幹部が同席していて、私は彼に、店内の出来事を調査するアイデアの話をした。学問のツールをショッピングに向けてみれば、知るべきことは何かがわかるのではないかという発想からだ。ビールを何杯も飲むうちに、私のアイデアが面白そうに聞こえたにちがいない。彼はこう言ったのだ。「企画書を送ってくれないか!」

翌朝、私は意欲に燃えて早起きし、タイプライターを引っぱりだして、自分のプランを打ちだした。それを送って待つこと、そう、およそ一年におよんだ。その間にも、企画書を再送したし、電話もかけた。だが、向こうからは何も言ってこなかった。振り返れば、これはショッピングの科学の暗黒時代だったといえる。

そんなある日、青天の霹靂《へきれき》というか、CBSレコードで市場調査を担当している女性からこんな話があった。会社の誰かがどこかの埃まみれのファイルのなかから私の企画書を発見し、たいへん興味をもった、ついてはいまもレコード店の調査に興味があるかおたずねしたい、と。

もちろんです、と言いながら、私は心のなかで小躍りした。アメリカの大企業が現に五〇〇〇ドルもの大金（と私には思えた）を払って、現代人のショッピングを私に調査させようというのだ。私はすぐさま数人の学生に電話し、ノートと微速度撮影用のカメラを用意して、ニュージャージー州北部のショッピングモールにあるレコード店へと向かった。

あれからおよそ二〇年が過ぎ、数十万時間におよぶビデオテープを蓄積し、膨大な観察をこなしてきたいまとなっては、このときの調査はいじらしく思えるほど原始的だった。だが、当時はいろいろな発見がすさまじい勢いで飛びこんでくるように感じたものだ。

たとえば、調査をした七〇年代の末には、伝統的なシングル盤――四五回転のレコード――がまだ主力商品だった。賢明にも、その店は《ビルボード》誌のシングル・ベストチャートをレコード棚のそばに貼りだし、客の購買欲を刺激していた。撮影したフィルムを見ると、主に四五回転レコードを買っていたのは思春期の子供たちだった。だが、チャートが壁の高いところに貼りだされているため、子供たちは爪先立って首を伸ばさなければチャートの首位に何があるのか見られなかった。店の支配人にチャートの位置を下げるよう進言してから一週間後、彼は四五回転レコードの売上げが二〇％も伸びたと電話してきた。どうだろう！　チャートを下げたらこの効き目だ！

われわれはその週末、長い時間を費やして業界用語でいうキャッシュ／ラップ（会計／包装）の行列に並ぶ人びとを観察した。店の設計者や販売マネジャーがどう考えようと、会計／包装エリアはいろいろな意味で、どんな店でももっとも重要な部分である。処理がてきぱきしていなかったり、一目でわかる仕組みでなければ、買い物客はいらいらして嫌になってしまう。会計を待つ行列が長かったり混雑していたりすると、店に入るのさえためらうことも少なくないのだ。

この店では、入口のすぐそばに新譜の巨大なディスプレイをいくつか置いていた。レジからわずか数フィートのところである。店がすいているときはいいが、混んでくると、レジに並んだ客の身体でディスプレイが隠れてしまう。われわれは、支柱を立ててビロードのロープを張りわたし、列から人がはみでるのを防ぐよう提案した。今回もそのアドバイスはすぐに効力を発揮した。ディスプレイされたレコードの売上げがみるみる上昇したのだ。

そんなことはいささか見えすいているのではないかって？　たしかに、あれほどの長時間を観察や撮影や計測やインタビューなどに費やしたあとでは、そうだろう。しかし、それまでこういうことは外見から隠されていた問題だったのだ。

レコード店の客を観察するうちに、われわれは奇妙なパターンに気づいた。LP売場（思い出してほしい、これはCD以前の時代だ）はつねにカセット売場よりも混雑している。しかし、売上げは両者が相半ばしていたのだ。客を追ってみて、その理由が明らかになった。LPのカバーは大きいので、曲のリストや写真が見やすい。そこで、カセットを買う客はLPを眺めて内容をたしかめてから、自分が買うと決めたものをカセット売場へ取りにいったのだ。われわれは、LP売場の通路を広くして、買い物客が押しあいへしあいしないですむような提案をした。売上げにひびくからだ。それから、ひどく混みあう売り場にはもっと丈夫なカーペットを敷くようにすべきだとも。

この調査に関する最後の思い出は、私がいまでも人によく見せるフィルムから得られた。そこにはクラシック音楽のテープを万引きしている若い男性の姿が映っている。彼がテープを盗むところを何度も見たあとでようやく気づいたのだが、彼がテープをすべりこませた袋は、そのショッピングモールのどこにも出店していないチェーンのものだった。この豆知識をクライアントの警備担当者に伝え、そういう「場違いな」袋を店内で見かけたら気をつけたほうがいいと告げた。あとから受け取った手紙によると、この方法で数千ドル相当の被害を防ぐことができたそうだ。

店がどのように機能しているのかを解明したこの初めての試みは、私が目指すべき方向を理解するのに十分な結果をもたらした。驚いたことに、私には論理的かつ明白に見えたことが、クライアントにとっては思いがけないほど嬉しい指摘だったのだ。明らかに、私はビジネスの世界に足を踏み入れていた。そこでは私のやったことに価値があったのだ。しかし、私はその結果について、あるいは全体の脈絡について、何もわかっていなかった。ほぼ二〇年前の当時、私はそこに科学が介在することは承知していた。あとはそれが何かを探すだけだった。外のどこかに、小売りの世界でショッピングの科学と呼ばれるようになるものが存在していたのだ。

ショッピングの科学の誕生以前の調査方法

ショッピングの科学が誕生する以前、店のなかで起こっていることを調査する方法は、主に二つあった。一般的な方法は、「テープ」を検証することだ。これは、レジからでる情報で、何が、いつ、いくらで買われたかを語っている。高度に洗練された巨大な多国籍チェーンから、街角のニューススタンドにいたるまで、およそあらゆる小売業が行なっていることだ。四半期ごと、あるいは一年、あるいは任意の一日、あるいは一日のうちの特定の時間帯に、その店が全体としてどんな調子かを知るのにこれはよい方法だった。つまるところ、店の全般的な健全性と繁栄ぶり（あるいは衰退ぶり）を調べる方法である。レジからでる情報は過去二〇年間にめざましく洗練された。商品バーコード、お客様カードやクレジットカードとの連繫のおかげで、商店やマーケティング会社は、何が売れ、誰が買うかについて、幅広い情報を得られるようになった。とはいえ、レジにもとづくデータには大きな問題が二つある。

第一に、業界はデータ集めに長けているわりに、それをタイミングよく利用できるシステムやプロセスの設計が下手であること。

第二に、店の奥深くにあるレジ裏からの視線は、近視眼的だということ。

「ビデオテープ」による方法

ビジネスマンが、このテープからあまりにも多くを引きだそうとすると、とんでもない間違いをおかすことがある。よい例がある。マサチューセッツ州の閉鎖的な地元のショッピングモールにあるドラッグストアのチェーン店。ここは、このチェーンがモールに進出したこともあって、経営陣は熱心に結果を知りたがっていた。売上げだけを見れば、クライアントはほどほどに満足していた。特に鎮痛剤の売り場の成績がよかった。

ところが、われわれがそれまでに行なったドラッグストアや鎮痛剤売場の数々の調査結果に照らすと、ある重要な数字が低かった。クロージャー率——成約率——が、予想されるよりも悪いのだ。つまり、アスピリン売場で足を止め、箱を手に取り、説明を読む客は多くても、実際にアスピリンを買う客が少なすぎるのだ。アスピリンの購入率は高いのがふつうだ。アスピリンはのんびりと眺めるような商品ではなく、たいていは必要にかられて売り場へ急ぐ。そこでわれわれは、しばらく時間をかけて、アスピリンの棚のトラッキングとビデオ撮影を行なった。

三日間のうちに、あるパターンが浮かび上がってきた。アスピリンは店の主要通路に置かれている。通路の先にあるソフトドリンクの冷蔵ケースは、大勢の客が集まる場所だ。そうだとすると、アスピリンはよく売れそうなものだが、現実は正反対だった。清涼飲料水を買うのは主にティーンエイジャーで、われわれの観察したところ、彼らの多くは店に入ってくるなりクーラーに突進する。実は、ここはショッピングモールの若い従業員が休憩時間に冷えたソーダをわしづかみするのに絶好の場所になっていたのだ。

こういう若い店員たちは、アスピリンにはまるで興味がない。アスピリンを買いたがっている客には高齢者が多いが、彼らは棚のところでいらだち、ちょっと立ち止まる。いつもの薬を探したり、何を買おうかと思案したりしながら、一〇分間の休憩中に通路を突進してくる若者たちにぶつからないよう注意しなければならないのだ。実を言うと、アスピリンを買おうとする客の相当数が、ティーンエイジャーたちにいらだち、おびえて、品定めを中途で切り上げ、むなしく引きあげていたのである。

お尻がぶつかって生じる現象の修正バージョンである。買い物客は突き飛ばされはしないが、少々おびえていた。ビデオを見れば、はっきりとわかる。なかにはすくみあがって、棚にしがみつく人さえいた。これは理想的なショッピングの姿勢とは言えない。さらに時間を計ったところ、買い物客が棚の前で費やす時間が、これまでの経験から予測されるよりも短いことも判明した。

こういったことが、われわれの仕事ではしょっちゅう起こる。店の客層は単一ではない。だから、店は同じ場所でいくつもの機能をはたさなければならないのだ。こうした機能が完璧な調和をかなでて共存する場合もあるが、ときによっては、清涼飲料水や薬品など多種多様な品物を扱う店では特に、ある機能と別の機能が衝突する。

いい例がハーレーダビッドソンのディーラーである。約三〇〇〇平方フィートのショールームで、バイクを買って男らしさを回復しようとする裕福な初老の男性から、スペアパーツを探す肉体労働者、ハーレーのロゴに憧れる十代の少年までさばかなければならないのだ。この三者はたがいに関係をもつ気がまったくない。前述したように機能が衝突する場合には、できるだけ多目的の対応ができる方法を考えなければならない。

このドラッグストアの場合、われわれはクライアントに調査の結果を伝え、ふつうなら思いつかない方法を提案した。つまり、薬品売場を店内の静かな一角に引っ越しさせたのだ。売り場を訪れる客は減るだろう。それはしかたがない。だが、アスピリンの売上げは増えるはずだ。棚を移動したあと、売上げは一五％以上も伸びた。さらに、スナック食品を店の正面近くに移動するよう助言した。この配置は、いまやドラッグストア業界の常識となっている。

またあるとき、われわれが調査した大型書店は、ディスカウント本を積みあげた大きな台を入口に置いたばかりだった。客が入ってくると真っ先に目につく。効果は絶大だった。客のほぼ全員が立ち止まって眺めたものだ。一冊でも本を買う客の割合も高かった。レジのテープだけ見れば、このテーブルは大成功だっただろう。

ところが、買い物客をトラックしてみると、例のテーブルを見たあと、店内の他の場所をめぐる人数が予想よりも少ないことが判明した。こうした場合、毎時きっかりにトラッカーが店内を見まわり、レジやコーヒーショップをはじめ、どの売り場に何人の客がいるかを記録する。この密度チェックを、われわれは調査のたびごとに行なう。ここから得られる情報は非常に重要だ。その店の「人口」を、写真を見るようにして正確に把握できるし、人びとがどこに引きつけられ、どこに引きつけられないかがわかり、建築やレイアウト上の何がある特定のエリアから客を遠ざけているかもわかる。客が店内をどのように動いているか（動けずにいるか）がわかるのだ。実際、売り場ごとに吸収されるので、店内の他の場所に広がる客の数はどんどん減っていく。しかも、このときは客の動きを記したトラックシートが、露骨に浅いループを示しはじめた――店に入ってきた客は、バーゲン台に寄ったあと、一つか二つのディスプレイを見るだけで、入口からあまり遠くまで行かずにレジへと向かう。これは偶然のことではなかった。当然である。客はバーゲン台から本を選ぶと、レジに直行して、バーゲン品の代金を払って立ち去ってしまう。たとえベストセラーでも定価で販売される本の棚には目もくれない。買い物客のインタビューからは不幸な副作用も明らかになった。バーゲン台が目立ったおかげで、最新刊を買いにいく店というよりも安売り店という評判がたってしまったのだ。バーゲン台の成功が店全体の失敗を招いていた。レジのテープから学べるのはこの程度のことだ。

「世論調査」による方法

情報を見出すための第二の方法は、市場調査に興味をもつ世界各国で利用されているもので、世論調査を行なう、あるいは単に（電話または対面で）人びとに質問することである。彼らが何を見たか、したか、あるいはしようと考えたかを聞くのだ。それから長い質問リストのあとで、基本的なデモグラフィック特性（年齢、学歴、所得、性別、人種など）を調べる。この二つから、仮説を集めた分厚いバインダーができあがる。四十歳、白人、大学卒、既婚、女性、子供二人、北東部の郊外に住み、車はステーションワゴンの客は、ピーナッツ・バターのジフがもう少し低脂肪だったらいいのにと思っている。あるいは、コンビニエンスストアでコカコーラを買う男たちは、このブランドの色が赤でなかったら、これほど気を引かれないだろうと述べている。あるいは、大卒者の四分の一が、週に一度はパスタを食べる、などだ。

相互参照の可能性は無限である。こうした調査から学ぶべきマーケティングの知恵は多い。しかし、それらは、買い物客や品物が最終的に一つ屋根の下に集うとき、店のなかで何が起きるかについてはあまり明らかにしていない。顧客に店内で何を見て、何をしたかをたずねる調査はある。しかし、その回答の信憑性は往々にして疑わしいものだ。人は店のなかで自分が見たものやしたことを仔細に覚えてはいない。あとで思い出さなければ、と考えながら買い物しているわけではないからだ。

われわれが行なったフレグランスの調査では、何人かの買い物客がインタビューに答えて、あるブランドを買うことを真剣に考慮したと語ったが、それは店に置いていないブランドだった。コンビニエンスストアでのタバコのマーチャンダイジングの研究では、買い物客はマルボロの広告を見たことを思い出した。店内のどこにもそんな広告などなかったのだが。

ショッピングの科学がなぜ必要なのか

人間が何かを買う必要があるときだけ店に入るのだとしたら、そして店では必要なものしか買わないのだとしたら、経済は破綻するだろう。

幸いなことに、二十世紀末のアメリカの好景気のおかげで、ショッピングは誰も予想しなかったほど成長した。いかなる時代のいかなる場所にも見られないほどに。現在では、むしろ買い物をしないための努力がいる。商店や博物館、凝ったつくりのレストランに足を運ばなくとも、インターネット・ショッピングの売りこみが、それと同類の安っぽいテレビ・ショッピングのそれと並んで、一日二四時間、週七日、鼻先に突きつけられている。郵便受に近づけば、いやでもあのおびただしいカタログにでくわすのである。

その結果、専門家が口をそろえるように、人びとは危険なくらい商品売りこみ合戦の渦中におかれた状態にある。あまりにも多くのものが、あまりにも多くの販路を通じて売られているのだ。最強の景気ですら、小売りの成長に追いつけない。出生率を見てもわかるように、新しい店ができるほうが、新たに子供の客が生まれるよりもはるかにすみやかなのだ。

アメリカ国内の小売業者が新たに店を開くのは、もはや新しい市場をめざしてのことではない。他の店の顧客を横どりしようとしているのだ。競争の激化にともない、他の店と差をつける、あえて言えば、ショッピングの科学の必要は高まる。

ショッピングの科学の今日の隆盛には、ほかにも理由がある。何世代か前には、消費者の耳をねらったコマーシャルは、高度に凝縮された信頼できるかたちで入ってきた。テレビは三大ネットワーク、ラジオはAMだけ、大部数を誇る全国発売の雑誌がひと握り、それから町ごとに地方紙があって、町のすべての大人が読んでいた。有名ブランドの商品はそうしたメディアを通じて宣伝され、メッセージは大声で、明快に、信頼できる伝わりかたをした。現在、テレビのチャンネルは一〇〇にせまり、リモコンやビデオでコマーシャルをとばすことができる。FMラジオが出現し、細分化された関心事に見合った膨大な数の雑誌が生まれ、際限なく膨張しつづけるウェブサイトを情報や娯楽を求めて訪れることができ、新聞の購読者は減るばかり。こうした状況のすべてが、消費者にメッセージを届け、何かを買うよう説得することがこれまでになく難しくなったことを意味している。

それと同時に、われわれの目の前でブランドの影響力が崩れかけている。ブランドに価値がないわけではないが、かつてほどの絶対的な力をもたなくなった。ひと昔かふた昔前には、人生の早い時期にブランドを決めたら、最後までそのブランドへの忠誠が貫かれたものだった。ビュイック好きならビュイックを買う。マルボロびいきならマルボロを喫う。自分のひいき、たとえば飲料はコーラかペプシか、家電はメイタッグかスピードクイーンか、石鹸はキャメイかアイボリーかを決めたなら、それを生涯守りとおす。いまや考えようによっては、毎日が新たな決断であり、すべてが当然ではなくなっている。

つまり、ブランドや従来の広告はブランド意識と購買傾向を築き上げたが、こうした要素がつねに売上げに反映するわけではない。マーケティングの標準ツールは、かつてのような効果をあげているとはとても言えない。多くの購買決定が店のフロアでなされ、あるいはそれに強く影響される。買い物客はブランドへの忠誠や、何を買うべきかを広告に頼るよりも、店内での印象や情報に左右される。

その結果、メッセージを伝え、売上げを決める媒体はいまや店と通路になった。建物と場所そのものが、巨大な三次元広告なのだ。看板、棚の配置、ディスプレイ空間と備品のすべてが、買い物客に特定の品物を（何かを買うなら）買いやすく、あるいは買いにくくしている。ショッピングの科学は、こうしたツールをいかに利用するかを語ろうと意図している。買い物客に実際に読んでもらえる案内や掲示をどうデザインするか、メッセージの場所が適切かどうかをいかにして知るか。買い物客が快適かつ容易に試着できる衣料品のディスプレイはどのようなものか。店全体に客の手が届き、確実に手を伸ばしたくなるようにするにはどうすればよいのか。長いリストができる。一冊の本が書けるほどだと言いたい。

最後に、われわれの調査が証明したところによれば、**買い物客は店にいる時間が長くなるほどたくさん買う。客が店内に滞留する時間は、その場がいかに快適で楽しいかによる。**ホリー・ホワイトの研究が、都市の公園や広場を改善したように、ショッピングの科学はよりよいショッピング環境を創出する。結果として、われわれはクライアントにも利益をもたらす消費者擁護運動をしているつもりである。

2 小売業者が知らないこと

ここでショッピングの科学を、科学者ではなく実践者、すなわち小売業者の視点から見るのも有益だろう。彼らはわれわれの調査の構成要素の一つであるにちがいない。つまり、買い物体験の提供者である。と同時に、小売業者はわれわれの学んだことをすべて吸収し、見出された法則を応用することが期待される人びとでもある。それに、われわれが研究するのは彼らの店なのだから、当然つぎのような疑問がでてくる。

小売業者はそんなに無知なのか、と。

そのとおり。たぶん、人が想像する以上に。例をあげよう。

経営評価の手法

ショッピング環境にいまだ広大な未踏の地が残されている証拠だが、年商数十億ドルのチェーンの重役できわめて知的かつ有能な人物が、つぎのような簡単な質問にさえ答えられないということがあるのだ。

あなたの店で、実際にものを買うのは店を訪れる人のうち何人くらいですか？

自分が彼の立場ならわかるはずだと思うかもしれない。だが、まあ聞いてほしい。彼は怠け者ではない。自社のチェーンの何千という店舗の状況をかなりよく把握しているし、日々のことはもっとくわしい。総売上げ（取引の回数および金額）や、平均売上高、ある店舗の前年同日と比較しての売上げ、地域ごとの売上げ、品目やカテゴリーや店舗、ことによると月ごとの売上げといった大事なことを。

そのようなことはすべて知っているのだが。

●その1　コンバージョン・レート

あなたの店で、実際に品物を買うのは来店者のうち何人ですかとたずねれば、彼はこう答えるだろう。全員、ほぼ全員だね。これは彼の答えだが、彼が率いる巨大企業（PCネットワーク化され、データをむさぼり数字をかみ砕く、計算の好きな企業）の回答でもある。そこの誰もが同意する。コンバージョン・レートまたはクロージャー・レートと言われるもの（来店者が実際にモノを買う確率）は、ほぼ一〇〇％である、と。この会社の理屈はこうだ。うちの店は客に目的があってくるところだ。だから客がくるのはとくに買いたいものがあるからだ。したがって、客が買わないのは、お目当ての品物が在庫切れの場合にかぎられる、と。

実は、コンバージョン・レートという概念そのものが、来店者《ショッパー》を購入者《バイヤー》に変える、つまり「転換《コンバージョン》する」という意味を含むのだが、この企業にとってはまるで馴染みがなかった（いまでも多くの大企業や重役たちにとってはそうなのだ）。

私がこの質問をしたのは、このチェーン店についての大がかりな調査をした直後だった。私はコンバージョン・レートを知っていた。何百時間も費やして、来店者と購入者を数えた結果だ。コンバージョン・レートは、この業態にしてはかなり高かった。だが、重役の思いこみの半分くらいだった。正確に言うと、来店者のうち何かを買ったのは四八％だったのだ。

その男性は情報の価値を信じていたので、面食らいはしたものの、くわしい話を聞きたがった。だが、彼の会社の何人かはうさんくさそうな、憤慨したような、侮辱されたような顔つきで、とんでもない計算ちがいだと確信していた。そこで彼らは、独自に調査をした。いくつかの店の入口に立ち、入ってくる人数と袋をかかえてでていく人の数を数えたのだ。

その結果は、われわれの調査とまったく同じだった。そのことは、つまるところ彼らにとっては非常にポジティヴな結末をもたらした。それはつまり、よい会社は何かを変えていくことでもっとよい会社になるからだ。そこの重役に聞いてみればいい。われわれの調査が「弊社の長年にわたる思いこみに根本的な変化」をもたらしたと言うだろう。いずれにせよ、彼らは店のレイアウト、ディスプレイ、マーチャンダイジング、店員の配置などを変えはじめた。コンバージョン・レートが改善され、利益の拡大をもたらすことは間違いない。

われわれの発見は、この会社の長期の展望にとっても有益だった。ウォール街が要求し、誰もが好む有意な成長を刺激するには、帝国の拡大という、いずれガス欠を免れない金のかかる戦略をとらなくても、店舗レベルでこと足りることを示したのだ。

コンバージョン・レートは、店や商品の種類によって大きく変動する。スーパーマーケットのコンバージョン・レートはほぼ一〇〇％だろう（乳製品やトイレットペーパーの売り場など）。高価な絵画を扱うアート・ギャラリーでは、実際のところ一〇〇人に一人がいいところで、それでも多いほうだろう。だが、売りものがなんであれ、コンバージョン・レートが経営の指標としてきわめて重要であることに異論の余地はないだろう。客を引き寄せるのはマーケティング、広告、販促、立地だが、来店者を購入者に転換するのは、マーチャンダイジング、従業員、店自体の仕事だ。コンバージョン・レートは、手持ちをどれほど活用しているかを測る物差しだ。その企画がもっとも意味をもつ場所、つまり店内で、どれほどうまく（あるいはまずく）機能しているかを測る尺度である。小売業におけるコンバージョン・レートは、野球における打率のようなものだ。昨シーズンに誰かが一〇〇本のヒットを打ったとしても、打数は三〇〇かもしれず、一〇〇〇かもしれない。コンバージョン・レートを知らなければ、自分がホームラン王のミッキー・マントルかミッキー・マウスのどちらかもわからないのだ。

それでも、コンバージョン・レートにまるで無知な商売人があまりにも多い。このような経営評価の手法は、ビジネススクールでは教えてくれない。利潤差額や投資収益や通貨供給量などとは無関係だからだ。店の四方の壁のなかで何が起こっているかがすべてなのだ。

●その2　買い物客の滞留時間

ここでもう一つ、店内の出来事が十分に認識されていない例をあげよう。

あるとき、大手化粧品会社の役員に質問した。女性が化粧品を買うのに費やす時間は、一回の来店についてどれくらいでしょうか。

「まあ、一〇分くらいかな」と彼。

「うーむ」と私。この化粧品会社についての調査で、化粧品売場の客の平均滞留時間は二分と判明したばかりだった。商品を買った客は、それより三〇秒間だけ長居した。

ということは、客が一軒の店で費やす時間（ショッピングしている時間のみ、列に並ぶ時間は除外する）は、その客がどれほど買うかを決定するうえでとくに重視すべき要因のようだ。われわれの調査では、この二つのあいだに直接の関係があることがたびたび証明されている。消費者が店全体（もしくは大半）をまわって、多くの商品を検討する（商品を眺め、触れ、思案する）には、かなりの時間を要する。

われわれが調査した電器店で、非購入者の滞店時間は五分六秒、これにたいして購入者は九分二九秒だった。玩具店では、購入者が一七分以上、非購入者が一〇分。店によって、購入者が費やす時間は非購入者の三倍から四倍になる。買い物時間の長さに、なんらかの意味で含まれる要素は膨大で、それを調査するのがわれわれの仕事の大半だ。われわれが小売業者に与える助言のほとんどは、客の買い物時間をより長くする方法にかかわっている。だが、まず問題の店なり製品なりを買うのに人びとがどれほどの時間をかけているかを知らなければ、それを長くさせる方法もわからない。

●その3　応対率

もう一つ、店を判断する方法がある。応対率だ。従業員となんらかの接触をもつ客の割合のことだ。これは今日、とくに重要性が高くなっている。現在、多くの店が従業員を減らし、正規の雇用を減らし、最低賃金を引き下げることによって経費の節減をはかっているからだ。われわれの調査はいずれも、この二つのあいだに直接の関係があることを示している。買い物客と従業員の接触が増えるほど、平均の売上げが伸びる。店の従業員との会話は客を引きつける一つの方法なのだ。

ある巨大衣料品チェーンでは、応対率が二五％だった。つまり、買い物客全体の四分の三が販売員とまったく口をきかない。応対率がこれほど低いのは危険だ。顧客になりうる人びとが迷子になったり、判断に迷ったり、あるいはたんに情報が欲しかったりして、店員を見つけようと店内をうろうろするうちにいらだつ可能性があるからだ。

さらにこの数字は、従業員が商品の売りこみにあまり時間をさかなかったことも意味する。彼らは棚の整理をしたり会計処理をしたりしていて、お客にモノをとりもつ時間があまりとれないのだ。こうなると、店の業績悪化は目に見えている。理由は明白だろう。

●その4　買い物客の待ち時間

最後にあげる物差しは、非常にシンプルだ。すなわち待ち時間。別のところでも論じるように、これは顧客を満足させるうえでもっとも重要な要因である。ところが、客をあまり長いあいだ行列（など）で待たせると、サービス全般の印象が一挙に悪化することを認識している小売業者は少ない。多忙なエグゼクティブは何ごとにつけても待たされるのが嫌いなのに、それはふつうの人も同じだということを忘れている。

ある家庭用品チェーンの副社長にショックを与えたビデオがある。それは彼の店を撮影したビデオで、一人の女性が二二分間もかけて買い物したあと、レジの長い行列に並んだのだが、気が遠くなるほど待たされることに気がついて、商品を山と積んだカートを放りだして立ち去ったのだ。われわれにとっては驚くまでもない。よくあることなのだ。

あるとき、仕事を依頼された銀行は、五分以上待たせた顧客に五ドル支払うキャンペーンを始めようと計画していた。窓口の列を二日間にわたって調査した結果、われわれはクライアントにたいし、この計画は試算の三倍のコストがかかると報告した。彼らは計画を中止し、客の待ち時間を短縮させることに取り組んだ。

自分たちの客を把握しているか

以下の最後の問題には、店を測定する方法は含まれていない。だが、ビジネスマンの無知を示すまたとない例なので紹介しよう。

彼らは、自分たちの客が誰かを知らないことも珍しくない。すでに述べたように、ペットのおやつメーカーは製品を高い棚の上に並べており、購買者の主力が老人と子供であることを自覚していなかった。ファミリーレストランのチェーンを調査したときのことだ。二人掛けのテーブルがいやに多く、四人掛けのテーブルが少ないため、混雑時に問題が生じていた。それというのも、食事にくるグループの人数を数えてみた者がいなかったからだ。また、別のファミリーレストランのチェーンでは、各店の床面積のおよそ一〇%をカウンター式の座席が占めていた。客のまばらな時間帯にカウンターが使われないのは、同行者のいない一人の客が新聞や雑誌を読めるテーブル席に座りたがるからだ。混雑した時間帯に使われないのは、二人から四人のグループがテーブルに座りたがるからだ。テーブル待ちの客が列に並んでいるときでさえ、カウンターには客がいなかった。

誰が自分の店の客なのかを小売業者が知らないことから生じる問題は、ひんぱんに起こっている。ニューヨークのグリーリー・スクエアにあるニューススタンドが、売上げを伸ばすために雑誌のスペースを広げようと計画した。われわれが調べたところ、すぐ近所に大きなコリアンタウンがあるため、客の大半がコリアンかヒスパニックだった。ハングルの雑誌（ハングルの新聞はすでによく売れていた）と、ラティーノ市場で人気のソフトドリンクを仕入れてはというわれわれの助言にしたがった結果、売上げはたちまち伸びた。

これに類した問題は、ニューヨークやロサンゼルスのような大都市ではよく見られる。店やレストランでひと休みしようとする外国人客である。だが、アジア系の客のための便宜はほとんどはかられていない。彼らは数も多く、ぜいたくに散財する傾向もあるというのに、日本語やハングルでのサイズ換算表も、為替レートの表示も、使用可能なクレジットカードの表示もない。気のきいた小売業者なら、かたことでも日本語、ドイツ語、フランス語、スペイン語をしゃべる従業員に報酬を与えるだろう。外国で買い物をした経験があればわかるように、ちょっとした一言が大きなちがいを生むのだ。レストランには日本語やドイツ語のメニューを用意するとよい。

だが、小売業者が自分の客を把握していないことを示すには、外国人にかかわる話をもちだすまでもない。ある全国チェーンのドラッグストアのワシントンDC店は、行くたびに楽しませてくれた。そこではヘアダイやマニキュアをはじめとしてブロンド用の製品を各種取り揃えている。店の客の九五%以上がアフロ・アメリカンなのだが。それから、フロリダに本拠をおくドラッグストアのミネアポリス店。そこではあらゆる種類の日焼け用ローションが大々的に陳列されていた。季節は十月だったのだが。

第2部

ショッピングのメカニズム

ショッピングの科学の背後にある第一の原則は、単純そのものだ。すべての人間には共通した生理的、解剖学的な能力と傾向と限界と欲求があり、ショッピング環境はこうした特徴に合わせなければならないのである。

言い換えれば、商店や銀行やレストランなどの空間は、ヒトという動物の特性になじむようにする必要がある。客には性別、年齢、収入、趣味や好みなど、外見的な相違がいくつもある。だが、それよりも共通点のほうがずっと多いのだ。この事実と、それにともなう考え――店は使用者の生物的な特質を反映すべきだ――は、わざわざ言うまでもなく、わかりきったことではないだろうか？　つまるところ、こうした店を設計、計画、経営するのは人間で、そのほとんどは、ときとして自分自身が買い物客ではないのか。すべては正しく行なわれて当然だと思える。

それなのに、人間という機械がどのような構造で、その行動が生理的、解剖学的にいかに規定されているかについて、ショッピング環境をととのえる側が認識しそこね、対応しそこねていることを暴露することが、われわれの業務の大半を占めている。私がここで話しているのは基本中の基本だ。われわれには手が二本しかないことや、使わないときの手が床から約三フィートの高さにあることなどである。また、われわれの目は正面についていて、目の端でとらえるものの大きさは環境によっても決定されること、それにモノよりは人を見ることということもある。たとえば、さらに、人がどこをどのように歩くかをほぼ確実に予測できるという事実もある。人間は予測可能な経路を進むときに速度を上げ、周囲に反応すると減速して立ち止まることなどだ。

これらすべての意味するところは明らかだ。買い物客がどこへ行き、何を見て、いかに反応するかが、彼らの買い物体験の質を決定するのである。彼らは商品や掲示をはっきりと見るか、あるいは見ない。商品に楽に手を伸ばし、あるいは苦労して手を伸ばす。売り場をゆっくりしたペースで移動し、あるいはさっさと通り過ぎる。またはまったく通らない。こうした生理的、解剖学的要因がすべて動員されて、複雑な行動のマトリックスを形成する。ショッピング環境が買い物客という生物にみずからを適応させるつもりであるならば、これを理解しなければならない。

ショッピングの科学からわれわれが学んだ何よりも重要な教訓は、つぎのようなものだ。

- **適合性と収益性は全面的かつ複雑に結びついている。あらゆる面において前者を心がけよ、そうすれば後者が保証される。**
- **高度に個人的な買い物客のニーズに対応するショッピング環境を構築し、運営せよ。そうすれ**

ば繁盛する店が生まれる。

つづく5章では、きわめて基本的な事柄、たとえば人の手がつかめる量、移動中に読めるものの限度、買い物客以外の人間の生理的欲求でさえもが、いかにショッピングを決定しているかを見ていくことにしよう。

3　入口と移行ゾーン――ショッピングの始まり

ストップ。

ちょっとじっとして。何も聞くな。黙って見ていたまえ。

われわれは駐車場の真ん中に立っている。それがポイントだ。

わかるだろうか、誰もが足早に店内へと向かう。早く店に入りたくて気がせくから？　そうかも。だが、私はこれまでに駐車場を通り抜ける人びとをずいぶん見てきたが、誰もが早足なのだ。駐車場はのんびり歩く場所ではない。五番街ではないし、目抜き通りでもない。急発進する車、排気ガスのにおい、アスファルト、それから何よりもいつもの天気である。雨、風、冷気、熱気。世界のどこでも駐車場はつねにひどい天気なのだ。

オーケー。では、人びとと一緒に店へ。前方に何が見えるか？　窓。なかには何があるのか？　商品。それとも看板？　それとも商品と看板？　よく見えない。日光がガラスに反射している。あるいは外が暗いのに照明を落としすぎだ。たいていの小売業者は、昼と夜とで照明を変えるということをしない。つまり、昼と夜の（両方でなければ）どちらかは、視界がひどく悪いということだ。

話を先へ進めるために、窓のなかに何があるかがわかったとしよう。何かのディスプレイ、マネキンか商品だ。だが、それがなんであるにせよ、スケールを間違えている。あんなに遠くにこまごましたものを並べてもここからはよく見えない。それに覚えておくべきだが、人は速く歩いているときほど視野が狭くなる。だが、品物や宣材を見たり読んだりできるくらい近づいたときは、足を止めて眺めようという気分ではない。心臓破りの駐車場歩きを終えて、ようやく入口が目の前にある。ウィンドウの狙いがなんであれ、そんなものは忘れることだ。駐車場に面したウィンドウのメッセージは、大きく、太く、短く、シンプルに。でなければただ邪魔なだけだ。

さあ、ドアの前まできた。なかに入る。勢いにのってさらに進む。店の敷居をまたいだとたんに急停止する人を見たことがあるだろうか。私はない。玉突き衝突の原因だ。ここにきて、一緒に立ってドアを見よう。客が入ってくると、何が起こるか？　見えないかもしれないが、彼らはあわただしく自分を適応させようとしている。ペースをゆるめると同時に、目を明るさとスケールの変化に調節し、首を伸ばし、見るべきものをすべて見てとろうとするのだ。その一方で、彼らの耳と鼻と末梢神経が、それ以外の刺激を識別している。音やにおいを分析し、店内が暑いか寒いかを判断する。このような多くのことが行なわれるのだ。つまり、まず断言できるが、彼らはまだ本当に店内にいるのではない。見たところいるにはいるが、あと何秒かしなければ本当に店にいる状態にはならない。じっくりと観察すれば、買い物客の大半がどこで歩をゆるめ、どこで外にいる状態から店のなかにいる状態への移行をはたすかが予測できるだろう。誰でもほとんど同じ場所だ。店のフロント部のレイアウトにもよるけれども。

つまり、この移行がなされる前に客が通るゾーンに何を置いても役に立たない可能性が高い。商品がディスプレイしてあっても、客は目もくれない。掲示があっても、さっさと通り過ぎるだけなので、何が書いてあるか読みとれない。販売員が心をこめて「何をお探しですか?」と言おうものなら、「いや、別に」と答えるだろう、間違いなく。チラシの山や買い物カゴをドアのすぐ内側に置いてみるといい。客はせいぜい見るだけ、まず手に取りはしない。店の奥に一〇フィート移動すれば、チラシもカゴもすぐになくなる。これは自然の法則、つまり**買い物客には滑走路が必要だということだ**。

移行ゾーンという落とし穴

われわれのクライアントに話をすると、意義深く役に立つわれわれの発見のなかでもとりわけ移行ゾーンへの反応が強い。われわれが知らせることのなかで、おそらくもっとも意外なのだろう。たぶん、われわれの助言が、フロントにたいする人間の根強い憧れをそっけなく退けるからだ。われわれはみなそこへ行きたがる。集団の最前線、列の先頭、クラスのトップ。フロントランナーには戦利品が保証される。

しかし、ショッピング環境においては、最前線はときに人がもっとも行きたがらない場所なのだ。たとえば、小売業者はフロント・ドアに商品名を掲示してメーカーから金を取ることがある。一見したところ、誰もがフロント・ドアを見るわけだから、これはマーケティング予算の賢い使い方のように見える。ところが、買い物客がドアに近づくときは、ドアのハンドルや、押す／引くの表示を見ているものだ。私はいまだかつて買い物客が足を止めてドアに書いてある文字を読むところを見たことがない。人が立ち止まって読む場合は一つしかない。店が閉まっているときだ。マーケティングツールの水準からすれば、これも何かの役に立つのかもしれない。だが、たいした役には立たない。

現在、多くの店に自動ドアがある。客にとっては便利な装置だ。とくに荷物を持ったりベビーカーを押したりしている人には。だが、入店が容易だというのは、移行ゾーンの拡大につながる。速度をゆるめさせるものがないからだ。とくに小さい店では、入口に敷居のようなものを設けたほうが、何もしないよりは利益が大きい。ほんのおしるし程度でいい。わずかにきしるドアやがたつく蝶番《ちょうつがい》も有効だろう。ドアウェイの特殊な照明も、外と内をはっきりと区別するのに役立つ。

大きな店では、フロントのスペースを無駄にする余裕が多少ある。一方、小さい店にはない。いずれにせよ、移行ゾーンを考えるにあたっては、二つの指針がある。

- **移行ゾーンには何であれ重要なものをもってこないこと。**
- **移行ゾーンをできるだけ小さくするように努力すること。**

入口と移行ゾーンについてなすべきで「ない」ことについてのすぐれた教訓は、洗練された大企業のおかげでもたらされた。

●バーガーキングの事例

八〇年代の初めに、バーガーキングは新たにサラダバーの導入を検討していた。鳴りもの入りで紹介しようと、実験的にレストランの出入り口を変更した。従来、駐車場にもっとも近いドアが入口だったのだが、入口を出口に変更し、その隣の大きな窓ぎわにサラダバーを設置した。客が車をおりていつもの入口に歩いてくるとサラダバーが目に入り、食欲をそそられた客は、入ってくるなり――もちろん新しい入口からだ――レタスを取りにいくという寸法である。

ところが、実際はちがった。客は昔の入口の前にくると、ハンドルを探す。ところが工事のときに撤去されている。彼らはそれから後ずさりして、気まずそうに頭をかき、店に入る方法を探しはじめる。サラダバーには目もくれない。ドアを探すのに忙しかったのだ！　ようやくドアを見つけると、空腹にいらだちが加わって、さっさとカウンターを見つけ、いつものハンバーガーとポテトフライだけを注文した。こんな調子では、サラダバーが利用されるチャンスは万に一つもない。

●あるスポーツ用品店の事例

移行ゾーンに関するろくでもないアイデアをもう一つ。あるスポーツ用品店の経営者は、客が入ってきたら五秒以内に挨拶せよと全従業員に指示した。結果はどうなったか。客は店に足を踏み入れたとたん、入口のそばにずらりと居並び、心のこもったいらっしゃいませを浴びせようと、まるで獲物に飛びかかろうとするワシのように待ちかまえた店員たちと鉢合わせしなければならないのだ。

●Kマートの事例

つい二、三年前にも、移行ゾーンの間違った使用例を見かけた。KマートのためにIBMの子会社が設計した対話式コンピュータ情報機器をテストしていたときのことだ。タッチスクリーンとキーボードを備え、たとえば男性用下着はどこかとたずねれば、店内の地図に加えてTシャツや靴下のクーポン券をくれる。結構なアイデアであり、うまく実現されていた。客は助かり、店側は案内デスクに店員を立たせて、客に男児用セーターはこちらですと一日に七二回も説明させるためのコストを省くことができる。

ところが、店の幹部はまもなく、ちょっとした不具合に気づいた。機械を利用する客がほとんどいないのだ。問題は、誰もが店のなかに六歩入ったところでは、自分の行き先がわからないとは思わないことだった。その時点では、まだろくにあたりを見まわしてもいないので、自分が迷子になったという認識がないのだ。ドアのそばに設置したばかりに、このコンピュータは高価な電子彫刻と化し、まもなく店はこれを廃止した。だが、本当はちゃんと機能させられたはずだと思う。店を三分の一ほど入ったあたりで、客は助けが必要なことを本当に理解するのだから。

さまざまな小売店に見る移行ゾーンの利用法

移行ゾーンでは何ができるだろう？　まず、客を迎えること、どこかに誘導するのではなく、いらっしゃいませと声をかけ、客がどこにきたのかを知らせ、誘惑を開始することだ。警備の専門家が言っているように、万引きを防ぐもっとも簡単な方法は、かならず店員から客に声をかけて、客の存在を認めることだそうだ。ウォルマートの創業者サム・ウォルトンの素朴な観察によれば、やさしそうな年輩の女性店員を雇ってお客に挨拶させれば、誰も盗みをはたらかないという。

●事例１――店内案内図を渡す

買い物カゴや案内図やクーポン券を渡すのもよい。マンハッタンにはすてきな店がある。高島屋だが、そこでは制服のドアマンが客を入れるときに、ポケットサイズのきれいな店内案内図を渡してくれる。入口のすぐ右の移行ゾーンには花の売り場がある。店に入ってきた客はそれを目の端にとらえて、立ち寄りはしないけれども考える。あら、お花だわ、すてき、帰るときに買いましょう。それは正しい。誰にせよ湿った花束をかかえて、店のなかを歩きまわりたくないからだ。

●事例２――バリアをつくる

ＧＡＰとその姉妹ブランドで、より若い世代を意識したオールドネイビーは、ドアのすぐ内側にパワー・ディスプレイと称するものを置いている。大量のセーターやジーンズを横長の土手のように並べたもので、買い物客の足どりをゆるめさせるバリアの役目をはたしている。客を減速させる一種の敷居であり、また巨大看板の役目もはたしている。「わたしを買って」と言うわけではないが、「ちょっと足を止めて、あなたがどこを歩いているのかよく見て」と言っているわけだ。

●事例3――ディスカウント商品を置く

移行ゾーンのまた別の利用法は、アウトレット衣料品販売のファイリーンズ・ベースメントで見かけたもので、移行ゾーンのルールを完全に破っていた。破るどころか、粉砕していた。店の入口のすぐ内側に大幅なディスカウント商品の巨大な箱を置き、あまりの安さに客の足が思わず止まっていた。これは、ルールについて、あることを教えてくれる。ルールは、それにしたがうか、盛大に破るかのどちらかだということである。最悪なのは、ルールをただ無視すること、あるいは部分的にしかしたがわないことだ。

●事例4――店を駐車場まで拡張する

私はこのびっくり箱戦略が好きだ。入口から引っこむかわりに、店を入口の前に押しだす。売り場を駐車場まで拡張するというわけだ。なんといっても、フットボールのファンは、どんなにひどい天気だろうと駐車場をめいっぱい利用しているではないか。アスファルトの上でバーベキューをしたり、飲んだり食ったりしゃべったり。あちこちにあるドライブインシアターも、昼間はフリーマーケットの会場に変身する。戸外でも気分よく買い物ができる証拠だ。夏になれば、スーパーマーケットの駐車場に季節商品がもちだされる。ある海辺のリゾート地では、バーベキュー用品、砂遊びのおもちゃ、日焼けローション、ビーチサンダルなどをテントに並べ、一人の店員が番をしていた。海水浴の行き帰りに車を停めて、必要なものだけつかんで走り去るといったことができるのだ。砂だらけの身体を引きずって食品売場をうろうろすることも、長蛇の列に並ぶこともない。

アメリカでは、店が外部に拡張されていることから興味深い状況が出現しはじめている――国土の多くの面積が駐車場としても利用できるようになったのだ。建物なら用途は多彩だ。衣料品店が電気製品や食料品を売ってもいいし、オフィスに使ってもいい。だが、このだだっぴろいアスファルトの利用には、だいぶ頭をひねる羽目になることだろう。

入口近くの空間を見直す

最初が最高だとはかぎらないという発見は、移行ゾーンだけでなく、店そのものにも当てはまる。どの売り場にも言えることだが、消費者が最初に出会う商品がかならずしも有利なわけではない。それとまったく逆のことだってありうる。店に入ってから商品のところへたどりつくまでにある程度の空間があると、客の目に余裕が生まれる。何かを見ることへの期待が高まる。

たとえば、コンピュータを買いにきた客が、とっかかりの一台で立ち止まり、他のものとくらべもせずに購入するということは、まずありえない。だが、売り場のなかほどまで進むと、もう十分わかったという気になり、決断する。

見本市などで、入口のすぐ近くのブースは理想的なようだが、実はかなり悪い場所なのだ。会場に入ってくる客はそのまま通りすぎるし、ひどい場合には入口で待ちあわせている人びとに埋もれ、ひどく混雑しているような誤った印象が生まれて、本当の客を逃がしてしまう。おまけに、ドアのすぐ内側というのはどこか寒々としている。玄関の土間に立っているような気分にさせられるのだ。

化粧品会社も、百貨店の入口のそばのカウンターは敬遠するのがふつうだ。鏡の前で化粧を直す女性がプライバシーを求めるのは当然だからだ。少しばかりの平和と静寂が求められる理由は、それだけではない。

たとえば、家庭用ヘアカラー市場の二大企業のうち一社が、ドラッグストアでもっともよい場所に商品を並べたいとする。ところで、若い女性がヘアカラーを買うのは、たいていファッションとしてだ。近くおしゃれをする機会があるかもしれないし、髪の色を変えて気分を一新したいのかもしれない。これにたいして、年配の女性が買うのは必需品だからだ。もう一五年も前から買う色を決めていて、毎日ますます白髪が増えていくこともあり、もはや石鹼と同じ日用品なのだ。このちがいから、年配の客はいつもの色を見つけてさっさと立ち去るが、若い客は棚でしばらく物色してからでなければ買わない。ヘアケア製品を例にとると、年配の女性が買う製品の数は若い女性の三分の二で、前者が二・一個なのに対し、後者は三・一個だ。したがって、若い顧客を中心とする店では、静かで混まない場所にヘアカラーを置いたほうがよく売れる。ふつうは店の正面から離れた場所ということになるだろう。これにたいして、顧客に年配の女性が多い店では、入口に近いほうがヘアカラーに適している。これらの客は、どのみち時間をかけて物色しないからだ。

おしまいに（わが社の周辺で）有名な話を一つ。あるスーパーでは、多大な手間と金をかけてチップスやプレッツェルのディスプレイを製作した。漫画のキャラクター、チーターのチェスターを起用した機械仕掛けで、人が通ると話しかけるものだ。「腹ぺこのキミ、いいところにきたね！」客が通るたびにそう声をかけるのだ。スーパーの経営者は多額の資金を投じて、いくつかの店舗の正面入口にこれを設置した。効果は絶大だった。絶大すぎた。間断なく発せられる挨拶に、八時間ぶっ通しで単調な声を聞かされるレジ係が逆上してしまったのだ。ある店ではまもなく、店員一同がこの問題をさわやかに解決した。電源を引っこ抜いたのだ。おかげでずっと感じはよくなったけれども、チェスターは二度と口をきけなくなってしまった。

4 手の問題の重要性

肌寒い一日。買い物客は女性。ここから何がわかるか？

まず確実なのは、彼女がハンドバッグをもっていること、コートを着ていること、これはいったん店に入れば脱ぎたがるはずだ。つまり手にもつことになる。神は彼女に二本の手を与えられた。だが、彼女は一本の手で買い物をしている。

選んだ商品をあいた手にもつ。もう手は一本もない。小さくて軽いものなら、小脇にかかえられるかもしれない。ハンドバッグを肩か腕にかけることも。こうして、そういう言いかたができるなら、彼女には一と四分の一本の手がある。だが、もう一つ品物を取れば、手を使いきってしまう。よほど意欲のある客でなければ我慢できないはずだ。ヒトの解剖学的な特徴が買い物の終了を宣告する。

これがショッピングの科学の古典的な瞬間である。この物理的な事実（買い物客の手はおおむね二本）は、かなりよく知られている。ところが、その事実が意味するところとなると、想像もされなければ気づかれもせず、考慮されることも、それに見合った工夫がなされることも、認識されることもない。ただ無視されている。

人間には手が二本しかないことを考える

私が手の割当という問題に注目したきっかけは、人類の大交差点、ニューヨークのグランド・セントラル駅のニューススタンドを調査したことだった。スタンドにカメラを向けて、もっとも混雑する時間帯、朝と夕方のラッシュ・アワーを観察した。

ニューススタンドの商売が成功するかどうかは、ある決定的な能力にかかっている。朝は職場に向かって、夕方は職場から駆けだし、電車に飛び乗ろうとして誰もが急いでいる時間帯に、大量の売買をこなせる能力である。通勤客はせかせかと歩きながらニューススタンドに目を走らせ、混みぐあいを判断する。そこに割りこんで、新聞、雑誌、タバコ、ガムを買えそうなら足を止める。客が大勢並んでいて、いらいらしながら時計に目を走らせているようであれば、そのまま歩きつづけながら、こうつぶやく。ずいぶん混んでいるな、電車に乗り遅れてしまうだろう。よそで買ったほうがいいな。

ニューススタンドのありかたに関連してもう一つ気がついたのは、どの客もすでに片手がふさがっていることだ。ブリーフケースやトートバッグ、ハンドバッグ、ランチバッグをもっている。いまどき手ぶらで仕事にいく人間はまずいない。こう考えてみると、現代のアメリカで両手が完全にあいていることは稀なのだ。いまやあちこちで見かけるバックパック、ウエストポーチでさえ、手を解放するものではない。運べる量が増えただけだ。人間は二本足の役畜のようなものらしい。人びとがどこへ行くにももち歩くものの数の多さには驚かされる。
われわれの調査の最後の要素は、スタンドそのものである。ありふれたタイプは、低い平棚に日刊紙、その上に雑誌のラック、その上にキャンディ、チューインガム、ミントの棚、そしていちばん上の円形の内側にレジというレイアウトだ。
われわれは売買のすべてをビデオに撮って仔細に分析した。するとこんな光景が見られた。

ブリーフケースをもった客がスタンドに近づき、腰をかがめて平積みにされた新聞などを取る。腰を伸ばして商品を大げさにふりまわし、店員の注意をひく。それから、ブリーフケースを足もとに置くか、ブリーフケースの取っ手に新聞をはさみ、あいた手で金を取りだす（客が遅刻寸前なら、ポケットの金を渡す）。わずかに身を乗りだして、あいたほうの手を伸ばして釣銭を受け取る。釣銭をポケットにつっこみ、ブリーフケースを拾いあげる、またはブリーフケースの取っ手にはさんでおいた新聞を自由な手にもち換える。それから身体の向きを変え、人ごみをかき分けてその場を立ち去る。

スタンドの設計者が、できるだけ多くの商品を陳列できる構造こそ最善と信じていたのは明らかだ。ことによると、スタンドの経営者もそう信じていたのかもしれない。だが、客の目からすれば、この設計は見当ちがいもはなはだしい。そもそも高さ二フィートの棚を設けるべきだったのだ。客が金を取りだしたり、釣銭を待つあいだ、ブリーフケースやハンドバッグや品物を置ける場所、カウンターのようなものだ。

ところが、ただ一つある平面は膝に届かないほどの高さで、新聞を見栄えよく並べてはいるが、売買のたびに片手の通勤客は身体を傾け、ぎこちないバレエを踊らされていた。そのために、モノと金のやり取りに必要以上の手数がかかり、それだけ時間も、コンマ何秒にせよ余計にかかり、結果としてラッシュ・アワーの売買処理効率を妨げていた。そのことが混雑を生み、客を遠ざけ、最終的にはニューススタンドの売上コストとなってのしかかっていた。設計を改善するなら、人間の身体の構造を考慮して、陳列する商品を少なくし、より多くの客に対応できるようにするべきだろう。

手が足りない問題の解決法――買い物カゴ

本章の冒頭に登場した女性は、大手のディスカウント・ドラッグストアで買い物をすることもありうる。このようなチェーンを調査しているさいちゅうに、われわれは手が足りない問題について簡単ながらきわめて有効な解決策を思いついた。

アイデアがひらめいたのは、むし暑い八月の夜のことで、私は仕事場でヤンキースの試合のラジオ中継を聞きながら、問題のドラッグストアを撮影したビデオを見ていた。レジの行列に向けたカメラが、いくつもある瓶や箱を取り落とすまいとしてジャグラー顔負けの芸当を披露している客をとらえていた。そのときにふと思ったのだ。**あの男、カゴを使えばいいのに**、と。

なぜ彼はカゴを取らなかったのか？　店にはカゴがたくさんあるが、ドアのすぐ内側に置かれていた。おそらく人びとの頭のなかで、ドラッグストアとカゴが結びつかないのだろう。店に入るときは、必要なものを一つ二つ買うつもりでいるが、しばらくしてほかにも買うべきものに気づくのだ。最大の犯人は、言うまでもなく、移行ゾーンである。カゴが入口に近すぎるため、入ってきた客は目もくれずに通り過ぎてしまうのだ。私は急いでレジを撮影した三日分のビデオを見直し、カゴを使っている客が一〇%にみたないことを確認した。つまり、この店ではずいぶん大勢のアマチュア大道芸人が買い物をしていたのだ。それなら、と私は考えた。誰かがカゴを渡せば、客はもっとたくさん買うのではないか！　買い物が減ることはない。それはたしかだ。しかし、どうだろう。人の手と腕の容量が使われる金額を決定しているとしたら。

われわれは、三個以上の商品をかかえた客にカゴを手渡す方針を、全従業員に徹底するよう提案した。経営陣はこれを採用した。人は誰かが親切にしてくれると嬉しいもので、ほとんどの客は喜んでカゴを受け取った。カゴの使用がみるみる増えると、平均売上げにも同じことが起こった。まったく同じように上昇したのだ。小売業で儲けを増やすもっとも簡単な方法は、現在の顧客にモノをより多く売ることだ。

買い物カゴの設置場所

買い物カゴの問題は、先に私が述べたこと、人間の行動と解剖学的特徴の複雑なマトリックスが買い物のありようを決定する好例である。わが社の近所の、なかなか繁盛している書店では、昔ながらの不適切な場所、すなわちドアのすぐ内側の隅に買い物カゴを積み上げている。移行ゾーンのことはおくとして、このプランニングが好ましくない理由はほかにもある。小売業者が自分の店における客の行動にどれほど無知かを示すものだ。これが私には驚きだ。商人も買い物しないわけではないし、買い物客の視点で世界を見ることがないわけではないのだ。それでいて、二つの役割のあいだには決定的な断絶がある。

カゴの置き場所から判断すると、この書店は客がこうつぶやきながら入ってくるとでも思っているらしい。「ええと、今日は本を四冊と、おしゃれなグリーティングカード一箱、それから雑誌を一冊、だからまずはこれだけの品物を入れるカゴがいるな」。常識からすれば、人はこういう順序でものを考えるわけではない。ある一冊の本を買いにきて、それを見つけたあと、別に買いたいものにでくわすのだ。そのような瞬間にこそ、小売業の真髄がある。ある日突然、買い物客が衝動買いをやめようものなら、実際に経済全体が破綻するだろう。どこの店でも、ついで買いや衝動買いが赤字と黒字を分けているのだ。

いずれにせよ、本を買いにきた客はもう一冊また別の面白そうな本を見つけた時点で、カゴがあれば楽だなと考えはじめる。まさにその瞬間にカゴが目の前に、台の上か、かがまなくても手の届く場所にあったら、客の手が伸びることは間違いない。それから、ひきつづき三冊目、四冊目の本を買うことだろう。あるいはしおりまで買うかもしれない。

ここに含まれる教えは明らかだろう。**カゴは店内全体に、買い物客が必要としそうな場所にはどこにでも分散させて置くことだ。**実際、アメリカ中のカゴの山が店の正面から奥へ移動すれば、すぐにも効果があらわれるにちがいない。たいていの客は少しぶらついてからでなければ真剣にモノを買おうとはしないからだ。カゴの山の高さは五フィートを超えてはいけない。カゴが誰の目にも見えるように。だが、そのために客にかがみこませるのは絶対に避けるべきだ。買い物客は身をかがめるのを嫌うからだ。手がふさがっていればなおさらである。

買い物カゴのタイプ

カゴ自体も再考する必要がある。この店で使っているのは硬質プラスチックの浅いカゴで、蝶番《ちょうつがい》で金属の持ち手がついている。スーパーマーケットやコンビニエンスストアでよく使われているタイプで、ガラスの瓶などこわれやすい品物を運ぶにはうってつけだが、書籍や事務用品、衣料品を運ぶにはまったく無意味だ。カゴが重くなると、ぶらさげて歩くのがだんだん苦痛になるが、常識的に考えて残念なことに、カゴの持ち手を腕や肩に通すわけにはいかない。必然的に、客はカゴにあまりモノを入れようとはしない。

ところで、人が本をもち歩くのにふつうは何を使うだろうか？　バッグ、とくにトートバッグだ。キャンバスかナイロン地のトートバッグをラックに掛けて置いておくのが、ここではるかによさそうだ。バッグそのものが売れるという利点もある。店員はバッグから商品を取りだし、傷や汚れの有無をたしかめたうえで、客にトートバッグの買い取りを希望するかどうかをたずねる。それからバッグにまた詰めなおせば、ビニール袋まで節約できる。

モデルケース——小売店の取り組み

これまで見たなかでカゴの使い方がもっともうまかったのは、マンハッタンのオールドネイビーである。私はいつも小売業者を連れて見学にいく。この町でもっとも活気のある、エネルギッシュな買い物ができる店だ。内部に足を踏み入れたとたん、群れをなす店員がにっこりしながら、メッシュの黒いトートバッグを渡してくれる。このバッグはプラスチックのカゴよりも安価で、軽く、保存が容易で、見栄えもずっといい。実際、このバッグを買いたいかとレジでたずねられた客は、かなりの確率でイエスと答え、最後の最後にまた一点お買い上げとなる。

これまで目撃したなかでカゴの使い方がもっとも下手だったのは、南部のある百貨店で、クリスマスシーズンのことだ。入口を通ってすぐの完璧な位置に、メッシュのトートバッグを掛けた大きなラックが置かれていた。ところが、その真ん前にどこかのマーチャンダイジングの魔術師がサンタクロースの縫いぐるみで巨大なディスプレイをつくっていた。そのため、バッグは入ってくる客の目から完全にさえぎられてしまった（店からでていく客の目にはよく見えたが）。いくつのサンタが売れたか知らないが、このまずい決断を相殺するほどではなかっただろう。

テーブルウェアのメーカー兼販売のプファルツグラフをわれわれが調査したときは、カゴのほかにもショッピングカートが客のために用意されていた。ところが、レジを観察すると、カートに皿やボウルを限界まで詰めこんでいる人が大勢いた。さっそくカートを四割ほど大きなものに取りかえたところ、顧客一人当たりの平均売上げも急上昇した。

ここから、買い物の世界を総括する重要事項が思い出される。**顧客がどれほど買うかは、最大限に快適かつ簡便、しかも実用的な買い物体験を提供できて初めてわかる。**

客の手を自由にするために、もっと複雑な方法をとる小売業者もいる。買い物客に一〇〇%手ぶらな感じを、もう意味がなくなるまで、つまり出口にたどりつくまでもたせるのだ。

このアイデアはクロークが、コートだけでなく手荷物を預かるシステムを組みあわせたもので、客は店に入るとすぐに邪魔な荷物を預けることができる。そして、買った商品をもち歩くかわりに、その袋や箱を出口の近くのお買上品預かり所へ送るよう従業員に依頼する。手ぶらでのんびりと買い物をすませた客は出口に向かい、コートと帽子と手荷物、それに買った品物を受け取って、そのまま車やタクシー、あるいは待機していたリムジンに乗りこむのである。

ときには、これでも不十分な場合がある。ディズニーランドのスーベニアショップは、現在もこの問題と取り組んでいる。その店は日中ずっと閑古鳥が鳴いている。分別のある入園者は買った品物をかかえて、園内を歩きまわりたいとは思わないからだ。だが、それも午後四時半までのこと。その時刻になると、血眼で土産物をあさる人びとの群れでショップはてんやわんやの大騒ぎになる。お買上品預かり所が設けられてからは、客が午前中に買い物をしてから手ぶらで店をでて、夕方、帰りがけにお買上品預かり所に立ち寄り、品物を受け取れるようになった。ただ、問題は買った品物を忘れる客がかなり多いことだ。あるいは店から客のホテルへの配達を考えてもいいだろう。

このようなサービスに関する私の最大のビジョンの一つに、ブルーミングデールに提案したものがある。マンハッタン本店の八階はどうにも行きにくい場所で、販売にはまったく不向きだ。そこで私は、このフロアを優良顧客のための一種のセミプライベートのリトリート（隠れ家）に変えることを提案した。化粧室、ATM、カフェ、コンシェルジュなどのアメニティ施設、もちろん、クローク兼お買上品預かり所もある――にしてはどうか、と。客がたまたまニューヨークを訪問中なら、ホテルへの配達もできる。このセミプライベート・クラブのメンバーシップをホテルに売り、ホテルから宿泊客に提供させることもできそうだ。こういうサービスは、大規模にやった場合にもっとも威力を発揮する。いずれショッピングモールやショッピングセンターの開発者は、このようなシステムをすべてのテナントに用意するだろう。そして売上げを、そしてもちろん彼自身の分け前も大きく増やすことだろう。

買い物の世界における手の問題の重大性は、どんなに強調してもしすぎることはない。すばらしい店をつくることはできる。最高の品質か値段か魅力を備えた商品を用意すればいいのだ。だが、客が手に取ってくれなければどうにもならない。触感や試着など、買い物の感覚的側面というきわめて重要な事柄については、12章で説明しよう。客が商品に手をのばして感じることができなければ、もちろん買うこともない。だから、問題は客が取ったものを確実にもち運べるようにするだけという単純なことではない。客は手がふさがっていた場合、その判断をするところまでもいかない。したがって、多くの場合、平台のほうがラックにハンガーをぶら下げておくよりも、衣料品を見せるには好ましい。片手しかあいていない状態でハンガーにかかった服を調べるのはいささか厄介だ。それにたいし、平台は荷物を置いて、セーターを広げ、じっくりと見てさわることができる。

手の問題をきわめて愉快なかたちで目撃したのは、あるスーパーマーケットを訪ねたときのことだ。現代アメリカの小売業者の例にもれず、この店もコーヒーショップを併設しており、買い物客が飲み物をもってひと休みすることができる。スーパーマーケットのコーヒーショップを見たのは初めてではなかったが、全体としてものごとがいかに動いているかを真に理解している店を見たのは、これが初めてだった。そこでは、ショッピングカートにもカップホルダーがついていたのだ。つまり、ドリンク&ドライブができるというわけだ。この賢いひと工夫でコーヒーの売上げが伸びることは間違いない。

5 看板や掲示板を有効利用するには

「それで」と彼。「どうお考えですか?」

そう言うなり、このグラフィック・デザイン会社の重役は、合計五〇〇あまりの店舗に配布する予定の掲示板を取りだした。

私は空調のきいた会議室で、快適な椅子に座っている。高価な紙に美しく印刷され、プロの手になる精緻な装飾がほどこされたレタリングは、完璧な照明のもと、最適な距離に置かれている。会議室は水を打ったようにしんとしている。

「そうですね」。私は口を開く。「どう考えていいか、わかりませんな」

あちこちで心配そうな視線が交わされている。私の言ったことで心配になったのではない。私のために心配しているのだ。

「わからないとは、どういうことでしょう?」重役がたずねる。「あなたなら、おわかりのはずではありませんか?」

そこで、私は説明しようとする。

まず、客の全部が、私がここで見たのと寸分たがわぬ条件でこれを見るのでないかぎり、史上最高の掲示板なのか、それとも悲惨きわまる失敗作で、時間と場所と金が無駄になるのかは判断できない。そもそも考えてみてほしい。商店やレストランや銀行で、人は片時もじっとしていないものだ。あちこち動きまわっているではないか。それに客は、わざわざ文字を読もうとするわけではない。それどころか、まったく別のことをしているのがふつうだ。靴下を探したり、もっとも早く動きそうな列を見きわめたり、ハンバーグとチキンのどっちにしようかと思案したりするのだ。そういう状況に加えて、新しい案内の文字の距離が遠かったり角度が悪かったり、背の高い人の頭に隠れていたり、照明のぐあいがよくなかったり、誰かに話しかけられたりして注意をそらされる。

要するに、と私は話を締めくくる。

「会議室で掲示板の原案を見るのはグラフィック・デザイナーにとっては理想的かもしれないが、その成否を判断するには間違いなく最悪の方法ですね」

店内メディアを評価する方法

掲示板をはじめとした店内のメディアの効果を評価する方法は一つしかない。**その場所に、その店のフロアに置くことだ。**

現場に置いてさえ、ことは容易ではない。まず、どれだけの人に見られているかを数える。それから掲示や案内の文句が本当に読まれているかどうかを判断しなければならない。読まれなければ、最高の掲示板といえども効果はゼロだからだ。しかも、ぼんやり眺めた場合と、きちんと読んだ場合の時間差は、せいぜい二、三秒。このことからも、われらが調査員の苦労が推測できようというものだ。彼らは掲示板の背後にそっと立って、客のわずかな目の動きを追いかけ、同時にストップウォッチを切り、この男性はあの掲示板に四秒間見入ってから、あのポスターに視線を移して三秒眺めた、などと厳密に測定する。ぶっつづけに何時間も、何百人もの客を何千分も観察し、所見のすべてを総合して初めて、ある掲示板の良し悪しが言えるのだ。

やってみればわかるが、これは楽な仕事ではない。

だが、ほかに方法はないのだ。私の知るかぎり、国内でこの種の業務を請け負うのは、わが社のほかにない。掲示板の読みやすさを評価する会社はある。人の眼球の微妙な動きを感知するハイテク・ヘルメットを被験者にかぶらせ、掲示や案内を見せる。だが、これでは正しい掲示板を間違った場所に置いてもわからない。そういう例は実に多いのだ（ついでに言うなら、そこそこの掲示板を完璧な場所に置くよりもはるかに悪い）。ましてや、気を引くものだらけの店内で客が掲示や案内の文字を読み、それに反応するかどうかを判断するなど不可能だ。

客がそれらを読んだとわかれば、つぎは客の行動にそれがどう影響したかを測定する。だが、それはまだ先の話。まずは、この会議室をでなければならない。

店内メディアを誤解していないか

掲示や案内のようなメッセージ・メディアのデザインと設置場所についてよく間違われるのは、それらが店のなかのものという考えかたによるものだ。看板や掲示板などは店を超えたものである。それは三次元のテレビコマーシャル、言葉や思考やメッセージやアイデアをつめこんだウォークイン・コンテナなのだ。

人びとが足を踏み入れると、このコンテナがいろいろなことを語りだす。すべてがうまく機能すれば、そのメッセージが人の注意をひき、それに目をとめた客は眺め、物色し、買い、ことによると他日また買い物にくる。語られるのは、商品が客のために何ができるか、そして、いつ、どのようにできるかだ。

偉大なる巨大三次元ウォークイン・テレビコマーシャル。

テレビコマーシャルの脚本、監督と同じく、問題は何を、いつ、どのように言うかだ。

まず、視聴者の注意をひく。それができたら、明快かつ論理的なメッセージを提示する。序論、本論、結論と。人びとが吸収しやすいように情報を伝える。一度に少しずつ、適切な順序で。そもそも注意をひくことができなければ、そのあとで何をやろうとしても無駄である。初めからあまり多くのことをつめこみすぎれば、相手は重荷と感じて読むのをやめてしまう。メッセージがわかりにくければ、あっさりと無視される。

これは従来も言われていたことだ。だが、現在とくに重視されている大きな理由は、購入の決定が店内でなされることが多くなったためだ。消費者の可処分所得が増え、ブランドなどへのこだわりが薄れるにつれ、彼らは自分の衝動にしたがいはじめた。ブランドに頼ったマーケティングと伝統的な広告手法のインパクトはいまや薄れた。そういうものには、誰もがうんざりしている。マーチャンダイジングの役割は従来になく大きい。製品が死ぬも生きるも売り場しだいなのだ。客に何かを知らせる機会を無駄にはできない。

しかも、買い物客はかつてなく時間に追われている。昔のようにのんびりした客はいない。売りものがすべてオープンに陳列された店に慣れ、必要な情報がすべて表示されていることを期待する。わざわざ店員に道を聞いたり、新商品の説明を聞きたがる者はいない。いずれにせよ、店員などいないのだ。昔はコーヒーショップで読むものといえば、メニューと《デイリーニューズ》しかなかった。いまやどんなに狭いスターバックスにも、一一カ所に掲示や案内があり、無脂肪のエッグノッグから、抱きあわせ企画としてテレビの人気司会者オプラ・ウィンフリーのブッククラブまでさまざまなお知らせが客の目をとらえようとしている。

そういうわけで、店内をぐるっと見まわして壁面のあいているところを見つけ、そこに案内文を貼るだけではだめなのだ。カウンターを片づけ、インストア・メディアをぶちまけるだけではいけない。どんな店舗も、さまざまなゾーンの集合体なのだから、まずは地図を描かなければ標識ひとつ置くことができない。とにかく腰を上げて歩きまわり、一歩ごとに自問すべきなのだ。客はここで何をするだろう？　ここでは？　ここに立っているとき、視線はどこに向かうか？　このゾーンでは、人びとは急ぎ足だから、簡潔でパンチのきいた、目のさめるようなメッセージが必要だ。あそこは商品を眺める場所だから、少しくわしいメッセージを書きだすといい。このエリアは思案にくれる場所だ。そう、たとえばモーターオイルの棚のそばに立って、自分の車のことを考えているとする。それなら、ワイパーの取り替えはいかがですかと話しかけるいい機会かもしれない。レジのそばのこちらでは、また一分半ほどじっと立っているわけだから、長いメッセージにうってつけだ。それから店をでるときには、道路に注意をうながしたほうがいい。

それぞれのゾーンはある特定のメッセージにのみ適していて、それ以外は不適当だ。読むのに一二秒かかる案内文を、客が四秒で通り過ぎる場所に掲示してもガレージに放置しておくのと大してちがわない。

私はいつも歩きまわって、客がしばらく足を止める場所、メッセージを伝えられそうな場所を頭のなかのリストに加えている。先日もそれを一つ見つけた。靴の売り場で、欲しい靴を店員に伝えると、自分に合ったサイズを探してくれる。もう靴は全部見たわけだし、そのあいだに何をするか？　他の商品を売りこめばいい。客はそのときその場で読むものがあれば歓迎するはずだ。たぶん、ハンドバッグか何かについて。

案内の表示に適していないながら、いまのところ見過ごされている場所がほかにもある。エスカレーターだ。私はこのことに、ロンドンの地下鉄から地上にでる途中で気づいた。ゆっくりと昇るのでかなり時間がかかる。

掲示板や案内板を置くべきおよその場所がわかるだけでは十分ではない。その昔、店の会計／包装エリアの真上に吊り下げたバナーに客がどう反応するかを調べたことがある。いい場所ではないかって？　どういたしまして。客のほとんどは見向きもしなかった。店のなかで、真上をあおいで立っている者などいはしない。バナーを四フィート離すようすすめたところ、見た人の数が倍増した。掲示や案内の位置については、最適と最悪の差がわずか数フィートということが少なくない。最大限に人目にさらすには、それが人の目線に割りこむようなところに置くべきだ。自分でその場所に立って決めなければならない。自分はどこを見ているか。それこそ案内板を置くべき場所だ。当然のことながら、人間がいちばんよく見るのは他の人間である。だから、ファストフード店のきわめて効果的な文言は、レジの上に置かれている。ほぼレジ係の顔のあたりだ。案内板を正しく設置するのは、客の視線に割りこみ、注目を奪うのが目的なのだ。

だが、メッセージの設置場所に、ひと工夫を要する場合もある。トロ社は堆肥用の自動草刈機の販促に店内ビデオを利用した。ふつうに考えれば、家庭園芸用品店に置くところだろう。だが、どこに？　草刈機の売り場？　そこで客がモニターを眺めるのはいいが、やがてビデオが終わるまで一〇分間も立ちっぱなしでいなければならないことに気づく。そればかりか通路の真ん中をふさいでいるので、バーベキュー用品の売り場に向かう客になぎ倒される（しかも堆肥のようにされる）可能性もある。結局、ビデオは修理部門の待機場所に設置された。そこから動けないので、どんなにつまらない気晴らしでも大歓迎という客の前で、ビデオが放映される。家庭園芸用品店の修理部門を訪れる人はみな、いつかは新しい草刈機を買うだろう。どういうわけか、他の場所ではさかんに案内や掲示をだしている小売業者であっても、人びとが退屈のあまり涙を流してあくびしている待機の場所でのコミュニケーションの可能性を把握していない例がしばしば見られる。いつか調査した自動車ディーラーのサービスエリアの待合室には、読むものが何もなかった。それこそパンフレット一枚なかったのだ。《カー・アンド・ドライバー》とか《ロード・アンド・トラック》といった自動車専門雑誌もない。《リーダーズ・ダイジェスト》さえなかった。

掲示板と案内板を役立たせるためには——事例

●ファストフード店

ファストフード業界ほど掲示や案内を研究しているところはない。バーガーゴッドのフランチャイズに加盟する気がなくても、そのやりかたを見ておくのはためになる。

たとえば、彼らは窓や入口のすぐ内側の案内板は効果的だが、瞬時に読めなくてはならないことを知っている。せいぜい数語のワン・センテンス。われわれが行なった多くの人びとを対象とした調査から、そのような文章は平均して二秒で読めることが判明している。

あるとき、一〇語からなる入口の案内文の評価を依頼された。

「あなたは一秒半で何語読めますか」と、デザイナーにたずねた。「三語か四語でしょうね」と彼は白状した。「なるほど」と私。

ファストフード店では、その昔、入口付近に案内のメッセージや風にゆれるモビールを吊るして客の注意をひこうとしたものだが、誰もそんなものを見ていないという調査結果がでてから廃止された。

ファストフード店に入ってくる客は、カウンターかトイレ、この二つのうちのどちらかを探している。トイレに向かう客に文字を読ませようとしても無駄だ。もっと大事なことで頭がいっぱいだからだ。だが、トイレをでた客の目につくように案内のメッセージを配しておくのはとてもよい。

カウンターに向かう客は、何を注文しようかと思案している。ファストフード店では、大きなメニューボードを探すことになる。だが、端から端まで読むわけではない。ざっと見て、お目当ての品を見つけたらそれで終わりだ。常連客なら（たいていの客はそうだが）、あらかじめ欲しいものを知っていて、メニューには目もくれないかもしれない。

行列が長ければ、客はたっぷり時間をかけてメニューボードを見やり、他に見るものがあればそれもじっくりと読む。注文を伝えたあとも、メニューボードとカウンターの案内文はまだ客の注意の的となる。マクドナルドの研究では、七五％の客が注文を終えたあともメニューを読んでいた。注文した品がでてくるまでの時間、つまり「調理待ち」の時間は、平均して一分四〇秒だ。これはかなり長い時間で、たいていのメッセージが読める。客はすでに金を払い、釣銭を受け取って手持ちぶさたでいる。長いメッセージにはうってつけだ。次回の来店に備えて客に知らせておきたいことなどがいい。

それから客はでていくか、調味料コーナーに進む。そこにパンフレットを置いてもいい。だが、そこでハンバーガーを宣伝しても意味がない。もう遅すぎるからだ。だが、デザートをすすめるのはいいだろう。これは案内文と備品の論理的な配列という教えだ。行動しようにも手遅れの段階になってから、客に何か言っても意味がない。たとえば、レジに並ぶ人びとにメッセージを読ませるのはよいとして、その文章が店の奥にある商品の宣伝だとすれば考えものだ。

調味料のあと、客はテーブルについて食べる。数年前に、食事エリアからあらゆるごみを一掃しようという運動があった。ハンギングサインやモビール、ポスター、「テーブルテント」（ボール紙の三角形の囲いで、塩と胡椒をまとめておくもの）を。それは間違いであることが判明した。間違いの原因は、店舗のレイアウト・プランナーが自分の店で起こっていることに気づかなかったことだ。とくに、ファストフードの食事における典型的な社会構成について。

われわれは、二種類のレストラン――ファミリーレストランとファストフード店――のテーブルテントを調べた。ファミリーレストランでは、テーブルテントを読む客は二％で、ファストフード店では二五％だった。劇的な差だが、理由は簡単。ファミリーレストランの客は、二人から四人（あるいは家族）連れが多い。おしゃべりに夢中でメッセージに気づかない。だが、ファストフード店の典型的な客は一人で食べる。死ぬほど気晴らしを求めているので、ぎっしりと文字が書かれたトレーの下敷きに読みふけり、スティーブン・キングの新刊の第一章でも印刷されていればそれも読んでしまうだろう。わが社のクライアントであるサブウェイは、サンドイッチがハンバーガーにくらべてどれほど健康によいかという宣伝をナプキンに印刷していた。われわれは、さらにその先をいく助言をした。脂肪分を比較した表をナプキンに印刷するようすすめたのだ。ファストフード店の座席では、よそだったら見向きもされないメッセージも読まれること請け合いだ。わかりやすいモデルがあるではないか。シリアルの箱の裏側である。

そんなわけで、ファストフード店がどのようにゾーン分けされているかがわかった。奥へ入るほど、メッセージを長くしてもよいのだ。入口には二語か三語。テーブルには小さい文字が何行も書かれたナプキン。先日、通りかかったファストフード店で、窓の案内文のお手本と言ってもいいような例を見かけた。

迫力満点の文字で「**ビッグ・バーガー**」。店に入ると、もっとくわしいことがわかる（当店でビッグなハンバーガーを）。

実にスマートなメッセージだ。メッセージを二つか三つに分割して、店の入口から奥に向かって小出しにしていくのである。案内文とはかならず自立したもの、メッセージ全体を単独で提示するものだという考えは、想像力の貧しさのあらわれであるばかりか、人の頭脳がどうはたらくかについて無知であることをさらけだしている。この方法で楽しめるメッセージをつくることだってできるのだ。思い出してほしい、道路沿いに交通標語のような看板を何フィートかおきに並べた、あのバーマ・シェーブのユーモラスな宣伝文がいかにアメリカのイコンとなったかを。

●アメリカ郵政公社

案内文の言語におけるもう一つの教訓は、アメリカ郵政公社のおかげで得られた。公社の依頼で、われわれは未来の郵便局の設計の参考となる大規模な調査を実施した。

われわれが訪問したあるモデル郵便局では、カウンターの背後に巨大なバナーをぶらさげ、各種サービスの宣伝をしていた。調査の結果、客の一四％がそれらのバナーを見ており、平均時間は五・四秒だった。さらに、カウンターの両脇の壁には、切手コレクションのポスターが貼ってある。やはり客の一四％がそれを見ており、客が読む平均時間は四・四秒だった。

これは掲示板や案内板の世界ではかなりいい数字だ。それに予想外でもない。郵便局で並んでいるあいだ、ほかにすることがあるだろうか？　カウンターの背後や脇は、案内のメッセージを置く場所としては季節を問わずもっともホットなところなのだ。

この郵便局ではまた、筆記台を利用する客に見せる案内板もぶらさげていた。これらのメッセージを読むのは利用客のわずか四％、平均して一・五秒間。計量器の上に吊り下げられたモビールの文字を読む客はわずか一％、平均して三・三秒だった。これは当然だ。書きものをしたり計量したりしている客がそんなものを読むはずがない。こんな案内はないほうがましなくらいだ。

●銀行

銀行も多大なエネルギーを費やして、有効なメッセージと役に立たないメッセージとのちがいを理解しようとしている。銀行、ファストフード店、郵便局には共通点がある。大勢の客が同じ方向を向いてじっと立っているということで、これはコミュニケーションには絶好の機会である。相違点は、銀行が案内板設置の芸術と科学の観点からすると、最悪のルール違反をしているということだ。世界最大かつ最高に洗練された金融機関の支店へ行ってみればわかるが、商品案内のような資料の配置に噴飯ものの誤りが見られる。教会のバザーの手づくりクッキーの販売や、子供の小遣い稼ぎのレモネード・スタンドのほうが、ここにひきあいにだした銀行よりもまだましな広告のセンスをもっている。私のオフィスから五分の場所に、チェース・マンハッタン銀行の支店があるが、そこにでかけると次のようなマーチャンダイジングの工夫が見られる。円形テーブルに、まず見たこともないほど安っぽい青いビニール製のテーブルクロスを掛けたうえに、自動車や住宅ローンのパンフレットが投げだしてあり、その横にはテレビモニターが置かれている。昔はサービス案内のビデオを見せていたのだろうが、もう使われなくなってから久しく、すっかり埃をかぶっている。テーブルが押しこまれているのは銀行のフロントの隅、顧客サービスのデスクからわずか数フィートしか離れていないところだ。あまりのことに思わず笑ってしまうが、他の銀行も似たりよったりだ。

わが社のクライアントであるカリフォルニアの銀行は、新たに小切手の利用手数料を無料にしたことを宣伝するため、人や車の往来が激しい外の道路から見えるように屋外バナーをだすことを思いついた。ここまでは正しい。ところが、バナーに次のように記したのである。

「このたび当行が開始いたしました小切手利用の手数料を無料にする方針につきまして、係員が親身にご説明申し上げますので、どうぞお立ち寄りください」

これは間違いだ。これを読むには、わざわざ車を停めなければならない。くどすぎるのだ。高速道路では、二語くらいのわかりやすい言葉、たとえば「フリー・チェッキング」で意を伝えなければならない。

また、カナダのある銀行では、つい最近、客が使う筆記台に新型のバックライト・ディスプレイをいくつか置いて、銀行が提供するサービスや融資のくわしい説明を流していた。とても美しかった。しかし、残念ながら誰も読まなかった。

繰り返しになるが、預入伝票に記入したり小切手にサインしたりするときは注意を集中しているので、ほかのことを考える余裕などない。記入が終わったら、今度は急いで列に並ぶのだ。

われわれが悲しい調査結果を伝えたところ、頭取は言った。「よかった。おかげさまで、あんなクズに一〇〇万ドルも無駄づかいせずにすみましたよ」。だが、もちろん頭取はやはり一〇〇万ドルを行内のメディアに投じた。しかも、その金を効果的に使うことができたのだ。

やはり銀行で、実に簡単で効果的な設置場所を見つけたことがある。われわれはある支店をあらゆる角度から調査するために雇われていて、銀行が提供するMMF（マネー・マーケット・ファンド）やCD（譲渡性預金）、自動車ローンなどのサービスや投資についてのパンフレットを納めた大きなラックも調査対象だった。ラックは入口の左側の壁ぎわに置かれ、入ってきた客はそのすぐ横を通るようになっている。

客の全員がラックのすぐ脇を通った。だが、誰もパンフレットに手をださなかった。繰り返しになるが、理由は明白である。人が銀行に入るのは、大事な用事があるからだ。銀行をひやかしにくる客などいない。その用事がすむまでは、ほかのものは目に入らず耳にも聞こえないのだ。ラックが左側に置かれているのも、たいての人が右寄りに歩くことを考えると、なおまずかった。

われわれはそのラックを奥に移動して、入ってくる客ではなく、でていく客が近くを通るようにし、トラッカーを配置して観察した。ほかには何も変えていなかったにもかかわらず、ラックを見た人の数は四倍に増え、パンフレットを手に取る人も激増した。

客の目的を見きわめる——メッセージ戦略の使い分け

用事を考慮しなければならないのは、銀行だけではない。ドラッグストアでも、入ってくる客は薬剤師に処方箋を渡すことばかり考えていて、その用事がすむまでは、そばを通っても他のメッセージやディスプレイには気づかない。それから、つぶさなければならない時間が少しできる。客は店の奥にいるのだが、案内や掲示、備品などはどれもフロント・ドアから近づいてくる客に向かって配置されている。あるいはまた、われわれが郵便局へ切手を買いにいったとする。列に並ぶまでは、歩みをゆるめることをしない。あるいはまた、コンビニエンスストアでバーベキューに使う燃料を血眼で探していたとして、それが店にあることがわかるまでは他のものには目もくれない。いずれの場合も、用事をすませる前の客に何か言おうとするのは間違いだ。だから、たとえば先のドラッグストアでは、二種類のメッセージ戦略を使い分けなければならない。

- **一つは店のフロント・ドアから奥へ向かう客向けのもの。**
- **もう一つは奥から入口へ、つまり薬剤師からフロント・ドアへ向かう客のためのもの。**

われわれが調査を行なったある銀行の支店では、出納窓口の列のそばにパンフレットのラックが置かれていた。だが、少し離れすぎていた。ロープのうしろの客はかろうじてパンフレットのタイトルを読めるが、手にとることはできなかった。

「ロープと支柱とパンフレットのラックを配置するのは誰の仕事ですか?」そう支店長にたずねた。

「そういえば、清掃スタッフが毎晩モップがけのあとで置きなおします」。はたして、この清掃員は案内板のことなど何も知らなかった。

標識におけるデザインとディスプレイの重要性

われわれの生活には、メッセージのデザインと配置が重要どころか死活問題となる場面がある。それは何かといえば道路で、とくに高速道路がそうだ。そこでは、案内板は路面や照明とならんで安全で秩序ある交通を維持するのに役立っている。そのため、エンジニアは案内板を正しく保つために心を砕く。その方針はきわめてシンプルなようだ。

- **余計な言葉を省け。**
- **正しいメッセージを正しい場所に。**
- **ドライバーが無視したり情報不足だと感じたりしない程度にゆきとどいたメッセージを伝えよ。**
- **雑然としていたり混乱の原因になったりしないよう、やたらに標識を増やさない。**

初めての場所を走るときも、正しい方向に向かっていることを確信している、つまり車を停止させ

て道をたずねたり、メッセージを読むために減速したりしないという事実は、適切に整備された道路標識板の威力を証明している。

国内でもっともありふれた道路標識「一時停止」と「一方通行」を見てみよう。大きな八角形で、赤地に白の大きな文字で書かれている。これなら間違えようがない。たとえ読めなくても、停止するだろう。「一方通行」は、言葉とシンボルの完璧な組みあわせだ。目の隅に飛びこんできたとしても意味がわかる。矢印がドライバーを正しい方向に導き、減速や一時停止の必要もない。路上ではアイコンという世界の共通語が使われている。言葉を使わずに、知るべきことを教えてくれる。ガスポンプのサインを見れば、あるいはフォークとスプーン、あるいは車椅子のサインを見れば、メッセージは一目瞭然だ。移動中の人びとに情報を伝えるには、これが最善の方法だろう。さらに、道路標識の場合、技術的な面でもほぼ完璧である。区別しやすい色のコントラスト、文字は大きくて、照明も設置場所も適切である。

都会の地理学者として、ニューヨークのロックフェラー・プラザの地下コンコースの方向案内の調査に参加した日々を思い出す。そこではほかに方向を知るすべがないので、案内標識は非常に重要だった。フィルムには、人びとが移動するうちに、迷子になったかと不安にかられ、あるいは分岐点にさしかかって困惑する様子が写しだされていた。すると、彼らは首をひねり、足どりが重くなる。そうなる直前が、彼らの迷いと不安を予防する方向案内を置くべき場所なのだ。

さらに、彼らは歩きながら他人にぶつからないよう、非常に気を使っていた。だから、もし案内標識をさがしまわらなければならないとしたら、あるいはその文字が小さくて接近しなければ読めないとしたら、さらにまた文字が小さいか設置場所が悪ければ、歩行者はそれを読むことと進行方向を見定めることの両方ができない。歩行者が減速したり足を止める原因はかならず、案内板がその役割をはたしていないためだというのが、われわれの結論だった。このことが、歩行者とドライバーの共通点を教えてくれた。どちらの場合も、最良の案内標識とは、すばやく読めるもの、そして移動しながら読めるものである。ほとんどの場合、それを実現する唯一の方法は、情報を細分化して、一つずつ論理的に順を追って小出しにしていくことだろう。

言うまでもなく、われわれがこうしたことを発見したのは、大勢の歩行者が移動するのをひたすら観察しつづけたことによる。われわれの発見がなければ、コンコースを設計した当人が、つまり世界中で唯一、案内板なしで地下道を歩きまわれる人物が案内の言葉や設置場所を決定したことだろう。

増えつづけるメッセージ

ところで私はまだ会議室に閉じこめられている。

ここからでられないので、この掲示板のためにせいぜい苦労してみる。床に置き、壁にたてかけ、一〇歩さがって眺める。実際、そばに立って、目につくかどうかをたしかめる。ふだんのペースで歩いて、印象に残るかどうかを確認する。照明を落とす。不完全な世界で役に立たないのなら、その掲示板は落第だ。現実がそれを見る目は、私よりも厳しいのである。

われわれはいまや情報過多という事態にぶつかった。原因は主に商業的なメッセージだ。リンゴやナシに貼りつけられた小さなシールが、たいへん気のきいたものか、神の恵みを汚すものかは、見る人による。あまりもに多くの言葉があまりにも多くのことを語り、人びとはうんざりして、もはや読もうとしない。情報伝達の機会がいくらか失われる一方で、誰にも耐えられないほど多くのメッセージのために多くの人が混乱している。ディスプレイや案内板があまり増えすぎると、人はどんなメッセージも通じないブラックホールを形成してしまう。

これは私個人の経験だが、空港で飛行機を待って過ごす時間はじつに長い。多忙なビジネスマンの例にもれず、私も待ち時間に仕事をする。だが近ごろは、空港のテレビのために注意の集中を妨げられてばかりいる。CNN制作の航空旅客向けの番組のためだ。どうしても消すことができない。ゲートラウンジにいるのが私一人のときもつけっぱなしだ。私は静かに怒りを燃やし、二度とCNNの番組は見るまいと心に誓う。ところで、空港にはどれほど多忙なビジネスマンでもただぼんやりとつっ立っている場所がある。荷物コンベヤーのまわりだ。そこでなら、スーツケースが転がりでてくるまで、誰もがCNNのウォルフ・ブリッツァーに感謝するだろう。

商業的なメッセージの現状はかなりでたらめだ。商店や銀行、レストランに発送される案内板の半分はフロアにでることもないという調査もある。全米各地の小売店で、マネジャーが長くくたびれる一日の終わりに倉庫に座りこみ、おそらく店を見たこともないマーチャンダイジング担当者から送られてきた案内板をはじめとするPOP広告の大箱を処分している。無理もない。過労なマネジャーがどれをどこへ配置しようかなどとわざわざ頭を悩ますはずがない。

逆に、フロアにでた案内板を取り除くのもたいへんだ。毎週、金曜日になると、私は酒屋のウィンドウに週末から残されたディスプレイや案内の掲示を数えてみるが、毎回かなりの数だ。その昔、ニューヨークの大手銀行の支店を調査したときは、二七種類もの販促用の宣材が乱雑に残されていた。自動車ディーラーのウィンドウでは、新車の入荷を告げるメッセージを見つけた。前年の新車のものである。

効果的なディスプレイとは

すばらしい案内板であっても、本来の目的からはずれた場所に置かれれば話は別だ。あるドラッグストアでは、ショーウィンドウに山積みされた咳止めシロップの箱に小さい値引のメッセージが添えてあった。明らかに陳列棚のためにつくられたもので、一フィート程度の距離から見るためのものだ。交通量の多い道路に面したウィンドウに置くものではない。よくあることだが、小売業者は案内板に多くのことを求めすぎる。どんなものをつくってもみたされないほど多くのことを。あるファストフード・チェーンでは、ある商品の企画を説明する案内板を試験し、それを改善して、またテストし、また修正したうえでようやく悪いのは案内板でないことに気づいた。企画そのものが複雑すぎたのだ。企画は変更され、案内板は大きな効果をあげた。かつて調査した南部のある百貨店は、大幅な値引きのメッセージで埋めつくされていた。ただ問題は、数学者でもなければ客にとってどれほど得になるかわからないことだった。店員でさえ、割引率の計算に苦労していた。この店に必要なのは割引を説明するメッセージではなく、教科書だった。

生まれ変わる看板や案内板のスタイル

現在、掲示板や案内板の世界は、ルネサンスの様相を呈しているとも言える。ビルボードを見てみよう。三〇年前に当時のジョンソン大統領の夫人のレディ・バードが全米美化計画の一環として法律で禁じようとしたビルボードが、いまのポスト文字メディア時代にあって、もっとも視覚的にエキサイティングかつ革新的でしゃれた商業メッセージの表現方法となっている。印刷した広告よりもスタイリッシュ、テレビコマーシャルよりもヒップ、ウェブよりも流暢にイメージとグラフィックの言語を操っている。ある種のビルボードと印刷広告は、ケーブルテレビと三大ネットワークテレビくらいちがう。それは時代の最先端をいく情報伝達における新しいアイデアの実験室なのだ。テクノロジーの進歩は、三分割ビルボード、ジャンボトロン、競技場の回転するメッセージボード、空飛ぶフレンチフライを映しだすデジタル・メニューボードをもたらした。われわれが調査したファストフード店では、動くデジタル・メニューボードを客の四八％が読んでいた。それにたいしてテストした同じメニューボード――動かないもの――は一七％でしかなかった。これらは、動くメッセージと動かないメッセージを比較したいくつものテストからでてきた数字だ。

だが、印象に残る案内板が、かならずしもテクノロジーの先端を行く必要はない。先日、ニューヨークの金融街にあるホテルのエレベーターに乗ったところ、壁の鏡の下にこう書かれていた。「腹ぺこの顔」。そして、ホテル内のレストランの名前と紹介が添えられていた。保証するが、この案内板の露出率は一〇〇％近いだろう。これを見た人はにやりとして、本当に腹ぺこかどうか自分に聞いてみるにちがいない。おみごと。

6 買い物客は人間で、人間らしく動きまわる

解剖学的な見地からすると、買い物するときにもっとも重要なのは、もっとも単純なことのようだ。それは、人間が実際にどう動くか、とりわけどのように歩くかという問題である。

さて、人は肉体が許容するように動く。それがもっとも自然で、楽だからだ。ところが、これが難しくなるときがある。よい店とは、できるだけ多くの商品をできるだけ多くの客にできるだけ長時間にわたって見せる店、つまり購入を検討させるために、客の行く手や視界に商品をおく店だと考えたときだ。ある店がこれを実践しているか否かを見定めるのはきわめて簡単だ。買い物客の動線を記録して、店のどの部分が取り残されているか判断する。一時間ごとに店を「プロット」する。つまり決まった時間に、トラッカーが店内を巡回して、それぞれの場所に何人の客がいるかを数えるのだ。店のなかで人の流れがよくて、障害物や盲点がなければ、人びとは端から端まで浸透する。設計やレイアウトの欠点などが原因で流れがとどこおると、どこかに寂しい一角ができる。だから、気のきいた店は、人の歩き方、ものの見方に合わせて設計されている。われわれが慣れている動きを理解し、利

用して、万が一にもそれを無視したり、ましてや変えたりしようとはしない。

ヒトの行動メカニズム

わかりやすい例をあげよう。人は鏡を見ると減速し、銀行を見ると足を早める。これにはもっともな理由がある。銀行のウィンドウはつまらないし、銀行へ行くのが好きな人間はめったにいない。そのために、さっさと通り過ぎる。鏡のほうは決して退屈しない。こういう知識がどう役に立つのか？　まず、店をだすときには金融機関の隣を避ける。通行人は近づくにつれて歩く速度を早めるため、ウィンドウ・ショッピングどころではなくなる。どうしても銀行の隣が避けられなければ、店のファサードかウィンドウにかならず鏡を一枚か二枚置くようにして、客に歩く速度をゆるめさせる。

●その1　歩行

人間の動きに関しては、こんな事実もある。それはショッピング環境だけでなく、他のさまざまな場所にも言えることだ。人が歩くとかならず右に片寄る。意識しなければ気づかないが、本当のことだ。人が店に入ると、右に向かう。もちろん、急に曲がるわけではないが、なんとなく流れていくのだ（右への片寄りは、道路のどちら側を通行するかにも左右される。たとえば、イギリスとオーストラリアは、生物学的な右寄りの傾向に抗して、左側通行である）。

これは人間の歩き方に関する深遠な真理であって、社会のあらゆる場所、階層に応用される。われわれがこのパターンを見てとるまでにはしばらく時間がかかったが、以来、それを支持するデータを積み上げている。だが、ショッピング環境はこれにどう対応できるのだろうか？

われわれが調査したある百貨店では、入口のすぐ右側が紳士服売場だった。数えてみると、顧客は圧倒的に女性が多かった。ここに紳士服売場があっても、女性たちはろくに商品を見ずに通り過ぎるだけで、本来の目的地である婦人服売場に向かってしまう。実は、フロント・ドアは左右どちらでもない中央にあったので、トラッカーの目の前で何人もの女性たちが入口から右に進み、あたりを見まわして、紳士服売場だと気づくと、向きを変えて左側の婦人服売場に向かった。右側には二度と戻らず、その奥にある子供服売場にも行かないのだ。トラックシートで子供服売場の客がもっとも少なかったのも偶然ではない。メインフロアのそっくり半分がプランニングの欠陥のためにがらあきだったのだ。

似たような状況は、ある電器店の調査でも見られた。そこでは、会計／包装が店のフロントに近い左の壁ぎわにあった。入ってきた客は右に向かうが、レジと店員を見ると急に左に曲がり、そこの商品を見たり、あるいはお目当ての商品の所在を店員にたずねる。ときとして客は奥へ向かってそこにある陳列を眺めるが、店の右半分に戻ってくる者は少ない。彼らは一種のクエスチョンマークの動線を描いていた。この状況を変えるために、レジを右の壁ぎわ、店のなかほどに移動し、それをメイン・ハブとした。客が二番目に興味をもっている電話のディスプレイは、右側の壁のフロント寄りに置いた。来店した客をまず右側のレジに向かわせ、そこから電話のディスプレイに向かわせることが狙いだった。店内の配置が人間の動きにとってより自然なものになると、さっそく回遊パターンが改善された。より多くの人が、より多くのものを見るようになったのだ。アメリカ人は自然に右へと移動する。どんな店でもフロント・ドアの右は一等地なのだ。そこには、もっとも力を入れている商品、一〇〇％の注目を集めたい目玉商品を置くべきなのだ。これが、人間の動きを利用する一つの方法である。

●その2　手の動き

また、買い物客は右に手を伸ばす。ほとんどの人が右利きだからだ。棚に向かいあったとき、身体の右側にある品物を取るほうが、身体の前に腕を交差させて左のものを取るよりも楽なのだ。実際、取るつもりの商品の右側にある品物にうっかり触れてしまうことがある。だから、客に買わせたいものがあれば、客の立つ位置よりもやや右寄りに陳列すべきだろう。棚割図、つまりどの棚に何を並べるかを示した図は、このことを念頭において作成すべきなのだ。たとえばクッキーなら、いちばん人気のブランドを中央に置き、これから梃子《てこ》入れしたいブランドをやや右に置く（やはりイギリスとオーストラリアでは、左側通行・右手伸ばしルールのために、アメリカではありえないような設計上の混乱が生じている）。

●その3　顔の向き

人間の動きについてのより単純な一面について、店が客に対応するうえできわめて大きな問題をつきつける事実がある。実際、人間の歩行にまつわるこの特性は、あらゆるショッピング空間をその目的にかなえることを難しくしている。つまり、人間は顔を前に向けて歩くということだ。

これが意味するところは重大だ。なにしろ、通常のショッピング環境は、足を交互に前にだすのではなく、古代エジプトの壁画に描かれた人物像のように横にだすという、この世のものならぬ存在に適した設計になっているからだ。想像してみよう。店の通路をまっすぐに歩いているとき、人は前を見ている。頭を右もしくは左にまわして、歩きながら棚やラックを見るにはある程度の努力を要する。それには、かすかな不快感さえある。自分が歩く方向以外のところにも目を向けなければならないからだ。馴染みのある環境（行きつけのスーパーマーケットなど）で、しかも安全な場所であれば（広い通路、箱などの障害物につまずく心配のない床）、客は歩きながら左右を眺め、商品を取っていく。だが、それほど馴染みのない状況では、客が目にするものは減る。無意識のうちに、箱や小さい子供につまずいて倒れないよう、目の端で見張っているためだ。歩いているとき、何かの商品に注意をひかれると、歩行を中断してそれを見るべき方向、つまり正面から見る。だが、それはそのときだけだ。

この問題は、商店の棚にかぎらない。街路で人はどのようにしてウィンドウに近づくのだろう？ほぼ例外なく斜めからだ。人は店の左か右から歩いてくるからだ。しかし、ほとんどのウィンドウが、真正面から見られることを前提としてデザインされている。正面から見られることなど滅多にありはしないのだが。屋外の看板に関しても同じことがいえる。わが社の近くに新しいレストランができ、非常に金をかけたとおぼしい、しゃれたハンギング・サインを取りつけたのはいいが、建物と垂直ではなく、平行にしたので、通りの向かい側からしか読めない。店にくる客は、潜在的な顧客のおそらく五％から一〇％だろう。

この看板の位置を直すには一時間くらいしかかからない。それで問題は解決する。ウィンドウを人のアプローチに合わせるのは簡単なことだ。ウィンドウのディスプレイはかならず左右どちらかに向けるべきだ。われわれは車と同じように——右側を——歩くので、ウィンドウ・ディスプレイは左に向けたほうがよい。これだけで、大勢の人に見てもらうことができる。

だが、人間の歩行と顔の向きに関する発見を、ふつうの店で応用するにはどうしたらよいだろうか？　一つの方法は、ほとんどすべての商店ですでに利用されているエンドキャップである。アメリカのどこの商店でも、通路の両端に商品が陳列されている。これは品物を客の目にさらすには非常に効果的で、業種を問わず利用されている。レコード店は特定のアーチストのＣＤや値引きした新譜、スーパーマーケットは特価のソフトドリンクや朝食用シリアルなど。エンドキャップによって商品の売り上げを押し上げることができる。店の通路を歩く人にとって、正面から全体が目に入るからだ。エンドキャップが効果的なのは、スーパーマーケットの主要な通路を歩けばいやでも商品が目につくからでもある。ある意味で、オレオの山はビルボードの役割をはたしている。このクッキーを思い出させると同時に、その場で買えと客に選択をせまっているのだ。

もちろんエンドキャップにはおのずと限界もある。一本の通路につき二つ、両端に一つずつしか置けないからだ。品物を見られるようにディスプレイする効果的な方法が、もう一つある。シェブロニングである。つまり、棚やラックを一定の角度をつけて山形に並べることで、そこに並べられた品物がよりよく客の目にさらされる。通路にたいして棚を九〇度ではなく、四五度に置くわけだ。効果は大きく、エレガントでもある。だが、たった一つ落とし穴がある。シェブロニングは通常の配列よりも五分の一ほど余分なスペースを要するのだ。そのために、従来の方法の八割の商品しか陳列させられない。問題は、シェブロニングが、この損失を埋めあわせる以上の売上増を生みだせるかどうかということだ。ディスプレイがすぐれていれば、少しだけ見せて多くを売ることは可能だろうか？　私はまだそれに答えることができない。いままで大勢のクライアントにシェブロニングをすすめてきたが、全面的に取り入れようとしたクライアントはなかった。だが、長いこと見てまわることが必要な製品については、シェブロニングが効果的なことはたしかである。

●その4　視線

人間がどう歩くかに加えて、人間の視線がどこに向かうかも、人間が見るものを非常に大きく決定している。セーターを満載したテーブルの上面しか見えなければ、真正面に立っているときにはその効果が限定される。一〇フィートから一二フィートほど離れたところでディスプレイが見えなければ、客が近づくのは偶然だ。だから、建築家は客の視線に留意して店舗を設計すべきなのだ。買い物客が自分の正面にあるものを見られるだけでなく、まわりを見まわしたときに他のものも見られるように。だから、印刷物のメッセージをあらゆる場所に貼りつけておかなければならない。客の視線の先に何もないなんてことがないように。

視線を考慮にいれたなら、商品で視線を分断しないように気をつけなければならない。珍しくないことだが、壁面の棚の前に別のディスプレイが置かれて、客の目をさえぎることがある。あるいは、商品説明の掲示が当の商品を隠していることもある。理想としては、客が商品を調べると同時に、あたりを見まわして一五フィート離れたところに、別の魅力的なものがあると気づくことだ。これをピンボール効果という。商品を巧みに分散することによって、店全体に買い物客を散らばらせるのだ。こうして、商品自体が客の流れをつくる道具となる。よい商店はこのようにして運営されているものだ。客は前方や右側に見えたものに、思わず注意をひきつけられるのだ。

買い物客を陳列商品にひきつける

スーパーマーケットの陳列商品のうちで客に見られる割合、いわゆるキャプチャー・レートを調査したことがある。スーパーマーケットの棚の平均的な商品を見ていたのは、買い物客の約五分の一だった。買い物客がおそらく商品を見るだろうとされているゾーンは、目の高さよりも少し上から膝の高さまでである。それより高くても低くても、わざわざ見ようとしないかぎり、客の目に入らない。これもまた、われわれの防衛的な歩行メカニズムの一つの機能である。上を向いて歩けば足もとが見えないからだ。

つまり、小売店の広大な売り場面積が、無駄にされているとは言わないまでも、そこには問題があるということだ。このゾーンの外に商品を陳列しないのであればかまわないが、ほとんどの店ではそんな贅沢など許されない。商店が試せることとしては、大きい品物だけをゾーンの上もしくは下に並べることくらいである。足首のあたりに置かれた徳用サイズのパンパースを物色するほうが、タイレノールの錠剤を見るよりも簡単だ。最下段の棚を少し上に傾ければ、さらに見やすくなる。この問題にたいしては、包装デザインから対処するのも有効だろう。すべてのラベル、箱、容器は、客の頭よりも高い位置や、膝より下などの見にくい角度に置かれる可能性も念頭においてデザインするべきなのだ。

また、包装は真正面からよりも斜めから見られたときに目立つようでなければならない。そうなるとコントラストのはっきりした色、大きくて見やすい文字も必要だろう。これはまた、商品が倉庫ではなく売り場に置かれていることともかかわりがある。コンピュータ、電話、ステレオなどの家電製品の箱が、床から頭の上まで積み上げられていることもあるからだ。それらの箱のデザインはディスプレイを前提としていないのに、結果としてまさにそういうことになっている。それだけでも、茶色いクラフト紙に小さい文字で中身の説明だけが書かれている、味もそっけもない包装が時代遅れなことはわかるだろう。箱は製品のポスターと考えるべきだ。シリアルの箱と同じである。通常、パッケージ・デザイナーは製品名をラベルのいちばん上に書くことによって企業側のエゴを満足させ、製品がなんであるかは下のほうにもってくる。しかし、箱が床の近くに置かれようものなら、まったく都合の悪いことになる。ブランド名がわかっても、箱の中身がなんであるかがわかりにくいのだ。それに、箱をどこにどう置くかということに口だしできるデザイナーはいないので、製品がなんであるかはかならず上に書くべきだ。そして、ラベルはビルボードと心得るべきだ。清潔で、めりはりがきいて、目立つイラストと大きい文字をレイアウトしたビルボードと。

買い物客を通路の奥までおびき寄せる

もう一つ懸念される事柄は、ブーメラン・レートと言われるものである。これは、買い物客が通路の端から端まで歩かなかった回数を測るものだ。買い物客が通路を歩きはじめ、何かを選んでから、そのまま進むかわりに、もとの道を戻ってしまうことである。われわれがハーフ・ブーメランと呼ぶのは、客が通路のなかほどまで達してから戻る場合である。よくあるのは、客がお目当ての品物を見つけると、まわりを見もせずに（見たとしても、足を止めるほどに価値のあるものを見出さずに）戻ることだ。これをどうすればいいのだろうか？　小売業者は、もっとも人気のある商品を通路のなかほどに置くべきだろう。メーカーはその反対に、自社の製品を通路のできるだけ端に置いたほうがよい。

だが、買い物客の注意をひきつけておく方法もいくつかある。そのうちでもっとも斬新かつ効果的なものは、子供連れの客の存在を考慮することだ。そのために、シリアル売場でよく使われている手法だ。シリアル売場は、ママやパパにとっては箱をつかんで歩き去るだけの場所だ。その床に描かれた石蹴り遊びの絵が、客をしばし釘づけにするのにとても役立っている。ある店では、子供がこの通路で遊ぶ時間は平均一四秒で、何も買わずにシリアル売場に立っているにしては長い時間である。

●ブロックバスターの事例

小売業の仕掛人たちは、買い物客を店の通路にひきとめる方法をつねに探し求めてきたが、そのほとんどは失敗した。レンタルビデオのブロックバスターは、新作を買いにきた客に、彼らのひいきスターの旧作への興味をもたせようと試みた。たとえば、ブルース・ウィリスの新作映画のビデオがあったとして、それがディスプレイされた隣に、巨大な厚紙のブルースを、過去のいくつかの作品と一緒に陳列する。道路の減速バンプのようなものだ。ただ買い物客がほとんど気にもとめずに飛び越えてしまうところがちがう。

そこで教訓。**新作が欲しい客に、他のもので気をそそろうとしてもうまくいかない。**

さらに大事な教訓。**どれほどマーチャンダイジングに工夫をこらしたところで、買い物客に本来の目的の遂行を思いとどまらせることはできない。いちばんいいのは、それにつきあうことだ。**

●スーパーマーケットの事例

買い物客の動きを誘導するには、たいていの人がよく知っている一面がある。なんとしても店の奥まで行かせようとすることだ。誰もが知っているように、スーパーマーケットで乳製品はたいてい奥の壁ぎわにある。ほとんどの客はミルクを買うので、そこへ行く途中か、そこから帰る途中で、店全体を通って買い物をする。これはかなり効果的である。あるいは、少なくとも昔はそうだった。だが、これが競争相手に絶好の機会を提供することになる。実際、コンビニエンスストア業界が存在するのは、ミルクなどの必需品を客の手の届くところに置くこと、つまりとびこんでくるなり、品物をつかんででていくことが可能だからだ。一部の新しいスーパーマーケットでも、「浅いループ」を打ちだしているところがある。乳製品のケースを店のフロント付近に置いて、買い物客がつかんででていけるようにしている。

●ドラッグストアの事例

大手のドラッグストア・チェーンは、薬局のコーナーを同じように利用している。ほとんどの薬局がかならず奥の壁ぎわにあり、お客はそのために店全体を歩かなければならない。だが、この戦略が逆効果にならないためには、これらの客に特別な便宜をはかる必要がある。客が薬局にでかけるのは、たいてい深刻な用事があるからだ。だから、店の奥へ向かう途中で棚を眺めることには興味がない。したがって、ドラッグストアのマーチャンダイジングでは、前面からだけでなく背面からの配慮もしなければならない。少なくとも一部の看板やディスプレイ、備品の配置を、店の奥から手前に歩いてくる客にも見えるようにしなければならないのだ。これは同じ敷地に二軒の店をプランニングするようなものだが、それというのも薬局の位置は客に店内を歩きまわらせるうえで非常に効果的だからだ。

本書の序章で、ショッピングモールの若い店員が休憩時間に急いでソーダを飲むドラッグストアを紹介した。それを利用しようと、この店はクーラーを店の奥に置いた。そのために、若者たちは一五分の短い休憩を最大限に利用するために、店に駆けこんできてソーダを取り、また外に走って戻ることを余儀なくされた。彼ら十代の若者が、ソーダを買うついでにシャンプーや目覚まし時計やタルカムパウダーを買うことはないだろう。序章でも述べたが、この店は再度、慈悲深くもクーラーを前面に戻すことにした。忠実なソーダの顧客の都合を考慮したのだ。さもなければ、彼らがもっと便利な別の場所を見つけて休憩時間の燃料補給をするかもしれなかったからだ。

それでもふつうは、どんな店でも客を奥の壁まで行かせるのは大変なことだ。ブロックバスターは、客を誘導して奥の壁ぎわへ直行するようにしてしまった。そこに新作を置いたのだ。人気の高い映画が周辺に動線をつくりだした。ビデオを物色するにはきわめて効果的な方法である。その結果、お客は店の奥に直行し、ビデオを選び、中央の広い通路を通って会計／包装までくる。いかにも予測できることだが、これによって客の衝動買いをうながす商品には好ましい、客の流れがつくりだされた。中央の通路にはポップコーン、キャンディ、ソフトドリンク、映画雑誌など儲けの大きい商品が並んでいるのだ。賢明にも、たいていの小売業者は金になる商品を店の奥には並べていない。だが、売り場のどこも、リース料や光熱費の額は同じだ。客の興味をそそって売り場から売り場への流れがスムーズな店は、ごく自然に客を店の奥まで引きこんでいる。店の手前にいる買い物客が、店の奥に面白そうなものがあると思えば、少なくとも一度はのぞいてみるだろう。簡単な方法としては、奥の壁に曼陀羅のようなものを掲げることだ。たとえば大きな画像、あるいはなんらかの視覚的ないし聴覚的なノイズを発生させて、何か面白いことがありそうだと客の好奇心をそそるようにするとなおよい。客が二度目にきたときはそこに直行しないかもしれないが、なんとなく磁石に吸い寄せられるように奥まで足を向けるだろう。なんであろうと、ほとんどの大型小売店で感じさせられること、つまり奥は行き止まりだというよりはましなのだ。

買い物客を限定させない

店の前面は、入ってくる客を決定するうえでこのうえなく重要である。

家電販売のレディオシャックは、女性客の比率を高める戦略の一部として、電話の販売に力をいれることにしたとき、女性を誘いこむため、店の前面に電話をディスプレイした。

実際、われわれはクライアントに、一日のうちに何回か店頭の商品陳列に変化をつけ、いろいろなタイプの通行人をひきつけるようアドバイスすることがある。

たとえばショッピングモール内の書店では、午前中の客のほとんどがベビーカーを押した母親である。そこで、クライアントに言って、子育て、フィットネス、家族に関する本を店頭に並べさせた（また、ベビーカーを押して歩きまわれるスペースをとっておくようにとも助言した）。午後には学校がひけた子供たちがモールに駆けてくるので、スポーツ、ポップ・ミュージック、テレビなど思春期の子供が好むものを置くようアドバイスした。午後五時を過ぎると、仕事帰りの人びとが流れこんでくる。そうなればビジネスやコンピュータに関する本があるとよい。それから早朝には、モール内をウォーキングする高齢者が利用するので、夜の閉店前にはウィンドウに老後や財テクや旅行に関する本を並べさせた。その店は巨大な円筒形のディスプレイ装置を購入し、それは一日の時間帯に応じて回転して、必要な本を見せる。

スーパーマーケットは金曜日から日曜日までは店頭に商品を詰めこんで、そのスペースを混雑に対応させている。だが、月曜日と火曜日には、その場所はすいている。われわれはクライアントに、レジのすぐ手前のエリアを新たに売り場とし、ふつうのラックではなく衝動買いをうながす商品を並べるようにアドバイスした。

買い物客の来店ペースをつかむ

お客が店をまわる頻度も考えておく必要がある。もし顧客が平均して二週間ごとに来店するなら、ウィンドウやディスプレイをそれくらいの頻度で変える必要がある。そうすることによって新鮮な興味をかきたてるのである。ここでもう一つ、店舗設計とマーチャンダイジングが協力すべきことを示す例がある。ウィンドウの構造が、従業員にとって入りやすいものであれば、入りにくい場合よりもひんぱんにディスプレイを更新しやすくなる。設計の何かが原因で、商品をウィンドウのなかに運びこむのが苦痛であったり、あるいは陳列ラックがウィンドウに近づくのを邪魔していたりすると、ウィンドウは確実に注意の的からはずれてしまう。

買い物客の動きにまつわるいくつかの事実は、普遍的な法則ではない。しかし、われわれが調査した特定の環境においては、たしかにあるインパクトをもっている。

ロサンゼルスのサンセット大通りにある大手のファミリーレストラン・チェーンの店舗を調査したときのことだ。日中は、店の化粧室がフロント・ドアのすぐ内側にあるという事実は、まったく理にかなったことと思えた。ところが夜間、外の通りが近所に住む無遠慮な街娼たちでにぎわう時間帯には、化粧室がその場所にあるのは、まったく不都合だった。まるで娼婦たちのラウンジのように、彼女たちが仕事の合間に水を使ったり、足を休めたり、おしゃべりに興じる場所になってしまったのだ。それは食事にきた他の客にとっては手放しで喜べる状況ではなかった。

ホールマークのカード店には、客が印刷物を注文できるコーナーがあり、近く結婚しようとする人びとが招待状をつくったりする。このコーナーには巨大なサンプル帳をおさめた棚つきの書物机があり、客の目的にぴったりかなっていた。ところが、ニュージャージー州のあるにぎやかなショッピングモールでは、このコーナーが店頭に位置していた。レジのすぐうしろで、おそらく店内でいちばんうるさくて混雑した場所である。それを使っていたのはたった一人で、その客は履歴書を書いていた。

7 固定観念で販売することの危険性

ここで見張れ。下着のかげに隠れろ。

何が見える？　男女のカップル。いくつぐらい？　六十代。特徴は？　よくいる太めのお母さんとお父さんが、今日は町にでてKマートみたいな店で高齢者用ブリーフを買いにきた。おそらくそんなところだろう。

待てよ——何か話している。

「で、わしのサイズはどこだ？」

「ここよ」

「この三枚のパックを買おう」

すばらしい。で、彼女は？

「だめよ、六枚のを買いましょう……わたしもはくから」

うわっ。なんて気持ちの悪い。想像もしたくない。この二人はかかわりばんこに——

おい、やめろ。お前はショッピングと購入のきわめてダイナミックな性質に関する貴重なレッスンを見過ごしたところだ。ショッピングの科学の専門家でなくても、何が起こっているかはわかるだろう。女性だったらなおさら、肥満タイプの女性だったら肥満タイプの女性で、ウエストと股ぐりに細いゴムが食いこむ下着を買うしかなければ、なおさらだ。ああ、はき心地が悪そう、想像する（いやいやながら）しかないが。

これは数年前の出来事だが、以来、女性の下着は男性に似てきた。フラットな（締めつけない）幅広のゴムと柔らかい綿布。それによって女性は問題を解決し、男のパンツから遠ざかった。とはいえ、これは買い物客がショッピング環境およびそこで売られる製品の使い方に関して究極の決断を下した好例である。製品デザイナー、メーカー、パッケージャー、建築家、マーチャンダイザー、小売業者は、人びとが何を買い、どこでどのように買うかを予測している。ところが買い物客自身がこの方程式に入ってくると、美しくととのった理論がひっくりかえり、ゲーム・プランは紙吹雪と化す。

このケースでは、婦人用下着の着心地の悪さが、当のデザイナーやメーカーに知られていたのだろうか？　知らなかったのかもしれない。あるいは知っていたかもしれないが、なす術《すべ》がなかったのかもしれない。女性は男性用のブリーフをはかないという思いこみがあったのかもしれない。明らかに、女性用衣料品の流れは、より男性的な方向へと向かっている。下着会社のエグゼクティブが、あの通路に、われらがリサーチャーの横に立っていたなら、この女性から貴重な教訓を得ていたことだろう。そのために婦人用下着の革命が早まったかもしれない。

だが、やはり、そんなことはなかったかもしれない。

買い物客のニーズに応じる柔軟性

ここにもう一つ、買い物客がショッピング環境をみずからの意思にしたがわせた例がある。これは公共空間の設計と設備にまつわる重要な問題とかかわりがある。つまり、座席だ。

私は座席についてはこだわりがある。その気になれば一日中でも語れる。人間に必要なものということからすれば、座席ははずすことができない。空気、水、食料、住居、座席と、この順番だ。座席というものは、金よりも、愛よりも大事なのである。

世界中のほとんどの店が、椅子を一脚おけばすぐに売上げが伸びるだろう。私は椅子一脚の空間をつくるためなら、すてきなディスプレイを除去することもいとわない。備品はこわそう。マネキンも外してしまおう。椅子は語っているのだ。私たちはあなたを気にかけていますよ、と。

選べるものなら、人は気にかけてくれる相手から買うだろう。

●ある婦人衣料品店の事例

大手のある婦人衣料品店では、女性の買い物を待つ男性のための座席が足りなかった。どうして足りないとわかったか。旦那や恋人たちが自分なりに工夫していたからだ。必要がみたされていないとき、人間がかならずやることだ。ショッピング環境において、買い物客が工夫していたとすれば、人が人の要求をつかみそこねた厳然たる証拠である。

(脱線になるが、よい例がある。ニュージャージー州アトランティック・シティのカジノ・ホテルでのことだ。ここでは親切ということがあまり重視されていず、賭ですった大勢の人びとがバスがでるまで待たされている。カジノはわかりやすい理由により、こうした人びとが賭博場で待っていてくれることを望んでいる。スロットマシーンやディーラーの前などで。そのために、ホテルのロビーには椅子が一脚もない。これにたいして、客はどう対応したか？　彼らはむっつりした顔で床に座りこんだ。何十という辛気くさい負け犬が並んだ光景は、新たに入ってくるカモにとってモンテカルロのカジノの華やかな雰囲気を彷彿させるとは言えなかった。彼らには椅子が必要なのだ！)

衣料品店でもまた、必要なものは明白である。女性が買い物するあいだ、男性は待つ。そして、男性が待つときは(女性もそうだが)、座りたがるものだ。こんなことは明々白々、しごく当たり前ではないか？　ところが、商業スペースの設計者《デザイナー》は、座席のこととなると大失敗をしでかす。公共空間のためのプロジェクトで公園や広場を観察した日々、われわれは屋外のベンチをいかに改良するかに膨大な時間を費やしたものだ。どこに置き、幅はどれくらいで、日陰に置くか日向に置くか、通りとの距離はどれくらいか、木製にするか石造りにするか(石は冬になるとひどく冷える)などなど。ベンチがあれば高齢の歩行者の歩ける距離が二倍になることもわかった。人はしばらく歩くと少し疲れて、引き返そうかと考えはじめる。そのとき、日陰から招くようなベンチがある。そこでひと休みすると、歩行者はまた歩く気になるのだ。ショッピング環境においては、椅子の第一の役割は若干異なる。女性が夫や子供、友人と一緒に、二人ないし三人連れで買い物をするとき、座席はそうしない人が心地よく満足して邪魔をしないようにするためのものだ。

その衣料品店でも、女性たちだけが買い物をして、男性はそれがすむのを待っているだけだった。彼らは座る場所が欲しいと思っていただろうが、店はそれを提供しないことに決めていた。なぜか？たぶん椅子を置くスペースが足りなかったのだろう。椅子があってもこわれていたのかも。それとも、誰かの判断で男どもがその辺にへばりついていると雰囲気が損なわれると決めたのかもしれない。

そんなわけで、男たちは立っていたのだろうか？　もちろんちがう。彼らは座席を工夫していた。この場合、彼らは大きな窓に吸い寄せられていったが、その窓にはちょうどベンチぐらいの高さに幅の広い枠がついていた。窓枠がベンチになったのだ。

しかも、この急ごしらえのベンチはいったいどこにあったのか？　誰のせいでも、わざとでもないのだが、それはかのワンダーブラの魅力的なディスプレイのすぐ隣にあった。数年前から、女性たちにたいへん高揚感を与えた構造上の驚異である。あと知恵ながら、その後どうなったかを予想するのは簡単だろう。女性たちはディスプレイに近づき、品定めをはじめたところが、窓枠にとまった男どもに自分たちが品定めされていることに気づいた。われわれが店を訪れた日には、年配の紳士が二人座りこんで、勇敢な女性が足を止めて品物を見るたびに、彼女にはワンダーブラが必要かどうかを臆面もなく議論していた。

言うまでもないが、その日、そこで売れたワンダーブラはごくわずかだった。

もうおわかりだと思うが、どの商品についても取りあわせということは非常に大切であり、とくにワンダーブラのように目新しく、したがって調査と検討と試着を要するものはなおさらだ。賢明な小売業者は、相乗効果を最大限にするためには、どの商品とどの商品を取りあわせればよいかという謎の解明に頭をひねるものだ。そして、ここにまったくの偶然から、店内で工夫を強いられた人びとによって最悪の取りあわせが出現してしまった（最悪というのは客と店にとってであって、男どもにとってはそうでもない）。

●ある化粧品メーカーの事例

もう一つ、買い物客がけちな小売業者の計画の裏をかいた例がある。

化粧品会社と消費者のあいだには、いまも解決されない争いがある。女性は化粧品を買う前に試したがる。化粧品が高価で、肌によって見た目がちがうことを考えれば、それは無理もない。化粧品メーカーは反対に、女性がそう簡単に商品を試してほしくないと思っている。ちょっとでも使われた商品はまず売れなくなるからだ。買い物客に見本品を用意する計画やシステムはたくさんあるが、業界の標準となるほど完璧なものはない。こうしてゲームはつづく。

二、三年前に、とある化粧品メーカーが絶対に安全な口紅を考案した。テープを切らなければ繰りだせない口紅である。これは、メーカー側としては、女性はチューブのなかをのぞきこんで色を見るだけで、口紅本体には触れないだろうと踏んでいた。包装担当の坊やたちは、これによって会社は何百万というコストを節約できるとにらんでいた。この試作品に女性がどう反応するかを観察するために、われわれが雇われた。われわれの目の前で、ある女性がキャップをはずし、なかをのぞきこみ、繰りだせないことがわかると、なんとピンク色の爪の先をチューブにつっこみ、口紅をえぐりだして色を見たのである。専門家はまたしても裏をかかれたのだ。女性が口紅を試すのをやめさせようとしたこと自体、彼らの誤りだった。先進的な化粧品メーカーは、試用することが購入に結びつくことを認識している。だから彼らは、女性が違法行為をしなくてもすむような方法で試用することをすすめている。私の意見では、もっとも好ましいのは利益がついてくる方法だ。シーズンごとの新しい色の口紅や頬紅、白粉のサンプルを少量ずつ（二、三回分で十分だが）パッケージして、一ドルか二ドル程度で売るのである。

●レンタルビデオ店の事例

その場の工夫のすべてを矯正しなければならないわけではない。たいていの人はお馴染みだろうが、週末にレンタルビデオ店で人気の新作を借りようとすると、押しあいへしあいの大騒ぎになる。それをチャンスととらえたのがブロックバスターだ。われわれが見たところ、事情にくわしい常連客は新作の棚ではなく、返却カートでビデオを探す。返却されたビデオを棚に戻す前にしばらく仮りに置いておくワゴンである。ブロックバスターにしてみれば、この行動を矯正する理由はなかった。店員の手間が多少はぶけるのだ。だが、レンタルビデオ業は現在、もっと旧作を借りさせる方法を模索している（旧作はすでにコストが償却されているので、レンタル料がそのまま儲けになる）。それに役立てるべく、われわれがブロックバスターに強くすすめたのが、返却カートに旧作をしのばせておくことだった。それらを現在の人気ビデオであるかのように見せかけ、熱心な映画ファンに手渡すのだ。

●ファストフード店の事例

最後に、客が思いもよらない方法で店を利用した例について語ろう。このときは、店にとっていいことずくめだった。ファストフード店ではドライブスルーの窓口で買う客が半数以上だ。それをわれわれは（他のみなさんと同じように）、自動車を運転しながら食べる。あるいは、オフィスかどこかにもって帰るためだと思っていた。ところが、最近の一連の調査で奇妙なことが判明した。ドライブスルーの客のおよそ一〇%が、食べ物を受け取ると、そのまま駐車場に停めた車のなかで食べるのである。興味深いことに、これをやる車は、店のなかで食べている客の車よりも新しい傾向があった。彼らは超エリートのハンバーガー愛好者で、脂でべとべとしたみすぼらしい席に座っているところを見られたくないのだろうか？　それとも自分の車のなかで好きなだけ携帯電話でしゃべったり音楽を聴いたりし、自分のシートに座る贅沢を楽しみたいのだろうか？　いずれにせよ、これほど多い客には便宜をはかる価値がある。要するに、彼らは自前の椅子を持参してきているわけだ。そこで、われわれはファストフード店にアドバイスした。駐車場を道路から見えるようにして、走行中の車にスペースがあることを知らせるように、と。さらに、快適な環境、すなわち日除け、ゴミ箱以外の眺望などを提供することが、人だけではなく車にとっても大切だと強調した（われわれが調査したあるレストランでは、駐車場の最高の場所を従業員が独占していた。その多くが八時間以上も車を停めていた。バカの見本である）。おしまいに、われわれの発見は、建物の面積を縮小してドライブスルーと駐車場の規模を拡大するというファストフード業界全体のトレンドを裏づけている。客に好きなようにさせる。これこそ、ほとんどすべての場合に必要なことなのだ。

第3部

ショッピングの統計的研究

すでに見たように、人間性のもっとも単純な側面——肉体の能力と限界——は、われわれの買い物の方法をかなり規定している。しかし、買い物ほど興味深いことがそれほど単純であるはずがない。

たとえ同じ環境におかれても、示す反応は一人ずつちがう。趣味のよいデザインで、文字も読みやすく、配置も適切な看板があったとしても、あなたはそれを見るが、私は見ない。美しい商品を取りやすく並べた店でも、私は服を買うよりも釣りのほうが好きかもしれない。買い物カゴがとても便利な場所に置かれていたとしても、あなたはいまのところお金がないかもしれないし、一度に二冊以上の本を買えない性格の人かもしれない。

たしかに誰もが、買い物とは人により時によってちがうものを意味することに気づいている。われわれは買い物を、セラピー、ご褒美、賄賂、気晴らし、外出の口実、異性との出会いの機会、娯楽、勉強もしくは祈りの一種、暇つぶしなどに利用する。買い物せずにはいられない人びともいる。銀行口座や信用に悪影響をおよぼし、助けを求める叫び声として買い物を利用する人びとだ（買い物遍歴の末に、依存症回復への一二のステップからなるプログラムを学ぶ)。そして、なんと多くの有名人がけちな万引きを見つかって逮捕されることだろう。年に二、三回はあるのではないか。場所はきっとフロリダだ。

八〇年代の東ヨーロッパからの移民は、アメリカの郊外のありふれたスーパーマーケットに陳列された品物の豊かさに仰天した。こういう店が、自由経済とは要するに選択の自由、途方もなく多くのものから選択する自由であることを象徴していた。私自身も、スーパーマーケットで買い物による感情のカタルシスを経験したことがある。

一五年ほど前だろうか、エンヴァイロセル社に成功の見通しがついてきたころだった。そのときまでは、先が見えない状態だった。自転車操業がつづき、私は馬車馬のように働いて、入ってきた金は一銭残らず会社に注ぎこんでいた。厳しい状況だった。たとえばフロリダでミーティングがあれば、安くあげるために最終便のチケットを取り、夜半に現地に到着したあと、レンタカーを借りて目的地に向かう。車のなかで眠り、ガソリンスタンドの洗面所で髭を剃り、歯を磨き、先方に着くとせいいっぱい成功した調査会社の創業者らしく振る舞った。本当にきつかった。ともあれ、問題の日に、私も会社もこのさき大丈夫らしいことが明らかになったのだ。その日、私はたまたまニューヨークのサウスストリート・シーポートの近くのスーパーマーケット、パスマークにいたのだが、輸入食品売場に立っていたとき、不意に思いついたのだ。自分はそこにあるものをなんでも買えるのだ、と。子供のころに食べたイギリス産のしょうがの砂糖づけが欲しければ、そこの瓶を取って金を払えばよい。これを食べるには四ドルか五ドルかかるなどと考えなくてもいいのだ。もはや食費で冷汗をかく必要はないと認識したその瞬間、私は泣きだしていた。その場で、あのおびただしい輸入品のジェリーやジャムや砂糖づけの前で。

誰もがスーパーマーケットで泣くわけではないって？　エンヴァイロセル社の業務の多くは、客同士のちがいを見出すことだ。小売業者をはじめショッピング空間を支配する人びとの役にたつ分類や法則を発見しようと努力しているのだ。当然のことながら、『男は火星人、女は金星人』（邦訳『ベスト・パートナーになるために――「分かち愛」の心理学』ジョン・グレイ著、大島渚訳、三笠書房）と言われるこの世界で、われわれは男と女の店内での行動のちがいに目をこらしている。容易に予測される特徴もある。女のほうが買い物上手で、男は無分別だということなど。だが、男と女（と両者の関係）が変わると、購買行動も変わる。このことがアメリカのビジネスの世界にもつ意味はとても大きい。

もう一つ、われわれが注目している大きなちがいは、買い物客の年齢である。昔は店のなかで子供の姿はあまり見られず、彼らの声が聞こえることもなかった。そんな日々は遠く過ぎさり、いまやどんなに幼い子供も、小売りの方程式における熟慮と迎合の対象となる。その対極に位置する高齢者も、これまでになく重要性を増している。その数が増え、使う金と時間が増えたことだけ考えてみても。彼らの存在は二十一世紀のモノの売り方を変えていくだろう。新たなミレニアムを目前にして、文化と人口構成の壮大な変化が現出している。

以下の4章では、買い物客がどう変わったか、そしてその変化が買い物の世界にどう反映しているかを語ることにしよう。

8 男性と女性のショッピングの相違点

ウールワースをクライアントにかかえていたころ、私はよく言ったものだ。週に一度、おたくの店で「父の日」をやるようにすればもっと儲かりますよと。

彼らは耳をかさなかった。私の助言を聞き入れていたほうがよかったのだが。

男と女はほとんどすべての点においてちがう。ならば、買い物のしかただってちがうはずではないか？　男性客についての従来の常識は、つぎのようなものだった。

男はあまり買い物が好きではない、だからあまり買い物をしない。女性の買い物に男をつきあわせるのにひと苦労する。

結果として、買い物体験のすべて、つまり包装デザインから広告、マーチャンダイジング、店舗の設計、備品までが、女性向けに考えられることになった。

女性らしい買い物

女性は、われわれが買い物と呼ぶ行動、すなわちゆったりと店内を歩きまわる、商品を眺める、品物や値段を比較する、販売員と話す、質問する、試着する、そして最後に購入することにとても共感を寄せているようだ。昔から買い物をするのはほとんどが女性で、しかも女性はそれをたいてい嬉々として行なう。とくに胸がときめくわけでもない、ありふれた日用品でも、女性はじつに頼もしく、楽しげに買い物をする傾向がある。女性は賢い買い物をする能力を誇りにしている。乳幼児用品の研究をしたとき、インタビューした女性たちは、商品の値段を暗記しているので値札を見る必要がないと主張していた（よく調べると、ほとんどは思いちがいだったが）。女性の役割が変化するとともに、女性の購買行動も変化している（この点ではより男らしくなりつつある）が、しかし彼女たちがアメリカの市場における消費の主力であることには変わりがない。

男性らしい買い物

それとは対照的に、男性は概して無分別なようだ。大勢の買い物客の時間を測った経験から、男性は女性よりも売り場を歩く速度が早いことがわかっている。男性は品物を眺める時間も短い。どんな場合であれ、買うつもりのないモノに男の目を向けさせるのは難しい。それに男は、品物がどこにあるのかなどといった質問をするのも嫌いだ（男の買い物は、彼らの運転ぶりと同じである）。お目当ての品物が見つからなければ、男は一、二周してから、あきらめて店をでる。助けを求めることはしない。ただ、あきらめるのだ。

見ていると、男は目的の売り場へさっさと歩いて行き、何かを取り上げたかと思うと、すぐにも買おうとする。発見のプロセスに嬉しそうな様子も見せない。邪魔するなと言わんばかりだ。男が服を試着室にもちこんだら、買わないのはそれが身体に合わないときだけだ。反対に、女は検討のプロセスの一部として試着するにすぎず、身体にぴったりの服でも他の理由で買わないかもしれない。われわれの調査では、何かを試着した男性がそれを買う割合は六五％なのにたいし、女性は二五％だった。これは試着室を婦人服売場よりも紳士服売場の近くに設置することへの根拠となる。設備を共用する場合だが。でなければ、男性用の試着室を目立たせるべきだ。探さなければならないとなると、男はわざわざそんな面倒なことをする必要はないと判断するかもしれない。

ここにまた別の比較統計がある。女性は八六％が買い物するときに値札を見る。男性はわずか七二％。男にとっては、値札を無視することが男らしさの証明みたいなものなのだ。必然的に、男性は女性にくらべて高価なものを買いがちだ。また、彼らは女性よりもずっと提案に弱い。男は店からでたいばかりに、何を言われてもうなずいてしまうようだ。

こんな客は、ありがたいよりも面倒くさいばかりだと思えるかもしれない。しかし、男性だって、利益の源泉と見ることもできるのだ。彼が訓練不足であればなおさらである。いずれにせよ、男たちはいまやこれまでになく買い物をするようになっている。そして、それは今後ますますそうなるだろう。独身の期間がかつてなく長くなるにつれ、彼らの父親が自分で買うことなど夢にも思わなかったモノを買うようになった。そして結婚しても、妻が自分と同じように長時間働いているので、買い物の負担が否応なしにいっそう大きくのしかかってくる。メーカー、小売店、ディスプレイ・デザイナーは、男性のやりかたに注意を向け、彼らに合った買い物体験を用意することで、二十一世紀には優位に立つことができるだろう。

●スーパーマーケット

男性の購買行動が繰り広げられる伝統的な舞台は、つねにスーパーマーケットだった。容易に手の届く商品が無数に並ぶそこでこそ、男性について知られる思慮に欠けた奔放な行動、訓練不足による落ち着きのなさを目撃することができる。あるスーパーマーケットの調査で、われわれは買い物リストを携帯している客を数えた。女性はほぼ全員がもっていた。男性は四分の一以下だった。家計の見張り番である妻は、夫を付き添いなしでスーパーマーケットに送りだすような真似はしない。品物をのせる車を彼に与えれば、それがただのショッピングカートであっても、買い物という体験のなかで男っぽさを発揮させる結果となる。父親に子供を二、三人加えれば、致命的な組みあわせのできあがりだ。男はダメと言えないことで悪名が高い。食糧入手作戦が敢行されるときは特にそうだ。つまるところ、父親たることには供給者たることが含まれているのだ。それは男の自己イメージの中心に位置するのである。

私は人生の数百時間を費やして、スーパーマーケットを歩きまわる男たちを眺めてきた。私が気に入っているビデオの一つには、幼い女の子を肩車した父親が登場する。菓子売場で、女の子は動物クラッカーを指さす。父親は棚から箱を取り、封を開けて娘に渡した。自分の頭や肩にクラッカーの粉がふりかかることも気にしない。母親が子供をこんなに甘やかすところは想像しにくい。男性の買い物について、もう一つの大きな教えは、シリアル売場を通りかかった男性と二人の幼い息子の観察から得られた。息子たちが好物のブランドをねだると、父親は箱を取り、開封線に沿って切るかわりに、てっぺんをむしり取った。息子たちが食べはじめたら、もう蓋を閉める必要などないことをよく知っているからだ。

スーパーマーケットは男女どちらにとっても衝動買いが起こりやすい場所だ。そこで買うものの六〇%から七〇%が計画外だと、食品業界の研究は示している。だが、男は子供のおねだりと同じくらい、目をひくディスプレイにも弱い。

スーパーマーケットでいつも現われる男のだらしない振る舞いがもう一つある。レジを撮影したビデオで何度も目にしたことである。ほとんどつねに、男が支払いをするのだ。男と女が一緒に買い物をしている場合はとくに、男が財布から札を抜きだす。それは生活費をかせぐのが女だと、レジ係に誤解されないためだ。小売業者が男を「財布もち」と呼ぶはずである。あるいは、昔からの知恵で、女に売って男に払わせろというのがある。なぜなら、男は買い物という経験が好きでなかったとしても、金を払う経験には胸をおどらせるからだ。それは彼に、責任者だという気持ちを、たとえ実態はちがっていても、与えてくれるのだ。プロムの衣装を売る店は、これをあてこんでいる。一般に娘は、父親が一緒だと、母親だけに連れられた場合よりも高価なドレスを買ってもらえるものだ。

●パソコンショップ

いくつかの分野では、男は女も顔負けである。ある店の調査では、インタビューした男性の一七％が週に一度はその場所を訪れると答えた！　そこにいた男性の約四分の一は、その日家を出たときは、店にくるつもりではなかったと言った。ふと気がつくと店をぶらついていたというのだ。もちろん、それがパソコンショップであることと関係があるだろう。コンピュータのハードやソフトは、自動車やステレオ機器にかわって、男性のテクノロジーと発明への興味の的となりつつある。その店の客のほとんどが情報収集にきていたのは明らかだった。ビデオテープには、ソフトウェアのパッケージをはじめあらゆる印刷物や説明文を熱心に読む男たちがうつされていた。この店は、男性がソフトウェアを買うだけでなく、それについて主に学習する場所でもある。このことは、男性のもう一つの買い物の習性を裏づけている。道をたずねるのをいやがるのと同じで、自分で情報を仕入れたがるのだ。なるべくなら印刷されたものやビデオやコンピュータ・ディスプレイなどからだ。

●携帯電話販売店

数年前に、ある携帯電話メーカーが試験的にだした販売店の調査を引き受けたことがある。そのときわれわれは、男と女ではその場所の利用の仕方が大きくちがうことを発見した。女性は例外なしに販売デスクに向かい、電話をはじめ店が提供するサービスについて質問する。ところが男性は、電話のディスプレイと契約を説明した看板のところに直行する。それからパンフレットと申込書を取り、店をでる。店員には一言も口をきかない。この男たちが店に戻ってくるのは、契約するときだ。これにたいして、女性は平均して三回は店を訪れ、相談を重ねてから、ようやく契約する気になる。

男性客への対応に注意する

車の購入で主導権を握るのは、いまでもほぼ男性である（新車の購入における女性の発言力はかなり強いのだが）。そして、家庭用品を買うときには、男と女のあいだで役割の分担がなされているようだ。家のなかのものはなんであれ女性が買い、男性は家の外のものをすべて買う。芝刈機などガーデニングや芝生の手入れのための道具、バーベキューグリル、ホースなど。女性の世帯主が増加して、これも変わりつつあるが、この役割分担はまだつづいている。

買い物をしていないときでさえ、男は買い物の立役者となる。一般に、消費者が支払う金額は、消費者の滞店時間の直接の結果である。われわれの調査で何度も明らかになったのだが、女性は男性と一緒に店にくると、自分一人だけのときや他の女性と一緒のとき、子供を連れているときよりも滞店時間が短くなる。以下に、全国チェーンの家庭用品の店で実施した調査の結果を示す。

女性二人	八分一五秒
子供連れの女性	七分一九秒
女性一人	五分二秒
女性と男性の二人	四分四一秒

いずれの場合も、何が起こっているのかは歴然としている。

女性が二人で買い物すると、思いきりおしゃべりをしたり、助言しあったり、提案したり、相談したりするため、時間がかかる。子供と一緒の場合は、子供が迷子になったり不機嫌になったりしないようにと、神経を使う。女性一人のときはもっとも効率よく時間を使える。だが、男性と一緒だと男性は露骨に退屈した様子で、いまにも店をでて車に座ってラジオを聴くか、通りに立って女の子でも眺めそうだ。そのため、男性がそばにいると女性の心の安定が急減する。買い物しているあいだずっと落ち着かず、せきたてられているような気分になる。だが、男性にも何かすることがあれば、女性はもっと楽しく、リラックスして買い物できるのではないか。買い物にかける時間と支払うお金も増える。大きな買い物の場での男性の存在に対処するには、主として二つの戦略がある。

第一の戦略は、受動的拘束である。手錠をかけようというのではない。主に女性向けのものを売る店では、男の興味をひくなんらかの方法を案出したほうがいいということだ。私がリミテッドかビクトリアズ・シークレットのオーナーなら、女性がコートのように男性を預けられる場所をつくるだろう。これまでにも男性が気分よく待てるスペースは存在した。理髪店である。薄汚れた古い椅子と《プレイボーイ》《ボクシング・イラストレーテッド》のバックナンバーのかわりに、座り心地のよい椅子、それと向かいあわせに大画面テレビを置き、スポーツ専門チャンネルESPNに合わせるか、ケーブルテレビのバス釣り番組を流しておく。簡単なものでも妻を気がかりから解放する効果があるが、さらに想像をたくましくすることもできる。《スポーツ・イラストレーテッド》のインストア・

プログラム、たとえば水着の製造過程のドキュメンタリーや先週のＮＦＬのハイライトなどはどうだろう。

私が新しい店を開こうとするところで、女性に気持ちよく買い物してもらおうと思うなら、男性の好む店、たとえばパソコンショップ、三〇分は楽につぶせる場所に隣りあった土地を探すだろう。逆に、コンピュータ・ソフトを売るなら、婦人服店の隣を選び、男が嬉しそうに集まる店をつくるだろう。

だが、やむをえずその場にいる人びとに、モノを売ることもできるのだ。婦人服の店なら、男性が女性への贈りもの、靴やパンツよりもスカーフやローブといったものを買うのに役立つビデオカタログを用意するとよい。ギフトに最適だと紹介されたものは売れやすくなるだろう。彼女がその店を好きなことはもうわかっているのだから。ビクトリアズ・シークレットが男性向けのビデオカタログを売りこむとか、ちょっとしたファッションショーを上演してもよい。

（ただ、こういうコーナーの設置場所には気をつけなくてはならない。客の目につくようにしたいのだが、入口にあまり近づけて、ウィンドウ・ショッピングの視線が、安楽椅子にどっかり座ってテレビを見ているウィンドブレーカー姿のいかつい男たちにとまってほしくないからだ。）

第二に、そしてはるかに満足度の高い戦略は、なんらかの方法で男性を買い物に巻きこむことだ。場合によっては容易ではないが、不可能ではない。

ストーンウェア食器のメーカー兼販売のプファルツグラフを調査していたときのことだ。ここの客はたいてい気に入った柄のセットの全部を揃えるが、それにはディナープレート、コーヒーカップ、からし入れ、プラター、ナプキンリングなどおびただしい数がある。この店での買い物はひどく時間がかかり、品物を一つ一つレジ打ちして、こわれないように包装されるまで待つのは、たいていの男にとっては気が変になりそうな状況である。プファルツグラフのアウトレット店の平均売上げは数百ドルにもなる。だからこそ、男を巻きこむ必要があるのだ。

ビデオテープを眺めているうちに気づいたのだが、男たちはどういうわけかガラス食器売場に流れていきがちだった。グレービー・ソース入れやスプーンレストをよけて、タンブラーやワイングラスの棚のあいだをさまよう。あるとき、二人の男がビアグラスのほうへふらふらと向かったが、一人がグラスを取り上げ、反対の手で想像上のビールのタップをつまみ、ビールを注ぐかのようにグラスを傾けた。そこで私は考えた。そうだ、当然ではないか。食事の集まりがあって、妻がキッチンで料理するあいだ夫は何をするのか？　飲み物を用意する。それは社会的に受け入れられた夫の役割だ。だから、彼はバーテンダーのあらゆる道具に興味をもつようになる。さまざまなかたちのグラスとその用途、栓抜き、アイストング、ナイフ、シェーカーなど。それらは男の領域なのだ。

私はまず、この店にビアタップの模型を置くべきだと考えた。芝居の小道具のように、男たちが実演できるようにするのだ。最終的にアドバイスしたのは、ガラス食器をすべてバー用品売場にまとめることだった。壁には何か大きな写真、たとえば男性がビールを注いでいるところや、しゃれたクロムのシェーカーでマティニをつくっている写真などを掲げる。男たちが寄ってきて、自分たちのためのコーナーだと感じ、買い物ができる場所だ。たとえば、あらゆるボトルオープナーをここに置く。男は自分で読んで情報を得るのが好きだから、そこにはどのタイプのグラスを何に使うかを示した表を貼りだすとよい。大きなバルーングラス、ロンググラス、フルートグラス、ロックグラス、ビールのジョッキなど。

こうしたことを実行すれば、商売の邪魔で、本命客の足手まといと見なされていた男どもを顧客に変えることができるのだ。あるいは少なくとも、興味をもった見物人に。

家具メーカーのトーマスヴィルの調査でも、男性を巻きこむことが、このような高額商品の販売に役立つと思われた。方法は簡単である。グラフィックな仕掛をつくりだすのだ。たとえばディスプレイやポスターを使って、家具の製作過程を見せる。そして、断面図や分解図などビジュアルな表現を用いて、トーマスヴィルの家具は見栄えがよいだけでなく、つくりもしっかりしていることを説明するのだ。構造をアピールすることは、家具の新調にかかるコストへの男性の抵抗感を和らげるのに大いに役立つし、妻が家具の布張やスタイルを吟味するあいだ、男にも研究すべきことができる。

男性が女性よりもつねに上まわる買い物の一つがビールである。スーパーマーケットやコンビニエンスストアなどのあらゆる舞台で、男がビールを買う（男はジャンクフードも買う。ポテトチップスやプレッツエル、ナッツなどのおつまみを）。そのため、われわれはクライアントのスーパーマーケットに、毎週土曜日の午後三時に、まさにそこのビール売場で、ビールの試飲会を催すようアドバイスした。小規模醸造所を紹介するもよし、有名メーカーの新製品を宣伝してもよい。なんでも構わない。試飲会でビールの売上げは伸びるだろうが、それだけが目的ではない。より多くの男を店にこさせるためだ。そして、スーパーマーケットはより男性向きの場所に変貌するだろう。

男性客のための商品・売り場づくり

これは現在のすべての小売業が目標とすべきことである。業種を問わず、男の社会的役割がどう変化するかを先取りしなければならない。未来は、そこに先に到達した者のものだ。このような原則が考えられるだろう。現在、女性が優勢なカテゴリーに着目し、それをいかにして男性にアピールするようにするか。

●家庭用品

たとえば、ここ一〇年ばかりのあいだにアメリカのキッチンで起こったことを見てみよう。昔は、母親が食料品の買いだしと料理を一手にこなしていた。いま、母親は働いている。必然的に、男が料理、洗濯、掃除のやりかたを知らなければならない。それらはすてきなことから必要なことになった。ロバート・パーカーの小説にでてくるタフな探偵のスペンサーも料理をする。キッチンに立つ男性はセクシーなのだ。

このような変化とともに台所道具が男っぽくなったのは偶然だろうか？　その昔はアボカドかゴールデン・ハーベストというのが、冷蔵庫やレンジについての選択だった。現在のいちばん人気は、業務用の強力六口バーナーにオーブン・ガスグリルがついたもの、冷蔵庫はステンレス・スチールとアルミニウムとガラスでできた味もそっけもない巨大な箱である。ウィリアムズ・ソノマのようなしゃれた台所用品の店へ行けば、クレームブリュレのてっぺんを焦がすブローランプが人気である。アメリカ人は手間のかかる脂肪たっぷりのフランス菓子をつくることに夢中になったのだろうか？　それとも、自前の火炎放射器で火を噴くことが男にとって調理の魅力を増すのだろうか？（同じく、女性の独身期間が長くなり、人によっては一度ならず独身生活を送るようになると、昔風の男だけのためのハードウェアストアはホームデポに押されつつある。性別を限定せずに励ましてくれるここの環境のおかげで、家持ちの女性は道具好きの日曜大工になれる。）

電子レンジの説明書でいちばん強調されているのはワット数であり、これがどれほど売れているかを見るといい。また、掃除機を買いにきた男性へのインタビューで、何をいちばん重視するかとたずねたところ、彼らの回答は（予想どおり）「吸引力」だった。つまり「パワー」だ。いまや掃除機メーカーはアンペア数を吹聴している。どちらの場合も、家庭用品がよりマッチョになっているらしい。男たちがマッチョでなくなるのとは反対に。彼らはどこか中間地点で落ちあおうと決めているかのようだ。

「ウォッシュデー・ミラクル」（P&Gの洗剤のタイドのキャッチ・コピー）をはじめ家庭用品が男性を意識するようになっている。P&Gやリーバ・ブラザーズがなぜこう決断するにいたったのかは不明だが、でなければなぜペーパータオルを「バウンティ（戦艦）」、洗剤を「ボールド（大胆）」などと名づけるのだろうか。男がレジにもっていくときに恥ずかしくないようにとの配慮でないとしたら？　「ヘフティ（頑丈）」という名のポリ袋を欲しがる女性が何人いるだろう？　いまや何人の男性が、と問うべきだろうか。男らしい名前といえば、昔は自動車につけられたものだったが、いまでは石鹸がそうだ。九〇年代に発売されてヒットした石鹸にフリルやラベンダーの雰囲気はない。リーバ二〇〇〇である。最新のコンピュータか電動工具にでも似合いそうな名前ではないか。いつか操縦してみたいものだ、リーバ二〇〇〇とやらを。

●衣料品

買い物を越えて、現代の男性のもっとも根元的な欲望を見てみよう。かつてのマリリン・モンローとスーパーモデルのエル・マクファーソンのちがいを考えてみるがいい。エルの上腕二頭筋はフランク・シナトラとボビー・ケネディを足したよりも太そうだ。三〇年前のピンナップガールたちとはくらべものにならないほど筋肉質でヒップは小さい。

男も自分のスーツと靴はこれまでも買っていた。だが、その中間につけるもののすべてを、かつては女性が買っていたのだ。とくに靴下と下着を。しかし、いまやそれも変わりつつある。男は前よりも自分の衣服にかかずらうようになり、女はボクサーパンツを買う以外にやることがたくさんある。Kマートでは、男性衣料品売場で見かける女性と男性の比率はいまでも二対一あるいは三対一である。しかし、高級衣料品店では、買い物をする男性がようやく女性を上まわるようになっている。われわれは現代のアメリカ男性の変化の歴史的瞬間をビデオでとらえた。一人の男性が額にしわをよせて下着のディスプレイを眺めていたが、やおらズボンの腰のあたりを引っ張るとなかをのぞきこみ、自分のはいているサイズを――ついに！――知ったのだった。自分の下着のサイズを知らない女性を想像できるだろうか。近い将来、すべての男が自分のサイズを知ることを期待してもよいだろう。

（女性は下着を買う前に、自分の下着の上から試着をしたがると聞いたが、きっと本当だろう。男性がフルーツ・オブ・ザ・ルームの下着をもって試着室に消える日を見るまで長生きできるかどうかはわからない。)

　女が男の下着を買うのをやめて、今度は男が女の下着を買うようになるのだろうか？　ある宝石商が言っていた。「男性相手の仕事は、店に入らせるまでがたいへんなのよ」。妻や恋人にきれいな下着や宝石を贈りたがる男性は多いが、それを売る店、そして商品そのものが彼らをひるませてしまう。自分のサイズを覚えてもいないのに、彼女のそれを覚えているわけがない。しかし彼女がローブやナイトガウンなどならともかく、ブラやパンティを買いたいと思っていたとしたらどうだろう。それに、これから買う指輪やネックレスが彼女の好みで、彼女に似合う色だとどうしてわかるのか？　男たちがためらいながらこうした女性の園に入り、おどおどとあたりを見まわして一つ二つ商品を手にとったあげく、逃げるように立ち去る姿をたびたび目撃した。販売員はおびえた獣のような男性たちを手なずける方法を会得しておく必要がある。どんな難問にも懇切丁寧に対応するサービスを個々の客が利用できるようにするというのも悪くない。宝石が（下着も）高価なことを考えれば、ますますそうだ。

　こうした異性への買い物を可能にするために、衣料品のサイズを簡便化することも必要だろう。おそらくもっとも簡単な方法は、女性が好みの衣料品店に自分のサイズを登録しておき、あとは自分の夫なり恋人なりをそこへ送りこめばよい。最初にこれを導入する店は、ひらひらの下着を買いたいという男性たちの隠れた願望から利益を吸い上げることだろう。

　もう一つジェンダーがらみの問題で、衣料品店が解決すべきことがある。男性用と女性用の両方を売っている店内で、いかにして客にその場所をそっと教えるか？　それほど遠くない昔だが、男性と女性の衣料品が同じ店内で売られることなど考えられない時代があった。この壁は六〇年代にこわされたが、まだ修正すべきバグが残っている。現在使われている合図は、この点では先駆的なGAPやJ・クルーでさえ、うまくいっているとは言えない。靴やセーターやジーンズを一〇分くらい物色したあげく、男女の売り場を間違えていたことに気づいた経験は誰にもあるだろうから。

出産を目撃する唯一の男性が産科医だったのはいつのことだろうか？　現在では、父親が分娩に立ち会うのは母親と同じくらい不可欠とされる。男たちは父親としての役割の再定義にともない、みずからを適応させていかなければならない。このような激震はあらゆる場所で体感され、買い物のフロアもその例外ではないのだ。

例をあげよう。私の父親の世代で、赤ん坊を連れ歩いたことのある男はほとんどいないだろう。男が予備を含めた哺乳瓶とおむつをベビーカーに乗せ、土曜日の朝に外出することなど考えられなかった。現在、このような光景は珍しくもない。だからこそ、気のきいた男性用トイレはおむつ交換ベッドを備え、マクドナルドのコマーシャルではかならず父親と子供がハンバーガーをほお張っている。母親はいない、土曜日の朝はオフィスにいるのだろう（いずれにせよ母親は子供にビッグマックなど注文したりするはずがない）。これはアメリカだけの現象でもない。ミラノでもっともファッショナブルな街角を、土曜日の朝に個人的に観察したところでは、ベビーカーの半数くらいを父親が押していた。

われわれはボストンの百貨店でジーンズ売場の検証をしていた。二十代から三十代の男性への百貨店の訴求力を向上させる試みの一環である。われわれのビデオは、若い男性がジーンズ売場に歩いてくる姿をとらえていた。妻と赤ん坊を連れ、ベビーカーを押している。ジーンズ売場にたどり着くと、彼は明らかに壁際の棚を見たい様子だった。しかし、彼とジーンズのあいだに立ちはだかるラックの間隔があまりにも狭いため、ベビーカーを押して通ることができない。彼はどうしようかと考えていた。妻と子を通路に残して、自分はジーンズを買うか？　彼はそういう場合にたいていの人がやるようなことをやった。ジーンズをあきらめたのだ。アメリカ全体でどれほどの面積の売り場が、いまだにベビーカーに敷居を高くしているかを知れば驚くだろう。これは二十代と三十代の客の相当な割合を閉めだしているのに等しい。

二〇年前には、父親が幼いわが子の服を買うことはまずなかった。現在、幼児服売場で父親の姿を見かけることは以前ほど珍しくない。だが、衣料品メーカーはまだこの流れに追いついていない。衣料品のなかでもとりわけ子供服のサイズはわかりにくいという事実が、その証拠である。これが、全部とは言わないまでも多くの親をいらだたせることは間違いない。サイズが子供の年齢に直接対応する日は、男が子供に服を着せる責務をもっとはたせるようになる日だろう。ここで甘やかし放題に金をだすのは父親だ。息子にビロードのスモーキング・ジャケット、娘に小さなプロムガウンを買ってやったりするのだ。

土曜日の朝がくると、父親は哺乳瓶とラスクとおむつとベビーパウダーと軟膏とお尻ふきを何に詰めればいいのだろう？　母親がかついでいるでっかいピンクのナイロンバッグではない。実際、いま手に入るものはどれも気が進まないだろう。黒無地のおむつバッグにさえ「マミー」と書いてあるのだ。だが、スイス・アーミーのおむつバッグがあればどうだろう？　ジム通いに使うものとそっくりなナイキのナイロンバッグは？　そこまで言うなら、ハーレーダビッドソンのベビーカーはどうだろう、黒革のおむつバッグがセットになったやつだ。乳幼児のための商品の常識を全面的に考え直す必要がある。

このほかの伝統的な女の牙城も男が共有することになるだろう。そして、男らしさの条件に合わせることが必要になる。女々しい要素を自覚しなければならないのだ。床から壁など、すべてが囁いているような店がたくさんある。無謀にも侵入してきた男にたいして「とっととでていけ――お前なんかのくるところではない！」と。私のオフィスの近所にも、皿やグラスなどを売る店があるが、そこのすばらしいところは、私がなかを歩いても「瀬戸物屋にとびこんだ牛」のような気分にさせられないところだ。それとは対照的に、ブルーミングデールのロイヤル・ドルトンの売り場では、おばあさんの食堂に戻ったような気分になる。このおばあさんという存在が、私は怖かったのだ。

男が嬉々として買い物する、それどころか買い物したいと願い、買い物をする必要にかられる場所はほかにもありうる。ただ、少しばかり歓迎されていると感じられさえすればいいのだ。たとえば、男性の健康や身だしなみのための製品はかつてなく増えている。しかし、その売られ方を見ると、たいていの男にとっては買い物に熱中できるようなものではない。

●男性用化粧品

ドラッグストアやスーパーマーケットのチェーン店でこうした製品が売られているが、その雰囲気は圧倒的に女性的だ。シャンプーや石鹸など、男女のどちらも使う製品が相も変わらずパッケージもネーミングも女性だけが買うことを前提としている。そして、実際にそのとおりになっているのだ。シェービング・クリーム、整髪料、デオドラントといった男性用化粧品は、芳香ただよう女性向けの商品にはさまれて小さくなっている。このようなノーマンズランド（男無用地帯）で、どんな男が買えるだろう？

とくにある品物は、完全に女性向けのパッケージとマーチャンダイジングのおかげで、男たちは苦労を強いられている。警官、建設労働者、ケーブルテレビや電話線の敷設作業員、道路工事の従事者など、屋外で働く男たち向けの保湿クリームや日焼け止めの市場はまったく手つかずのままだ。皮膚ガンの危険性を考えれば、彼らもこういう製品を本当に必要としている。だが、頬紅やコンシーラーをかきわけて見つける気にはなれない。それに、彼らは女性や子供向けにしか見えない商品を買う気にもなれないだろう。どこのヘルス＆ビューティの売り場へ行っても、まるで男は肌がないかのように扱われている。だが、実際に肌はあるのだし、手入れだって必要なのだ。

クリニークは、男性の髭剃りからスキンケアまですべてを網羅する製品群を用意している。だが、ニューヨークのもっとも洗練された百貨店のバーグドルフ・グッドマンでは、男性は一階の化粧品売場を通らなければお目当ての場所にたどりつけない。五番街をはさんだメンズストアでさえそれらは手に入らないのだ。シェービング・クリームが口紅の隣にあってほしいと誰が思うだろうか？　多くの女性が夫や恋人の髭剃り用品を買っているにはちがいないが、それは時代遅れのアプローチであり、未来のやりかたではない。ジレットは肌のタイプ別に何種類ものシェービング・クリームを製造している。もちろん男性用だ。しかし、男が自分の肌のタイプをどうして知るのだろうか。壁に貼った箇単なチャートがあればこと足りるのだが、まだ一つも見たことがない。先だって、私はマンハッタンのゲイのメッカ、チェルシーにある全国チェーンのドラッグストアを訪ねた。この店でさえ、男は不自由を強いられている。売り場（デオドラント、昔ながらのオールドスパイス、チューブ入りブリルクリームなど整髪料が少ししかない）は、写真現像のブースと使い捨て剃刀のあいだの狭い隙間に押しこめられていた。男性のための売り場のモデルをつくるには絶好の場所なのに、相変わらず工夫のないやりかたが踏襲されている。

男性のための製品と、男性のための店をつくること、スタートとしてはそれでよい。しかし、それにはまだ女性向けの健康、美容、化粧品のにおいがまとわりついている。誰かがゼロから「男性の健康」をうたった売り場をつくる必要がある。そこには、スキンケア、身だしなみ、髭剃りの道具、シャンプーとコンディショナー、フレグランス、コンドーム、筋肉痛の湿布薬、その他の薬品、ビタミン剤、女性だけでなく男性も悩まされる軽い病気のためのサプリメントやハーブ治療薬を置くのだ。そのほかにアスレチック・ウェア、たとえば靴下やTシャツ、サポーター、バンデージなどもあるとよい。健康やフィットネス、美容に関する書籍や雑誌を並べるのもいいだろう。売り場自体が、備品からパッケージまで男っぽい雰囲気をただよわせているとよい。そして、男性を念頭においた売り方の工夫をする。案内板は大きく目立たせ、なんでも見つけやすいように工夫をこらすようにするのだ。過去一〇年の雑誌でもっともめざましい成功は、《メンズ・ヘルス》というタイトルの定期刊行物の驚くべき成長だった。毎月の発行部数は一五〇万部以上、《GQ》《エスクァイア》《メンズ・ジャーナル》などを上まわっている。雑誌で成功するなら、店でも成功するはずではないか？

9　女性が小売店に求めるもの

この章を始める前に少々スペースをさいて、アメリカの偉大な施設であり、戦後の男らしさの（実際のアジトではないにしても）最後の砦が消滅したことを指摘したいと思う。

私が言いたいのは、もちろんジョーズ・ハードウェア店のことだ。それともジムズ・ハードウェア店だったか。どちらでもいい。誰もが知っているあの店だ。きしる床板、空気中にただようゴムとスリー・イン・ワンオイルの奇妙なにおい。大釘の木箱、撚り糸、パイプの継ぎ手、ミスティックテープ、巻いた銅線、防水シーラントのドラム容器、ブラッズ？　そう、ブラッズ、鋲、股釘、ワッシャー、ナット、ボルト（「モリー」など）、ピン、スリーブ、肘金具、ハウジング、フランジ、蝶番、ガスケット、シム、木ねじ、板金ねじ、体にぴったりのシャツを着て、胸の谷間をこれ見よがしにして電動カンナを振りまわすミス・スナップオン・トゥールズのカレンダー、そして、ぐらつく梯子のてっぺんで、安ものの葉巻を噛みしめ、二叉プラグの箱に手をつっこみ、ヤニくさい息でにこやかに悪態をついているジョーその人。おっと、ジムだった。

彼の身に何が起きたのか？　死んだのだ。彼の店は？　死んだのだ。

誰が殺したのか？　誰だと思う？

そう、あの女性たちだ！　ジョーの店はお眼鏡にかなわないというわけだ。気の毒に、彼は客の望むものをすべて仕入れたのに、それだけでは十分ではなかった。色が気に入らない。かたちがダサい。このお店、タバコ臭くない？

バイバイ、ジョー。

女性が買い物の世界にこれほどの構造変化を引き起こしうるのは別だん驚くにあたらない。買い物はいまも昔も主に女性の領域であり、女性の特権なのだ。男が買い物をするのは、本来は女性的な活動に参加しているにすぎない。だからこそ、女性は店や製品のなかにある種を、ダーウィンのゴミ箱行きの運命にしてしまえるのだ。その小売業者なり製品なりが女性の必要とし望むものに適応できなければ。恐竜が絶滅したのと同じだ。

もっと証拠をだせって？　一言ですむ。ミシン。

五〇年代、聞いたところではアメリカの家庭の七五％がミシンを所有していた。現在は五％未満。つまり、ジョーにかわって、ここではミスター・シンガーだ（実際、この巨大ミシンメーカーはいまや軍事産業に食いこんでいる）。昔は女性が自分と家族全員の服を縫い、着られなくなるまでつくろった。それから、ここ三〇年の社会と経済の大変動があり、女性たちはボタンつけよりも難しい縫物をやめてしまった。

最後の例。

食料品店のクーポン券。

消えた。跡形もないくらい。現在、食品メーカーのクーポン券の回収率は三%にもみたない。女性の生活が変わると、台所のテーブルにかがみこんでデイリー・ビューグルを切り抜くのは、手間のわりに報いがないことから、自分でバターを攪拌《かくはん》するのと大差ないように思えてきたのだ。クーポン切り抜きの人気衰退に抵抗する大きな勢力がある。高齢者である。コスト感覚に厳しく、やる気十分、ほとんどは女性で、定職についていない人びとだ。しかし、それ以外は、とっとと失せろというわけだ。

女性の社会的役割の変化

われわれはもちろん、男たちがどれほど優秀で、思いやりのあるこまやかな買い手になったか、そしてつまらない日用品や食糧の買い物も進んで分担するようになったかをよく知っている。しかし、こうした改心が生じたのは、たいていは女性からのやさしいうながし(乱暴に押されたり突かれたりしたわけではない)があったからだということを忘れてはならない。それから、このことも心にとめておこう。小売りの未来が、市場における男性的エネルギーが増加した影響を示すことは間違いないが、大きなシフトはほとんど女性の生活や趣味の変化を反映しつづけるということだ。

しかし、ジークムント・フロイトのようなマーケティングの天才が問わずにいられなかったように、女性は買い物に何を望んでいるのだろうか。店での男と女の行動の目立ったちがいについては幾千万言が費やされてきた。しかし、ここでまた一般論をぶつのではなく、まずはまたとない例をあげさせてほしい。これは最近、あるイタリアのスーパーマーケット・チェーンのために行なった調査で、食肉売場に据え付けたカメラがとらえた光景だ。

中年の女性がやってきて、挽肉のパックをいちいち手に取っては調べはじめる。じつに几帳面かつ慎重に、一つ一つ検分している。彼女が品物を吟味しているところへ、一人の男性が歩いてきた。手をうしろで組んで、彼女が選ぶものをじっと見つめている。まもなく彼はパックを一つ取ると、カートに入れてさっさと立ち去った。彼女はまだ肉を調べている。そこに赤ん坊を連れたカップルがやってきた。妻がベビーカーを押して、夫がパックを取り上げ、ざっと眺めてカートに入れる。それを妻が点検して、首を振る。夫はそのパックを戻し、別のパックを選んでカートに入れる。妻が点検して、また首を振る。また夫が選ぶ。妻はまた首を振る。業を煮やした妻は、夫にベビーカーを預け、自分で肉を選んだ。彼らが立ち去ったあと、最初の女性は最後のパックを調べているところだった。調査の結果に満足して、彼女は最初の肉をカートに入れて立ち去った。

どうして女性の買い物はこれほど自信たっぷりなのだろうか。育ちよりも氏（環境より遺伝）だと言いたがる向きは、有史以前、マンモス狩りに遠征するよりも身近な木の根や木の実、草の実を集めるほうが多かった女性の役割をあげて、買い物上手は生物学的特性からして当然だと言うだろう。それにたいして、氏より育ち論者のほうは、何百年にもわたり、強大な家父長制のもとで女性は家に閉じこめられ、一般消費者として参加することを除いては商業から締めだされていたと主張する。

ただ、これだけはたしかだ。買い物は家庭の主婦を家の外にだすものだった。古い役割分担では、モノを調達してくるのは主に女性の仕事で、彼女らはそれを嬉々として、手際よく、系統だてて行なった。それはかつて（そして世界の多くの地域ではいまも）女性の社会生活の中心であった。たとえ個人として、ビジネスの世界に影響力をもたなくても、女性全体としては市場を大きく左右していたのである。買い物は、女性が外出し、ときには家族のしがらみを離れて一人居を楽しむためのよい口実だった。女性解放の最古のかたちと言えなくもなく、店員や店の主人や買い物仲間など他の大人とつきあう場を与えてくれる機会だったのだ。

女性とショッピングの関係

ところが、女性の生活が変わると、女性と買い物の関係も進化せざるをえない。現在、アメリカ女性のほとんどが職をもち、そのために他の大人との非個人的な、ビジネスライクなつきあいは十分すぎるほどだ。彼女たちは居心地のよい家庭を離れる時間もたっぷりもっている。だから、ふだんの買い物はもはや大いなる息抜きではない。いまや、それは仕事と通勤と家庭生活と睡眠の合間のせわしない時間にこなさなければならない義務であり、昼休みに大急ぎですませたり、夜、帰宅の途中にすることになったのだ。女性の生活がこれほど変化したことによってじかに利益をこうむっている。コンビニエンスストア産業は、毎週末にきちんきちんと、詳細なリストを握りしめてスーパーマーケットにでかけるかわりに、現代の女性は夜の九時になって、ミルクを切らしていることや明日の昼食のパンがないことに気づき、セブン‐イレブンまで月夜の道を走る。カタログ販売やテレビ・ショッピング、ウェブ・ショッピングはいずれも、女性の責任の変化のうえに花開いた面が大きい。女性が店で過ごす時間が短くなれば、店での買い物も少なくなる。単純にして明快だ。彼女たちが伝統的な義務（料理、掃除、洗濯、子育て）の一部を男に手渡すとともに、食品や石鹸、子供服についての主導権を放棄することにもなった。あるいは女性たちの買い物の習慣が男性化したと言えるかもしれない。じっくり調べて選ぶやりかたから、せかせかと一つを選んですませるやりかたに変わったのだ。フェミニズム以後の世界が小売業に与えたプラス（女性が自由に使える金が増えた）は、いくつかのマイナス（女性が店で過ごす時間も動機も減った）で相殺される。

とはいえ、買い物の社会活動としての一面は不変のようだ。現代の女性も友達と買い物するのが好きで、たがいに選びあったり、まずい買い物をしないように注意しあったりする。男が二人揃ってでかけして、一日がかりで素敵な海水パンツを選ぶ日がくるとはちょっと考えられない。これまで見てきたように、女性が二人で買い物をするときは、一人だけのときよりも多くの時間と金をかけるのがふつうだ。男性を連れた女性よりも多くの買い物をし、長い時間をかけることはたしかだ。店に入った二人の女性は買い物マシーンになる可能性があり、賢明な小売店はこの行動をけしかけるためならなんでもする。「お友達と一緒なら〜割引」や、試着室の外に椅子を置いて、試着し批評しあうことがもっと気軽にできるようにする。店にカフェを併設して、客が買い物の合間に売り場を離れず休憩できるようにする。ニューヨークにあるＡＢＣカーペットは、これをさらに一歩進めた。カフェにある、家具から小物から塩や胡椒入れにいたるすべてのものが買えるのだ。

私ほど大勢の買い物客を観察する経験を積めば、誰でも買い物は女性にとって心理的、感情的な側面があることに気づくだろう。これはほとんどの男性にまったく見られないものだ。女性はある種の忘我状態に入ることがある。商品を探し、比較し、使ったところをイメージし、思い描くことに没頭するのだ。そのあとで、冷静に、それを買った場合の損得を数え上げ、適正な価格で欲しいものが見つかれば、それを買う。女性は概して、どんなに小さい買い物もうまくやろうと気を使い、メロンだろうが家だろうが亭主だろうが、完璧なものを選ぶ能力を誇る。実際、野菜売場での男と女を見るがいい。男は歩きながら山のてっぺんからレタスを取り、茶色の点や、透きとおった葉を見落とすが、女はさわって、目で見て、においをかぎ、ゴミをよけ、完璧なレタスを求める。男はレタスの値段さえ見ないかもしれない。女には考えられないことだ。男もときに買い物上手を自認するのは、耐久消費財である——自動車、工具、ボート、バーベキューグリル、コンピュータなど。しかし女性は昔からはかないものの尊さを理解してきた。食事をつくったり、ケーキを飾ったり、髪や化粧に工夫をこらしたりして。

別に女性の消費が表面的だということではない。本当に、男性ではなく女性こそ、買い物の形而上的な性質を正しく理解しているのだ。彼女らは、われわれ人間が目にするなかで最上のものを求め、調べ、問い、そして手に入れ、引き受け、身につけて、人生を過ごすのだという事実をよく示している。こうした高い次元においては、買い物は変容の経験となる。前よりも新しく、おそらくは少しましな人間になる方法。あなたが買う商品が、あなたを別の、理想化されたあなた自身に変えるのだ。

あのドレスはあなたを美しくし、この口紅はあなたにキスをもたらし、そのランプはあなたの家をエレガントな場所に変えてくれる。

女性が望むショッピング環境——空間

現実に即して言えば、こうしたことはすべてある包括的な事実を歴然と示している。女性は男性よりも多くのショッピング環境を求める。男性は、ただ必要なものを、最小限の手間で見つけて、さっさとでていける場所があればいい。もし男性が足を棒にして探しまわる、つまりはショッピングをする羽目におちいったら、いらだち、落ち着きがなくなってさっさと立ち去るだろう。男はそういうプロセスをあまり楽しむことができないのだ。女は概してもっと辛抱強く、好奇心が強く、徐々に現われてくる空間で完全にくつろいでいられる。したがって、彼女たちは時間をかけ、自分のペースで、ときには半ばトランス状態で気持ちよく歩きまわれる環境を求めている。

買い物しているときにうしろからぶつかられた女性が感じる不快感、お尻がぶつかって生じる現象の意味するところを考えてみるがいい。それが示すのは、女性が腰より下に陳列された商品を見るのを嫌がる傾向だ。腰から下の陳列は、アメリカの売り場のかなりのスペースを占めているのだが。女性が腰をかがめて不快にならないのは一瞬が限度だということを覚えておいたほうがいい（これは女性にかぎった話ではない。店のなかでかがみたがる者はいない。本当のところ、高齢の女性は同年輩の男性よりも身体がやわらかい）。女性を混雑したなかに押しこんでおいて、彼女が長居することは期待できない。混雑した売り場の買い物客の顔を見てほしい。思いあたるだろうが、二、三度ぶつかられると、明らかにむっとしはじめる。そして、いらだった客は長居しない。実際に、お目当てのものを買わずに帰っていくことも多いのだ。小売業者はこうしたことをすべて心にとめて、何をどこで売るかの決断をくださなければならない。

●事例1――百貨店の化粧品売場

例をあげよう。百貨店の化粧品売場では、女性が腰をかけるか立ち止まって、メーキャップの実演を見なければ話にならないが、混雑しているときにはそれがなかなか難しい。われわれの調査で明らかになったのだが、カウンターの角に立った女性は、くぼみに守られて少々ゆとりがあるので、そこから数フィート離れてカウンターの主翼に寄り添った女性よりもモノを買う確率が高い。

一部の化粧品売場では、カウンターに袋小路を設けている。奥まった場所をつくることで、買い物客が通行人に邪魔されずに心おきなく商品を眺められるようにしているのだ。つまり、一種の死角で、われわれはこれをキャッチメント・ベイズン（集水域）と呼んでいる。これらは女性を誘いこんで、買い物を長びかせることに役立っているのだ。

1章で紹介したように、ドラッグストアがコンシーラーなど魅力のない商品を壁面陳列の底部に押しこめていることがある。そのために高齢の女性が、誰よりもかがむのを喜ばない客が、低くかがんで、できればお尻を突きだしたくないところへ突きだす。このような配慮のなさの当然の結果として、コンシーラーはもっと高い場所に陳列した場合よりも売れにくくなる。

●事例2――空港のギフトショップ

女性の空間への要求は、小売店のいたるところで見られる。空港のギフトショップなどは典型的な「つかんで立ち去る」ゾーン、すなわちレジの近くの、飛びこんできた客が新聞かガムをつかみ、金を払って走り去るところと、「滞留」ゾーンに分かれる。こちらは店の奥のほうで、たいていはギフト用の商品が置いてある場所である。われわれの調査で明らかになったところでは、こうした店で女性はカウンター近くの混雑を離れて、通行人から守られた「滞留」ゾーンに向かう。こうした店の多くは、建築上の特徴として、棚やラックで小さな隅や隙間をつくりだしている。邪魔されずに買い物するための完璧な袋小路だ。

それが女性たちに好まれる買い物の仕方だ。人の大きな流れが見えるが、区切られた場所で守られている。

空間と印刷物の関係

女性がお尻に敏感なことは、店の設計と看板の字面の関係をも規定している。売り場が狭いほど、女性がとどまる時間は短くなる。そこで、よりわかりやすく直接的な案内状などの販促印刷物が必要になる。印刷物はすべて大きい活字でコントラストをはっきりとさせなければならない。たとえばシャンプーや、現在のドラッグストアの窮屈な売り場で売られる製品のデザインは、いずれもこの現実に留意しなければならない。われわれは、多くのドラッグストアのヘルス&ビューティの売り場を調査し、結果はいつも同じだった。女性は買う前に商品を試したがり、新製品の場合はとくにそうだ。あるときの調査では、ドラッグストアの購入者の九一％がパッケージの前面を読み、四二％が裏面を、八％が側面を読んだ。何かを買った女性の六三％が、少なくとも一つは製品のパッケージを読んだ。すなわち、読むことと買うことには明らかなつながりがある。そして、読むには時間がかかる。時間をかけるには空間が必要だ。ここに、われわれが集積したデータの内訳を示す。買い物をした女性が初めての製品のパッケージを読むのにかかった時間である。

洗顔料	一三秒
保湿剤	一六秒
ハンド&ボディソープ	一一秒
シャワー用ジェル	五秒
日焼け止め	一一秒
ニキビ治療薬	一三秒

だが、もし居心地が悪ければ、彼女たちは二秒と立ち止まろうとしないので、少しでも検討が必要な商品はどんなものも買おうとしないことはたしかだ。小売業者は売り場をくまなく歩いてこう自問しなければならない。ここに立って買い物していてもうしろから突き飛ばされないだろうか？　答えが「ノー」になった場所はすべて、じっくりと見る必要のある商品には向かない。

女性の普遍的な購買行動を知る

ファストフード店でさえ、男性と女性の空間へのニーズは異なる。さほど頭をひねらなくても、男がフロント・ドアに近いテーブルを選び、そこから店内のもっともにぎやかな場所を見渡そうとする。女は少し時間をかけて、自分のビッグマックの置き場所を探し、それから後方に引き寄せられて、わずかなプライバシーを保てるテーブルを選ぶ。実際、女性はファストフード店に一人で入るという愚かなまねはしない。彼女たちは、ドライブスルー利用者の大多数を占めており、駐車場に停めた自分の車のなかで食べるのだ。

●グリーティングカード店

女性が多い店でこそ、真に女性的な購買態度を見ることができる。たとえば、グリーティングカードの店。そこでは、女性たちは義務をはたしているのみならず、本当の感情表現を求めているのである。女性はかなりの時間を費やしてカードをしらみつぶしに調べ、自分の心を語る一枚を見つける。だからカード店は感情にひたれる場所づくりを心がけるべきだ。数年前に、ホールマークが雇ったデザイナーは、百貨店で売り場の改装に多くの実績をもつ人物だった。彼女は大理石など高価な資材をふんだんに使い、非常にスタイリッシュな外観をつくりだした。ところが、店全体の空気はホールマークの顧客がなじんでいたよりも冷たく、エレガントになってしまった。彼女たちは昔のような暖かくほのぼのとした雰囲気が懐かしかったにちがいない。改装後、客が買い物に費やす時間は減少した。

カード店には、静かにゆったりともの思いにふけることのできるデザインが欲しい。つまり通路を十分に幅広く取って、眺めるにも通行するにもゆとりがあるようにしたい。通路はベビーカーを押しながらでも通れる広さが欲しい。隣りあわせに何を置くかはいきあたりばったりではなく、周到に計画すべきだ。誰も、お悔やみ状を選んでいるさいちゅうに、隣の四十歳の女性がふざけたバースデイカードをみて無遠慮に笑う声などを聞かされたくないからだ。ほかにもディスプレイの重要なポイントがカード店では前面にでてくる。女性がカードを買うのは、いくつも手にとり、開いて読んだあとである。ところが、商品はデリケートだ。折れ曲がったり、破れたり、汚れたりしやすい。客がサンプルだけ見て、商品には手を触れない陳列システムにいまだ定番がないのは驚くばかりだ。それに、カード店の陳列は床上およそ一フィートに始まって高さ六フィートくらいまである。これには二つの問題がある。その一、低い位置にあるカードは、身をかがめなければ見にくい。その二、低いカードは母親に連れられた小さい子供に汚い手でさわられやすい。ディスプレイ全体を一フィート高くすれば、こうした問題は解決する。高いところのカードで床から六・五フィートくらいあっても、五フィート以上の身長があれば手が届く。

●化粧品売場

女性の購買行動がはっきりと示されるもう一つの大きな舞台は、化粧品である。百貨店の魅惑的な化粧品売場だろうと、ドラッグストアの口紅やアイシャドウの棚だろうと、そこではジーンズやセーター姿の女性でも、ちょっと試して鏡を見つめるだけでお姫さま気分になれる。これは公的であると同時にこのうえなく私的な場所でもある。化粧品が壁際や、他からはへだてられた場所に置かれているにはそれなりの理由がある。そこは女性が、実際的にも比喩的にも髪を梳く場所なのだ。彼女たちが解放感を味わうには少しばかりのプライバシーが必要だ。

一般的に、女性は思春期にドラッグストアで安いブランドを買うことから始める。そこからステップアップして、百貨店で高級化粧品を買うようになる。売っているのは化粧品メーカー各社の魅力的な美容部員たち、つまり実験用の白衣を着た（だが週末の夜に外出するときのようなメーキャップの）美女たちで、口紅やファンデーションをのせたブラシを振りかざす。ここでは強制的な学校のように化粧品の販売が行なわれている。あなたがストゥールに腰をおろすと、彼女よりもやや落ち着いたメイクをほどこしてくれる。そして、あなたは彼女にすすめられたものを買う（少なくともそうだとされている）。あなたが怖気づいて聞けないとふんで、値段のことはわざとぼかすのがつねだ。

これがいまでも標準的なお膳立てだ。だが、これも急速に変わりつつある。「オープン販売」コンセプトが、ついに化粧品のカウンターにも押し寄せてきたおかげだ。それは一種の女性解放である。メーキャップをデモンストレーター兼販売員の手から解放し、買い物客自身が眺め、考え、試して、買う、あるいは買わないやりかたへの変化がもたらしたものだ。これまでの気取ったゲームのいくつかは終わり、これまでの強制的な手法も終わりかけている。オープン販売だと、女性たちは化粧品の値段をたしかめるために、恥をしのんで慇懃無礼な店員にたずねる必要はない。お金を払うときのショックが小さくなるので、店の化粧品の売上げは増すだろう。

以上のようなことは、女性の買い物の不変の部分であり、いまでも（いつでも）当てはまる基本的な条件であり、何を売るにせよ好ましくて必要なことだ。しかし、現在の動きは、そこにはない。

男女の伝統的な垣根をこわす

すでに見たように、ジェンダー革命によって男性の買い物客をも配慮する場所をつくることが必要になった。この時代のあらゆる努力は、おもに女性をねらった店や製品を、男性にとっても安心できるものにすることだ。女性にとっては正反対である。問題は、伝統的に「男性用」とされた製品や環境の女性客への訴求力を増すことなのだ。

●ハードウェア店

例をあげると、旧式なナットやボルトの店は、まだ町のあちこちで細々と命脈を保っているが、ほとんどは男女の垣根が低くなるにつれて駆逐された。ホームデポはどうしてそんなことができたのか？　主として、女性がもはや昔のようなやりかたでは男に頼っていないという社会・経済的な現実を考慮することによって、である。それが、ウィングナットやダクトテープとどう関係があるのだろう？　考えてみると、社会・政治的な教化のバリケードで終日すごし、夜に帰宅して夫に窓枠のペンキ塗りや調光器の取り付けを頼もうとした（それも一五回くらい）女性がいただろうか。どうやらいそうもない。言うまでもなく、この三〇年、自分の持ち家がある独身女性、つまり自分の巣をととのえる金と意欲をもった女性は増加している。女性の警官、消防士、CEO、ネット企業家、副大統領候補がいるのに、自信と野心と能力を備えた女の職人だけがいないのだろうか？　そうとも思えない。

それでは、こういう女性たちが手仕事を自分でこなすための手始めにどこへ行くだろう？　ジョーズ・ハードウェア店？　ちがうな。たいていのハードウェア店は排他的で、言うまでもなく男っぽく、女性にとってはいささか無愛想だとさえ言える。そこはレジを備えた樹上の小屋なのだ（女の子は入れない）。だから、少し譲歩する必要がある。日曜大工の店へ行ってみるがいい（そして小売りのスペクトラムの反対の極として、ハードウェア・ブティックへ）。そこはハードウェアの秘密めかしたにおいをぬぐい、どんな素人にもこわくない、親しみやすい雰囲気さえかもしだしている。それをするには、マーチャンダイジングの変更とともに、使命の大転換をも要した。ナットやボルトを売る店からライフスタイルを売る店へと。その大きな傘のもとで、ナットやボルトや材木や石膏ボードが、照明器具やキッチンキャビネット、ジャグジー、フリルつき（あるいはなし）のカーテンなどと並べて売られる。こうした店が売っているのはハードウェアではなく、ホームなのだ。ハードウェア小売業界は、女人禁制のメンタリティから「お家ごっこ」へと変貌をとげた。男の子だけから、男の子と女の子が一緒の遊びへと。

これを実行に移すには、知識のある販売員を雇って、客に教えたり勇気づけたりする必要がある。ホームセンターのニューウェーブでは、従来ジョーやらジムのような男が独占していた販売やマネジメントに女性を起用している。少なくともホームデポのテレビ広告では、女性の姿しか見えないものがある。店は客を教育する機会も積極的に活用し、ハウツービデオを流したり、店内で無料講習会を開いたりする。こういう店は、今日、絵の吊り方を習った女性が、明日はスパックル（補修用の充塡剤）を塗り、来月はクラウン・モールディング（廻り縁）をつけるようになるという認識があるのだ。ボブ・ヴィラやノーム・エイブラムズなどの《ドゥ・イット・ユアセルフ》の番組を見ているのは誰だと思うだろうか？　男らしい男はバス釣りの番組を見ている。まるで料理研究家のジュリア・チャイルドが工具ベルトを締めているかのような職人を見ているのは、女性なのだ。

このように女性のエネルギーが注入されれば、店の品物の陳列の仕方さえ変わってしまう。もはや照明はラックの上から下げたり、棚の上に立てたりするだけではだめなのだ。小売店は、室内で照明器具がどんなふうに見えるかを示さなければならない。風呂用の水栓の箱を並べるかわりに、バスタブそのものを、シャワーカーテンやタオル付きで見せなくてはならない。ここに、ホームデポが古いタイプの工具店を駆逐したわかりやすい証拠がある。以前は、人が金物屋へ行くのは何か必要なものがあるときだけだった。現在、人はたんに眺めに、何か新しい品物の入荷はないか、何がディスプレイされているかを見にいく。いまはハードウェアをショッピングする時代なのだ。つまり、はっきり言うと、女が勝ってジョー（とジム）が負けたのだ。

最近のめざましい成功をおさめた塗料がマーサ・スチュワートとかラルフ・ローレンのようにライフスタイルの教祖《グル》の名を冠して売りだされているのも偶然ではない。さらに、Kマートではマーサのペンキが堂々と棚の前のほうに陳列されている、昔はペンキ売場といえば店の奥の肥料袋の裏あたりだったのだが。ペンキはハードウェアからファッションになった。それはひとえに女性が手を染めるようになったからだ。男がペンキを塗るのは、壁がはがれてひび割れたときだが、女がやるのは、壁ではなく、自分に変化が必要だと感じたときだ。もちろん、ペンキ塗りはこれまでもずっとふつうの男や女の能力の範囲内にあった。しかし、ここにいたって初めて、ペンキそのもののパッケージ、マーケティング、売られかたのユニセックス化が進んだのだ。

ハードウェアの変化で恩恵をこうむった者はほかにもいる。われわれベビーブーム世代の男は、どういうわけか家まわりの手入れの方法を知らぬまま大人になった。女が器用になると、それだけ男は不器用になった。われわれ男も、昔風の金物店では少し圧迫感をもつようになっている。しかし、これさえ男に多少のコストを強いている。フェミニズム勃興の日より、われわれは金物店のみならず理髪店、靴みがきスタンド、男の衣料品や紳士靴店の衰退を目のあたりにしてきた。まず大学、軍隊、会員制クラブ、その後も続々と女性の入場制限が取り払われた。それからユニセックスの美容院、カジュアル衣料のGAPやサファリルックのバナナ・リパブリック、J・クルーといったブランドが、店舗やスタイルまでも性差別の撤廃を進めてきた。二十世紀後半の大きな流れは、男たちをそれまでの巣穴から追い立てようとし、いいことなのか悪いことなのか、それとも両方かもしれないが、それが実現したわけだ（振子は揺り戻そうとしているのだろうか？　最近登場した葉巻バーを見ると）。

●コンピュータ店

ジェンダーによる大変動の第二の舞台は、コンピュータ店などコンシューマー・エレクトロニクスが売られている店である。ステレオタイプなイメージでは、ステレオを組み立てたりスピーカーに五桁の金を払ったりするパーソナル・テクノロジーのフロンティアにいるのは男だと思われた。最近では、パソコンと携帯電話が男の子のおもちゃになりつつある。しかし、実際は往々にして、いちはやくニュー・テクノロジーを取り入れるのは女性たちなのだ。ビジネスでコンピュータが使われるようになったとき、女性のオフィスワーカーが真っ先にOSやソフトウェアに習熟しなければならなかった。昼休みに時間に追われた女性たちはATMの登場を誰よりも熱狂して迎えたのだ。

どうして気づかなかったのだろう？　男と女はテクノロジーの使い方がちがうということに。男はテクノロジーそのものに惚れこむ。並み外れた機能、馬力やコスト・パフォーマンスなどだ。その昔、車がコンピュータ化される以前は、アメリカの日常的な光景として、三、四人の男たちがボンネットを開けた車のまわりに集まり、車の持主がキャブレターを調整したり、ジェネレーターを取り付けたりするのを見ながら、ああしろこうしろとうるさく注文をつけるところが見られた。現代の男たちはバーベキューの炉を囲んでハード・ディスク容量やモデムの速度を自慢しあう。彼らに言わせれば、それが男らしいのだ。

女性は一般に、ハイテクの世界にたいして男性とは根本的にちがった態度でのぞむ。彼女たちにとってテクノロジーは使えていくらのものである。どんなにミステリアスな隠語まみれの機械だろうと遠慮会釈なく裸にして、それが使えるかどうかを判断する。女性は新しいテクノロジーに接するとき、その目的を見る。その理由を見る。それで何ができるかを見る。テクノロジーの約束とはつねに人間の生活をより楽に、効率的にすることだ。女性はその約束がはたされることを要求する。

そういうわけで、当初は大きくて無骨でブリーフケースにしか入らなかった携帯電話は、小さくスマートになり、ハンドバッグのなかのほうがよほどしっくりするようになった。女性と男性への売り方のちがいもそのことを物語っている。男性がでてくるテレビコマーシャルは、彼がゴルフコースから商談相手に電話し、それがすめば他の男たちと歓声をあげている。おもちゃを手にした永遠の子供のイメージだ。女性版のコマーシャルは、エグゼクティブの母親がふだんの罪ほろぼしに幼い娘たちをビーチへ連れていき、そこから電話で仕事の指示をだすというもの、すなわち責任感ある大人が道具を使いこなすイメージである。テクノロジーに関する情報の集め方も男性と女性でちがうことは、前章で見たとおりである。携帯電話の販売店でわれわれが実施した調査では、男性の買い物客は入ってくるなり、壁のディスプレイを眺め、パンフレットを取って立ち去る。この間、店員とは一言も口をきかない。女性も携帯電話を眺めるのは一緒だが、自分の疑問を店員にぶつけ、パンフレットよりも人間から答えを得ようとする傾向がはるかに強い。男性も女性も購入までに何度か足を運ぶが、女性は男性よりも購入前に店へ足を運ぶ回数が一回多い。つまり、男性客のほうが女性よりも早く携帯電話を使いはじめる。ところが、女性はたちまち追いついてしまう。

8章で指摘したように、テクノロジーそのものはほとんど男性に売れる。しかし、賢明な小売業者は女性に売るにはどうすればよいかをひたすら考える。家電製品チェーン、レディオシャックの顧客基盤は圧倒的に男性である。そのため、チェーン全体として国内電話販売で上位をめざす決定をしたとき、賢明にも店に入ってすぐ目につく正面に展示した。結果は、女性のウィンドウ・ショッパーが電話を見ることで、女性客の割合がめざましく伸びた。彼らは電話を買っても、まだ店にとどまって他の買い物をした。バッテリーやオーディオ機器、コンピュータ周辺機器、玩具など、ふだんなら別の店で買うようなものを。

このことが現在のコンシューマー・エレクトロニクスのすべての問題にかかわっている。つまり、圧倒的に男性客をねらっているのだ。製品デザイン、パッケージ、マーケティングから店づくり、従業員まで、コンピュータのハードもソフトも男性向けにつくられている。いまのコンピュータは、かつてハードウェアがあった場所に置かれている。つまり男子だけのクラブというわけだ。だが、それも長くはつづかないだろう。続々と誕生するネット企業家の多くは女性だ。ウェブ・ユーザーの女性も四割を超えた。まもなく、どこかのコンピュータメーカーが目覚めて、女性客に心地よさを感じさせるための工夫をこらすだろう。

それはどのようなものになるだろうか？　そう、いつか非常に聡明な女性がトップ（ないしその近く）に位置するコンピュータ・ハードウェアの会社が出現するだろう。《タイムズ》の経済ページやCNBC（経済およびビジネス専門のチャンネル）に登場するような女性、そして女性版ビル・ゲイツのようなエグゼクティブが（もっとも髪型はもっとましなはずだが）。その製品は、RAMのサイズやマイクロプロセッサの速度ではなく、使い勝手のよさ、用途の広さ、利便性を強調することだろう。プロセスではなく結果重視だ。そのコンピュータは研究や調査のための機器ではなく、冷蔵庫のダイヤルだろう。最大の売りものは、平易な言葉でテクニカル・サポートが受けられるフリーダイヤルだろう。プログラムがフリーズしたり、プリンタが作動しなくなったときに助けてくれる。

それから広告代理店のなかにも、テレビや印刷広告で女性のイメージを使うところがでてくる。ことによると、男性のテクノロジーとのかかわりかたを諷刺するキャンペーンが登場するかもしれない。小売チェーンは女性スタッフの雇用につとめ、マニュアルではなく人間が顧客の教育や質問への応答を担当するようになる。それから最後に、デザイナーが人間工学にもとづく改良キーボードを開発するだろう。コンピュータの掃除もしやすくなる（いまはほとんど不可能だ）。灰色と黒以外の色も使われるだろう！

男と女でテクノロジーへの見方が異なることについての証拠がいるだろうか？　あるコンピュータ・ソフトウェアの店で調査したところ、買い物客は圧倒的に男性だった。だが、コンバージョン・レート、客が何かを買う割合は、女性のほうが高かった。なぜなら、彼女たちが店にきたのは、実際に用件をはたすためであり、ZIPドライブやスキャナーの新製品の前で夢想にふけるためではないのだ。たいていの女性は、それを使うのに必要な知識だけを学ぼうとする。ハードウェアとソフトウェアの世界のいたるところで、両性が役割を交換しているところが見られる。男性が商品を見て歩くことを好むのにたいし、女性は目的がはっきりしていて、必要なものだけを探す。そのさいちゅうに彼女たちの気を引くことなど不可能だ。

同様に、ウェブ・ショッピングでも男と女は立場をかえている。男はネット・サーフィンに長時間を費やすが、女は目的のサイトに直行し、欲しいものだけクリックしてさっさとログオフする。これは、男と女のテレビのリモコンの扱いときわめてよく似ている。男がせわしなくチャンネルをかえると、一つの番組を最後まで見たい女は男を絞め殺してやろうかと夢想する。

●自動車のディーラー

自動車産業は、アメリカ産業界ではもっとも保守的で消費者志向が希薄だと思われている。ところが、数年前から女性も車を買うことに気づきはじめた。とくに「サターン」は女性が乗ることを意識して、薄汚ないディーラーを取引から追いだした。テレビコマーシャルではほとんど毎回、売るのも買うのも女性である。彼女たちのおかげで、自動車もオートミール・クッキーと同じくらい純良で健康的に見える。われわれが実施したディーラーについてのインタビューでは、自動車の販売やサービスにもっと女性が増えてほしいという多くの女性の声を聞いた。セールスマンは自分が男で相手はそうでないからといって、威張ったりだましたりしないかという、信頼の問題である。

これまでずっと男性優位の自動車販売の世界がどのようであったかを考えれば、ディーラーは自動車の販売やサービスに女性をもっと多く雇用すべきだ。それに、自動車の販売に女性を雇うのは政治的に正しいというだけではない。調査に応じた女性のほとんどが、女性から車を買えればもっと気分がいいと言っているのだ。彼女たちは男性を敵視しているというより、男のセールスマンから見くびられ、ときにはだまされた気がするのだ。

車のセールスマンが身につけている旧来の常識では、男女のカップルで決断を下すのは男性のほうであり、女性が新車をせっついている場合が少なくないことや、女性の反対が関門であることは認識されていない。そのために話の矛先を男性に向け、その横で女性は何も言わずに怒りを鬱積させている。契約がまとまると、購入者はたいていサービス部に再度足をはこんで、担当者に会う。そこはほぼ一〇〇%男の世界で、まずは待合室の雑誌の選択からしてそうだ（《カー・アンド・ドライバー》《スポーツ・イラストレーテッド》はあっても、《ヴァニティ・フェア》や《ピープル》はない）。いつかそのうちに、ミスター・グッドレンチならぬミセス・グッドレンチやペップ・ボーイズ（マニー、モー、ジャック）ならぬペップ・ガールズ（メアリー、ジョー、ジル）を目にするかもしれないが、いまのところはまだいない。女性は、自動車ディーラー、整備工場、自動車部品店とのつきあいをあからさまに嫌っていることが報告されている。彼女たちは、見下されたり、せせら笑われたり、だまされたりしたような気分になるのだが、いまのところはあまり選択の余地がないことも認識している。だが、彼女たちはもっとましな扱いを受けてしかるべきなのだ。

ここでも迅速かつ賢明な措置は、車の修理や部品の販売に女性を雇うことだろう。テレビコマーシャルに女優を起用するのも、この男性だけの世界を再編成するのに大きく役立つだろう。数年前、われわれは大型商店の自動車部品売場を調査した。買い物客の九〇％は男性だったが、コンピュータ情報端末の利用者の二五％が女性だった。明らかに、この女性たちは疑問があっても、店員から答えてもらえなかったのだ。あるいは店員も答えを知らなかったのかもしれないし、女性がその男たちに質問したくなかったのかもしれない。いずれにせよ、女性は自分の車の基本的なメンテナンスや簡単な修理の方法を知りたがっている。

明日にでもガソリンスタンドを買ったら、私は真っ先に大きな看板をだす。「どこよりも清潔なトイレ」。ガソリンスタンドは相変わらずガロン価格を力説したがり、セント以下まで表示している。客がそんなに細かいところまで気にするのだろうか。ガソリンはガソリンだし、価格もおおむね似たようなものだ。だが、清潔なトイレは女性を引きつける。彼女たちはこの種の施設を利用する機会が多く、それだけに途方もなく不潔な状況には言うことがたくさんあるからだ。現実は、ガソリンがセルフサービス商品になっても、路上の手助けはいままで以上に必要とされている。長距離をドライブするようになれば、方向案内もいるし、まともな飲食施設や、清潔なトイレが必要になる。さらに、清潔なおむつ交換ベッド、使える洗面台、散乱していないゴミ箱を備えた場所もそうだ。ガソリンの価格が少々高くても、他の面に配慮がなされていれば、気にする女性はいない。ガソリンスタンドのオーナーはわかっていないのだろうか？　おおむねわかっていない。なぜだかわかるだろうか？　しかし、自動車ビジネスにたずさわる女性が増えれば、ディーラーも、部品販売および修理店やガソリンスタンドも変わるだろうし、業界全体が見ちがえるように変わるだろう。まさしくハードウェア業界のようにだ！　そうなれば、自動車業界もそれほど望みがないと言えなくなるかもしれない。

10 老眼鏡にはまだ早い

西暦二〇二五年になると、アメリカの人口の約五分の一を六十五歳以上が占めるという統計はすでにご存知だろう。ベビーブームの世代が老年期を迎えるためだ。ベビーブーム世代であふれる一大高齢化社会の到来である。

だが、そもそもこれは何を意味するのだろう？　まずは、年をとることがもてはやされるようになる。間違いなくそうなる。ベビーブームの世代が若かりしころには青春がもてはやされた。彼らが中年になると、今度は中年の渋さがもてはやされた。二十一世紀の高齢者はいまどきの地味なお年寄りとはまったく異なった存在だ。なにしろ大恐慌を知らず、モノであふれた放縦な五〇年代、六〇年代、そして七〇年代に育った世代である。犠牲や滅私奉公を尊び、喜怒哀楽をあらわすななどと教えこまれてもいなければ、病気や能力の衰えを運命として真摯に受けとめるのが老境だなどとしおらしいことも言わない。二〇二五年には、高齢のご婦人方のガレージから新品の大型車が消え失せる（これはかつて日曜日ごとに教会へ通うためのものだった）。頭のてっぺんから足の爪先までナイキの「シルバー」・ラインで固め、街でアルファロメオを乗りまわし（油圧式リクライニングなどはもちろん標準装備だ）、高齢にもかかわらずきびきびしている人びと専用のだだっ広い駐車場に車を停める（これは二〇〇九年施行の高齢者支援法の賜物だ）。発達したヘルスケア、栄養事情、フィットネス、美容整形のおかげで、七十歳の女性たちは自分の母親たちが五十歳のころの容姿や気分を満喫できるようになる。成長して家をでた子供たちは働きバチに徹して社会保障制度を支え、われわれ老人は確定拠出型年金の４０１Ｋプランと死んだ親ゆずりの財産をたっぷりと享受する。いまや親の死が経済史上かつてなかったほど莫大な遺産をもたらす時代が到来したのだ。

高齢化社会のショッピングのありかた

買い物の世界はどんちゃんさわぎだ。これも間違いない。商店、レストラン、銀行など、店舗という店舗は一つ残らず顧客の数と財力を誇る高齢者に出張サービスをせざるをえなくなる。だが、われわれに必要なのはまったく新しい世間だ。いまのままでは通用しないし、サービスを受ける側もまっぴら御免だ。

配慮すべきこと

●その１　視覚面

では、いまのままでは何がまずいのだろうか？　まずは、文字という文字が小さすぎる。この文章が読めるだろうか？　無理だろう。文字が小さすぎる。朝刊は？　ぜんぜんだめ。これも活字がやたらに小さい。オーガニック・ハーブの下剤に記載された使用上の注意は？　小さすぎて話にならない。しかし、だからといってわざわざ目を細める人など誰もいない（そんなことをすれば皺が増えるだけだ）。使用上の注意が読めなければあなたがこの下剤を買うことはないだろう。あなたが買わないということは、誰も買わないということだ。誰も買わないとなると……。何を言いたいか、もうおわかりだろう。

人間の視力は四十歳前後で衰えはじめる。どんなに調子がよくても六十代になればふつうは視力が落ちる。年を取ると目に三つの大きな変化が生じるためだ。まず水晶体が硬化し、次にそれを支える筋肉が弱くなる。すると、細かい文字に焦点を合わせられなくなる。さらに角膜が黄変する。そのために色を識別しづらくなり、網膜にあたる光が減ってモノが薄暗く見えるようになる。

すでに市場では人の視力が大きな問題になりつつあるが、今後はこれがますます切実な問題になっていく。しかも遠い将来ではなく、いますぐにだ。

たとえば、新聞の購読者を対象とする最近の調査では、文字を大きくして欲しいという要望がいちように聞かれた。いまのところ、ほとんどの新聞が九ポイントの活字を使っている（本書も同じ九ポイント）。だが、読者が望むのは一二ポイント以上の活字だ。すべての新聞社が小さい活字に固執しつづけるというこの実態は、業界がいかに読者を誤解しているか、また不満をないがしろにしているかの動かぬ証拠だ。

活字の問題はマスコミ業界にかぎったことではない。

現在、ドラッグストアの顧客の大半が高齢者であり、しかも顧客の高齢化は進む一方だ。日常的に読む必要のあるすべての活字のうち、処方薬、市販薬とを問わず、薬のラベルや使用法、注意書きは何より大切なはずだ。スキンケア製品を例にとると、顧客の九一％が箱や瓶、容器の前面のラベルを読んでから商品を買うという結果がでている。さらに、購入した人びとの四二％が裏面の説明にも目を通していた。スキンケア製品をはじめ、ヘルス＆ビューティ用品の購入にあたっては読むという作業がつきものだ。

ところが、薬局のパッケージを調査すると面白いことがわかった。有名ブランドのヘアダイやスキンクリーム、ニキビ治療薬、歯みがき粉などの使用法、成分表示、場合によっては警告までが一〇ポイント以上であるのにたいし、アスピリンのような鎮痛剤の表示は六ポイントから九ポイントだったのだ。カゼ薬や咳、鼻、涙目用の薬、ビタミン剤も同じく六ポイントから九ポイントだった。つまり、パッケージ・デザイナーの手にかかると、高齢者が読む可能性のある頭痛薬やカゼ薬の説明よりも、ティーンエイジャーがよく使うニキビ治療薬の説明のほうが字が大きくなってしまうのである。高齢者への配慮が見られたのはポリデントの外箱だけで、使用法が一一ポイント、成分表示が八ポイントだった。

これは明らかに製薬会社のパッケージ企画部のミスだ（政府が製造業者に小さい活字を使うのを義務づける根拠には納得できない。パッケージは適用外にすべきだ）。だが、ラベルの担当者を含めてCAD／CAMの前に陣取ったデザイナーたちが二十代であることを考えれば、この大間違いにも納得がいく。パッケージをつくる側や委託する側は、それが読む側の目にどう映るか、また売り場でどう見えるかについてまったくわかっていないようだ。

若者をターゲットにした《ワイアード》や《SPIN》《レイガン》などの雑誌を見て欲しい。活字が小さいばかりか、背景と文字の識別さえままならない。ここには対象が若者であり、老いぼれに用はないというメッセージがはっきりと示されている。これは、ビング・クロスビーやパティ・ペイジを聞いて育った世代が、生まれも育ちもいいはずのミック・ジャガーのくぐもった歌声を聞きとれないのと同じだ。二十一世紀には、医薬品のデザイナーとそれをひんぱんに読むはずの顧客との年齢差がますます広がっていく。

大手ドラッグストア・チェーン、エッカードのフロリダ店の棚には鎖でつながれた老眼鏡が設置してある。なかなか賢いアイデアだが、これですべてが解決というわけにはいかない。薬局の報告によれば、五人に一人が従業員の手を借りるという結果がでているが、高齢者ではその割合が倍になっている。そのほとんどが若い従業員の目で品物を探してもらったり、ラベルを読んでもらうためだ。

商品の記載が老眼に耐えないのはどの店でも同じだ。コーンフレークの脇に記された成分表示。シルクのシャツの洗濯方法。ヘアダイの使い方やコレステロールのセルフチェックの手順、カメラやソフトウェア、ビデオデッキの取り扱い説明書。コンピュータ用プリンタのインクジェット・カートリッジの仕様書。CDに記された歌のタイトル。ゴルフシューズのサイズ表示。ワインのラベル。ペーパーバックの値札。そもそも、これからの人たちはいったいどうやって店を探すのだろうか。電話帳を使うって？　私はすでに読めなくなってしまったのだが。

さらにレストランのメニュー、時刻表、各種申請書、バースデイカード、切手、温度計、スピードメーター、オドメーター、ラジオのダイヤル、さらに洗濯機やドライヤー、エアコン、冷蔵庫、加湿器、給湯器その他のボタンも忘れてはいけない。そういえば、買ったばかりのナシに貼ってある、「ナシ」と記したゴマつぶのようなシールもある。だが、どうやってそれを読めというのだろうか？このように、活字の大きさだけでも高齢者の買い物客を寄せつけないばかりか、悪意さえ感じさせるものがいっぱいだ。いまの高齢者は文句一つ言わずにこうした目立たない差別を運命として受け入れている。だが、自分の都合で周囲を変えるのが当たり前であるベビーブーム世代が、こうした状況に反発するのは必至だ。二〇二五年になれば、一三ポイント以下の活字は商業的な価値を失うだろう。われわれの視力がぼやけはじめた昨今では、九ポイントを使うことでさえ自滅行為だ。

しかし、ここに矛盾があるのにお気づきだろうか？　教養の高い買い物客ほど（言いかえれば金持ちほど）ラベルや箱、瓶の表示で買う買わないを判断するのである。事実、いまの小売業界はかつてないほど文字に頼っている。裏を返せば、製品やパッケージ、商品にできるだけ多くの情報を盛りこもうとしているのだ。しかし、説明書きを増やせと言われれば、デザイナーはたいてい活字を小さくしようとする。パッケージを大きくするという手もあるにはある（だが陳列するとなるとスペースの問題が生じるし、良質の樹木の無駄使いにもなる）。いっそのこと、ラベルに視覚的なイメージを活用してはどうだろう。いまこそ大きくてわかりやすい記号や、音声による案内を導入すべき時期だ。近々活字サイズの大幅な見直しを迫られるのだから、こうしたアイデアをすべて実用化してしまうのも一案だ。

視覚面で考慮すべきことはほかにもある。これからは、角膜の黄変によって色彩の微妙なちがいを識別できない人が多くなる。その結果、たとえば階段の段差がわからずに足を踏みはずしたり転落したりする人びとがこれまでになく増えると考えられる。青と緑が区別できない買い物客が増え、黄色はデザイナーにとってますます扱いづらい色になる。老いた人の目には何もかも黄色っぽく見えるからだ。そのため、パッケージや案内板、広告などの色彩的なコントラストをはっきりさせ、微妙なグラデーションは避けたほうが無難になる。黒、白、赤を大幅に増やし、その他の色はできるだけ使わないほうがよい。

一例を紹介しよう。カリフォルニア南部の大手貯蓄銀行の依頼で宣伝広告について分析したときのことだが、帰りがけの顧客に聞き取り調査をしたところ、出納係のうしろに貼ってある大きなポスターを覚えていた年配客が少なかったのである。ビザのゴールドカードを宣伝するそのポスターには、金塊に乗った巨大なゴールドカードが描かれていた。何が描かれているのか、われわれの目には一目瞭然だ。だが、高齢者の目にはゴールドカードと金塊の境がはっきりとせず、妙なかたちをした一つの巨大な物体に映ったのである。こうして六十五歳以上の顧客の大半にとって、このポスターは無意味なものになっていた。ニューヨークの一流ホテルを調査をしたときは、白地に金というルームナンバー表示のせいで高齢者が部屋を探すのに苦労しているという結果がでた。

最後になるが、ごく一般的な五十歳の人の網膜が受ける光は、平均的な二十歳の人の網膜が受ける光の四分の三になっている。すなわち、多くの店やレストランや銀行を、もっと明るくする必要があるということだ。買い物客自身が何を買おうとしているか、どこを歩いているのかを把握するには、薄暗い場所がないようにしなければならない。照明は明るく、とりわけお年寄りが来店する日中は明るくしておくべきだ。重ねて言うが、印刷はすべて大きく、コントラストを強くすること。明るい背景に黒っぽい文字を使うことが大切だ。われわれのクライアントであるファストフード店は、メニューに記された文字が高齢者にとって非常に読みづらいものであるにもかかわらず、五十五歳以上の客層が他のどの年齢層よりも伸びていることに気づいた。その店ではメニューを一新して品目の写真をでかでかと掲載したが、写真の掲載とひきかえに品目を抑えなければならなかったにもかかわらず、売上げは伸びたのである。

●その2　身体面

高齢者の目に合わせて視覚的な世界を変えることなどは、いずれ迫られる構造的な見直しにくらべればまだ序の口だ。二十一世紀になったところで、高齢者の身体の動きが鈍いことには変わりはあるまい。さらに、老後がかつてないほど長くなることも念頭におく必要がある。何十年もつづく老後が、人によっては若かった時期よりも長くなるのだ。元気な六十五歳と足もとのさだかでない八十五歳の人が共存しうる社会が必要なのだ。

ふた昔ほど前、退職者が老後の住居を海辺にかまえることが流行した。なかには海を望むテラスのついた二階建てや三階建てのアパートもあり、のんびりとした隠居生活を送るにはうってつけであるように思われた。あれから二〇年、かつて元気だった六十代の人びとも車椅子に頼ったり階段を満足に登れなくなったりして、いまとなってはかつては夢の隠居生活もすっかり時代遅れになった。世にあふれるベビーカーがすべて電動車椅子に置き換わったら、いまの店舗や道路、ショッピングモールはどうするのだろう？　入口、エレベーター、通路、レジ、レストランのテーブル、トイレ、飛行機、電車、バス、それに自家用車も、現在よりはるかに広くしなければならない。たとえ法的な義務づけがなくても、スロープは商売上なくてはならないものとなり、階段は過去の産物にすぎなくなる。エスカレーターも同じだ。二十五年後には、現在の複数階からなるショッピングモールが、全員ではないにせよ全人口の五分の一にとって不便なものになりそうだ。そのころには年配の買い物客がありとあらゆる場所にあふれ、ドラッグストアばかりかGAPやラルフ・ローレン、トイザらス、スターバックス、ボーダーズが未来のシルバーたちの、つまりわれわれの御用達ブランドになる。スマートでスポーティーな電動車椅子（というよりは一人乗りのゴルフカートの路上版といったほうが的確だ）や、流線型のヨーロッパ風歩行器が登場すれば、世間の光景は一変し、歩行者の交通整理をしなければならなくなりそうだ。

店舗の見直しが必要なのは、かならずしも足腰の不自由な人のためだけではない。自力で歩ける高齢者もかつてのようにかがんだり背伸びしたりできなくなるし、そうしたくもないはずだ。かがんだり背伸びしたりすればいやでも年齢を感じるし、そもそもいちばん感じたくないのが年齢なのである。

家電販売チェーンのレディオシャックが扱う電池のうち、もっとも売れゆきが芳しくないのは補聴器用の電池であり、これまでの常識にしたがえば回転式ラックのいちばん下に置かれるはずの商品だった。だが、補聴器用の電池を買うのは身をかがめるのが誰よりも苦手な高齢者であるはずだ。そこで補聴器用の電池を上段に移すと売上げが伸びた。ところが、逆に下段へ移動した電池の売上げが落ちこむことはまったくなかったのである。

ニューヨークにある某百貨店の婦人服売場を調査したときにも似たような問題にぶつかった。案に相違して、こういう場所で服が買える人びとには年配者が多く、恰幅のいい人が大半だった。ところが、イメージを重視するデザイナーは四号や六号をラックに吊るし、一四号や一六号を店の奥にしまいこんでいる。その結果、買い物客は恥をしのび、悲惨なほど痩せこけた店員に頼んで、もう少しゆったりしたサイズをだしてほしいと頼むことになる。

衣料品売場はどこも似たりよったりで、下着売場やズボン売場のラックや棚もサイズ順に整理され、小さいものが上、大きいものが下というぐあいだ。太った人やお年寄りは四苦八苦して身をかがめ、身軽な若者たちはまったく苦労しないのである。

（個人的には、公衆電話や水飲み場でいちいち体をくの字に曲げなければならない上背のある買い物客の代表として、抗議運動を組織したい気分だ。平均身長が伸びつつあり、高齢化が進んでいるのだから、二、三〇年もすれば身体を曲げるのが相当きつい人が多くなるはずだ。）

スーパーマーケットで商品の位置が高すぎたり低すぎたりすれば、そこは高齢者にとって立ち入り禁止も同然だ。彼らはわざわざ苦労して買うこともないと、ため息まじりに他の店へ行くことになる。こういう場面はほかにもある。とくにケース入りの清涼飲料水や洗剤の大箱は厄介だ。棚から引きずりだしてカートに入れられないかぎり、その店で買うことができないからだ（老若男女の消費者のために言わせてもらえば、かさばる商品はショッピングカートと同じ高さの棚に陳列すべきだ）。１章では、ペット用のおやつを買うのが主に子連れの年配者であると述べたが、これはペット用のおやつとその他の関連商品を陳列するときには細心の注意を払う必要があるということで、絶対に腰よりも高い位置に置いてはいけないということだ（かといって低すぎてもいけない）。

高齢者が買い物をしやすいように配慮すれば売上げが伸びるばかりか、店員に冷たくあしらわれがちな年配客のあいだにも親近感が生まれる。補聴器の電池が楽に買えれば、電話やコンピュータが欲しくなったときにもその店に戻ってきてくれそうだ。

いまの銀行がかかえている厄介な問題の一つは、お年寄りによるATMの操作だ。双方向型のタッチスクリーンや機械音声に不慣れだと、現金自動預け払い機にさわるのもおっかなびっくりということになりかねない。高齢者に手ほどきをするのも一つの方法だが、若い人や上昇志向の強いおせっかいな新入社員では不向きだ。高齢者は高齢者に教えてほしいのである。金銭出納係の列のそばに年配の行員を配して、高齢者をATMに案内させてもよい。また、出納係の目の届く場所にATMを設置するのも効果的だ。コンピュータを扱う行員の姿をお年寄りが見れば、ATMにたいする恐怖感を多少なりとも和らげることができる。高齢者の視力が弱いことや指の動きが鈍いことを考えると、ATMのほうにも改良が必要だ。ボタン、スクリーン、そしてスクリーン上の文字などはすべて大きくしなければならない。今後もセルフサービスによる経済効果を考えるなら、ほとんどの機械を高齢者の手や目に合わせて設計し直す必要がある。郵便局に設置された切手自動販売機や秤の取り扱い説明書やボタンも、高齢者がなんの苦もなく扱うには小さすぎる。クレジットカードの読取り機やセルフサービス式ガソリンスタンドのポンプ、電車の切符販売機にも同じことが言える。

洋服についた小さいボタンやホック、とりわけうしろ開きで着脱しづらい婦人服などは、簡単なチャックか、さもなくばベルクロのマジックテープにつけ変えたほうがよい。また、携帯電話メーカーはいまのところいかに機器を小さくするかを競っているが、（携帯電話がヤッピーのおもちゃから高齢者のライフラインになるころには）少なくともボタンや液晶画面のもっとも大きいものが歓迎されそうだ。テレビ、ビデオデッキ、ＣＤプレーヤーのリモコンから、ビデオカメラのスイッチやノートパソコンのキーにいたるまで、このままではすべてが小型化され、高齢者の顧客に敬遠されるのは必至だ。これまでに述べたことはすべて未来の話であるように聞こえるかもしれないが、そんなことはない。これはすでに起こりつつあるのだ。これにたいする小売業界の反応はなかなか興味深い。

確実に忍び寄る高齢化社会に向けて

いまの小売業界がエネルギーを傾け、改革をはかり、資本を注ぎこんでいるのは何にたいしてだろうか。津波のごとくに押し寄せる年老いた消費者へのサービスに決まっているって？　しかし、残念ながらそれはちがう。いまの小売業界が目指すのは大規模な娯楽型店舗であり、ディズニーやニッケルオデオンなど子供向けの有名キャラクター商品を販売するブランドショップのチェーンであり、ＭＴＶやナイキ、ハードロック・カフェ、プラネット・ハリウッドのように若者をターゲットとする店なのだ。デザイン工房が生みだす最新の対話型設備やディスプレイには目を見張るばかりだ。まるで店なのかテーマパークなのかわからないほどだが、それこそが小売業界の狙いだ。そんな演出を考案したり、店に取り入れるのはさぞかし面白いにちがいないし、それが主眼点になるのも無理はない。

しかし、このような店がターゲットにしている市場はすでに衰退しつつある。国勢調査によれば、二〇二五年には六十五歳以上のアメリカ人が今日の人口の八〇%を占めるようになるとされるが、これは他の年齢層にくらべて群を抜いた増加率だ。高齢者が買い物をしやすい店をつくるにあたっての課題は山積している。われわれ自身のためにも、少しは想像力と情熱をもってその課題に取り組んでほしいものだ。

●バックミュージック

事実、いまこそその課題に取り組みはじめるべきときだ。まずは手近なところから、もう少しましなバックミュージックを流してもらうとしよう。スーパーマーケットでは気の抜けたストリング・バージョンの《ハートに火をつけて》ではなく、ドアーズのオリジナルを聞きながら買い物をしたい。実を言えば、老人社会福祉センターのダンス会場で歩行器に身体をあずけ、ＤＪの奏でる五〇周年記念スペシャル版《サタデーナイト・フィーバー》にのって全員がフィーバーする日が待ち遠しいものだ。

●車椅子

先に車椅子のあふれるすばらしい新世界について述べたが、この世界は私の知るかぎり誰一人として見たことのない未知の世界だ。車椅子も間違いなく進化する。エンジンはパワーアップされ、クルーズ・コントロール機能がつき、バラエティ豊かなシート地を選べるようになり（夏に黒のレザーでは暑すぎるかもしれない）、九〇年代のジープを思わせる巨大なタイヤ、電話用充電器、カップホルダー、CDプレーヤー、場合によってはバンパーステッカーまで自在に装着できるようになるだろう。ライセンス契約の機会も数えきれないほど生まれ、ハーレーダビッドソン、BMW、ジョン・ディア（あるいはルイ・ヴィトン、シャネル、プラダ）などのブランド名が市場になだれこむ。こうなると車椅子というよりは草刈用トラクターや三輪オートバイといったほうがふさわしい。進化した車椅子はかならずしもハンディキャップを感じさせないばかりか、リッチな老人にはうってつけのスマートな文明の利器と化するのである。

●スポーツウェア

別の方向へ目を転じると、高齢者が子供に次ぐスニーカーの購買層となっているのは明らかだ。考えてみれば、フォーマルな靴に縁のない生活を送っている大人は老人だけだ。実際、柔らかいゴム底の靴やだぶだぶの開襟シャツ、ウエストがゴムのルーズフィットのズボンのようなスポーツウェアは、流行に敏感な高齢者の要望で特注生産されているほどだ。高齢者は子供よりも多くの資金をスニーカーに投じられるし、もっと履き心地のよいスニーカーのためなら喜んで金をだす。とはいえ、プライドの高いティーンエイジャーは自分の祖母と同じ運動靴など履きたがらない。ナイキやリーボックのコマーシャルに老人ではなくて子供が登場するのはおそらくそのためだ。では、高齢者が大手スポーツウェアメーカーのターゲットになる日は永遠にこないのだろうか？　私は近々その日がやってくると考えている。メーカーにとって高齢者市場というドル箱を逃す手はないからだ（コマーシャルでは、六十五歳のマイケル・ジョーダンが身長二メートルを超える二十一世紀の花形センターを相手にワン

・オン・ワンでプレーする?)

●ジーンズ

ベビーブーム世代のファッションの担い手が高齢化しつつあることについても同じ問題が起きている。子供が祖父好みのブランドのジーンズなどを買うだろうか? われわれベビーブーム世代はおそらく死ぬまで(それどころかあの世でも)ブルージーンズをはきつづけるにちがいない。しかし、ジーンズが老人御用達だとすれば、他の世代はそれに手をださないのではないだろうか? ジーンズはいつかシルクハットのようにすたれてしまうのだろうか。

●ヘルス&ビューティ

ヘルス&ビューティの業界はいまのところ高齢者を十分に意識していると言えない状況だが、ゆくゆくは意識せざるをえなくなる。メーカー各社は六十五歳以上の人びとのニーズに応えようとしてしのぎをけずり、高齢者用に調合した髪や肌、歯のためのケア製品や、男性用化粧品、女性用化粧品を製造するようになる。高齢者用のオムツをどう販売すべきかについても研究が必要だ。いまのところ、女性用のサニタリー用品コーナーの一画で人目をはばかるようにマイナーブランドの失禁用オムツが売られているが、このままではらちがあかない。フルーツ・オブ・ザ・ルーム、カルバン・クライン、ジョンソン&ジョンソンなどのブランド品をつくってはどうだろう。補正力の強いスポーツブラや運動用サポーターの隣に置くのも一策だ。

●寝具

寝具販売店については、このあと高齢者向けの販売を専門に手がけるほうが得策だ。高齢者はじっくりと吟味して人間工学的にすぐれたベッドを選ぶし、実際に金もだす。今後、マットレスは家具というよりは医療器具に近いものとなる。やがては背骨用の健康関連商品が膨大な市場に発展し、マットレスもその一つに数えられることだろう。

●ファストフード

アメリカの少子化が進めば、ファストフード・チェーンは高齢者をつなぎとめる努力をこれまで以上に強いられそうだ。入口に立っていても挨拶一つされない高齢者だが、彼らはすでに購買層の大きな割合を占めている。いつの日にかバーガーキングはディズニーの最新作とのタイアップからラブリー・オールドメンに乗り換えるだろう。ハッピーセットのおまけはビーニー・ベイビーズからフンメル人形になるにちがいない。

●子供衣料品

親が子供のために衣料品や玩具、本、ビデオなどを買う場合には、服のサイズや玩具の好み、本のレベルなどがわかっている。だが、三〇年後にいまの親たちが孫へのプレゼントを買うとなると、少しばかり手助けが必要になる。そのころには衣料品メーカーが進歩して、誰にでもわかるようにサイズを規格化してくれているだろうか？　子供服を買い慣れた人ならご存知のはずだが、いまのサイズ表示はわけがわからない。サイズが規格化されないうちは売り場がなんとか気をきかせ、大きくて読みやすいサイズ表、大きさのちがうマネキン、親切な店員、もしくはそのすべてを配置して、祖父母が気軽に孫の服を買えるように工夫したい。

服を買えなければ、そのかわりに玩具や本やビデオを買うことになる。だが、ここでもメーカーや小売店が今の状況を改善する必要がありそうだ。すべての児童書に対象年齢を明記すること。ビデオやゲームも同じだ。かわいい五歳の孫にうっかり殺人ゲームなどを買い与えては大変だし、それを防ぐためにも店員の助けが欠かせない。

これからの店は、以下のような場面をどう避けるべきかを考える必要がありそうだ。七十代の老婦人がレンタルビデオ店で店員にこうたずねる。「ロイ・ロジャースのものは何かあるかしら？」。ロイ・ロジャースは歌うカウボーイとして、かつて絶大な人気があったハリウッドのスターだが、知ったかぶりの店員がこう答える。「そうですねぇ、ここにはないけれど、マクドナルドなら次の角にありますよ」

これはレンタルビデオ店を調査していたとき、実際にあったことだ。そのプロジェクトに取り組んでいたとき、年配の別の男性客が「このビデオはカラーだが、うちの白黒テレビでもちゃんと映るのかね？」とたずねるのも耳にした。家電メーカーや小売店の高齢者にたいする配慮はじつにお粗末だ。われわれベビーブーム世代にとって家電など当たり前のようだが、いまから三〇年もたてばどれほど突飛なしろものに頭をかかえることになるかわかったものではない。一般に新しい技術は誰よりも年配の人びとにとって朗報になるはずだ。以前のように身体の自由がきかなくなればインターネット・ショッピングやｅメールは重宝するし、未来のポケットＰＣ（いまの手のひらサイズの電子手帳の改良版）は電話番号が必要な場合やスーパーマーケットで何を買うのか忘れたときなど、いざというときに備えてメモリーが拡充されるにちがいない。

だが、こうした文明の利器の売りこみや販売方法ときたらどうだろう。宣伝や店頭に登場するのは三十歳以下の若年層ばかりだ。さらに、やたらと小さいキーボード、ホームページの活字のデザイン、電源スイッチがたいていプリンタやコンピュータの背面にあるなど、製品自体が高齢者にとって使いづらいものとなっている。たしかに、老婦人にも扱えるようではハイテク機器の魅力が半減するかもしれない。だが、このままでは二、三〇年してわれわれ自身が老人になったときに相当なツケがまわってくることになりそうだ。

11 子供の領分

ジェンダー革命（少なくとも男女の役割は変化した）のおかげで、われわれの生活は一変し、男女ともどもショッピングの新境地を切り開いた。これがいまの子供たちにおよぼした影響は簡潔にして明快だ。子供があらゆる場所へ進出したのである。

それならば、かつての子供たちはどうだったのだろう？

もちろん学校へは通っていた。母親たちは子供が留守のあいだ一家の主婦として山積する家事に追われ、主に食料、雑貨、衣類を調達し、必要に応じてその他の品々を仕入れたり、さまざまなサービスを利用したりした。父親は酒類、タイヤ、葉巻、芝刈り機、雑貨（これは年に一、二回程度）、妻へのバースデイプレゼントなどを買いにいった。家計のやりくりは各家庭の家事分担にしたがって母親または父親がこなす。大きな買い物だけは一家がこぞって参加するが、車やソファなどはそうしょっちゅう買うものでもない。めったにないことだから、連れていく子供たちを納得させるのもひと苦労だ。

家族団欒の役目を果たすショッピング

いまの親は共働きが多く、昼休みに買い物がかたづかなければ家族団欒の時間を割くことになる。すなわち、買い物が一種のレジャーになっているのだ。買い物はディズニーランドにくらべればたしかに面白くないかもしれないが、後述するように行楽の要素がないわけでもない。また、離婚するカップルが多い昨今では、（父親、母親を問わず）シングル・ペアレントが子連れで映画館やレストラン、買い物にでかける姿も珍しくなくなった。土曜日の午後には離婚した夫たちが週末だけの親権を行使して子供と一緒に全国のレンタルビデオ店やゲームセンターへ繰りだす。親が子連れででかけるようになり、子供もあらゆる場所へ顔をだすようになった結果、子供の存在はさまざまなかたちでショッピングの風景をぬりかえることになった。

経済の担い手である子供

さらに、子供が大人以上のマスメディアの消費者であるという実態もあり、各社は子供の獲得合戦にしのぎをけずっている。市場はのどから手がでるほど子供が欲しいし、当の子供たちは喜んで勧誘に乗ってくる。子供はかつて守護聖人を敬えと教えられたものだが、いまの子供は各社と提携するテレビのキャラクターを偶像化し、ブランド名がステータスであることを幼な心にうすうす感じとるようになっている。これは資本主義が大衆化したほんの一例にすぎない。身長が一メートルだから、さしたる収入がないから、あるいは母親が付き添わなければ道路を渡れないからといってグローバルな市場に参入できないということはなくなった。いまもこれからも経済の担い手であることこそが、市場への唯一の参加資格なのである。

社会の激変にはそれなりの功罪がつきものだが、これは子供の進出についても同じだ。具体的には次の三点である。

1 子供が歓迎されない店では、親がそれを察して背を向ける。

女性客をターゲットとする店のうち、ラックや機材のあいだにベビーカーが通れる十分なスペースを設けている店がどれくらいあるかはわからないが、その余裕がないと二十代から三十代の女性の少なくとも半分が一定期間、そこから締めだされることになる（締めだしをくう男性客も多いはずだ）。わが国の店にはベビーカーの入れない「デッドスペース」が多い。巻尺を用いて、ある百貨店を調査したところ、子供服売場のラックや機材が他のどの売り場よりも多いことがわかった。ベビーカーを押した客にとってもっとも歩きづらいのが子供服売場だったわけだから、そこが百貨店でいちばん空いていたのもうなずける。ホールマークでは毎年、テレビのコマーシャルに大金をつぎこんでクリスマス用の特別商戦を展開しているが、われわれが調査の対象としたある店ではホールマークコーナーの通路が狭くなっていた。ベビーカーを押した客がそこに入ると通路が完全にふさがれてしまうのである。これが災いして、クリスマス用のオーナメントを見た買い物客は全体のわずか一〇％だという結果がでた。

店内の設計や配置一つで子供を引き寄せるか締めだすかが決まってしまうのである。自動ドアや広い通路をもうけて段差をなくせば、ベビーカーを押し、あるいは幼児を連れた親が歩きやすく（あるいは子供を追いかけやすく）なる。

2　**子供のニーズが配慮されていれば、子供はきっとその店の熱心なファン（あるいはファンの連れ）になる。**

つまり、子供に何かを売りたければ、子供の目や手が届く場所に商品を置くことだ。これはバーニーのかたちの容器に入ったバブルバスのような子供向けの商品にかぎらず、前章で触れた犬のおやつにも当てはまる。レバー味のクッキーの主な購買層は子供と高齢者だ。その一方で、店でも家庭と同様に子供へのガードを固めないと数々の思わぬハプニングに見舞われる。

3　**親が長時間にわたって何かに縛られるとき（車のセールスマンや銀行ローン担当者との話しあいなど）は、退屈してそわそわと落ち着かない子供の気をまぎらわす手だてを真っ先に考えなくてはならない。**

そもそも子供とはどういうものか

私が「大人」の世界におよぼす子供の影響を初めて意識したのは店舗にいたときではなく、文化の殿堂であるフィラデルフィアのロダン美術館でのことだった。美しさに酔いしれながらロダンの巨大なブロンズ像をぬって散策していたとき、子供がこう叫んだ。「ママ見て、お尻だよ！」見ると天使のように愛らしいわんぱく坊主が小さい両手でバルザックのお尻をつかんでいた。

その部屋をつぶさに観察すると、像という像の、ちょうどあのかわいい坊やが哀れな小説家のお尻をつかんでいた高さのあたりに手の跡がついていた。芸術作品に「触れる」のが好きな小さいアーチストがわが国にたくさんいたわけだ。

子供がどういうものかについて教えられたのはこのときだ。第一に、子供はモノにたいして積極的だ。それが手の届く場所にあり、ほんの少しでも興味があればさわらずにいられないのである。子供の創造性豊かな衝動は、身近なものから高尚なものにいたるまで、あらゆるものに遊びの要素を見出そうとする姿勢となって現われる。アイロン台がおもちゃならバルザックのお尻もおもちゃなのだ。子供にさわらせたいものがあれば、それを彼らの手の届く場所に置けば子供は目をつける。実際、一定の高さよりも低い位置にあれば、それにさわるのは子供だけにかぎられる。

スーパーマーケットは子供の買い物について実地調査をするのに最高の環境だ。食料雑貨店で子供の様子をとらえた映像は数えきれないほど手元にある。パパやママに向かっておねだりをしたり、おだてたり、べそをかいたり、懇願したりして何かを買ってもらおうとする姿をとらえたものだ（そして、買ってもらえないと、黙って商品をつかんで買い物カゴに投げこむ姿も写っている）。商品が子供の手の届く範囲にあれば子供がそれに触り、ママやパパ（とくにパパ）が妥協してそれを買う可能性もでてくる。だが、ここでも注意が必要だ。われわれが調査したあるスーパーでは子供が好きそうな商品を最下段に置いていたが、なかにはショッピングカートに乗った子供もいる。中段より一つ下あたりが理想的である。

スーパーの子供向け商戦があまりにも巧妙なため、親たちはささやかな抗議運動を展開している。レジの横のキャンディやガムにたいして苦情がでたため、一部のスーパーではレジ付近にキャンディのラックを置かなくなった（すると今度は製菓業界から苦情がでた）。数年前に実施した調査からは、ショッキングな傾向が浮かび上がった。子供が泣き叫ぶのを未然に防ぐため、お菓子の売り場を避けて通る親が増えていたのだ。われわれの顧客であった某製菓会社ではこれに対抗しようと戦略的な配置作戦をとった。同じ列に並べる商品を工夫したうえで（通路をはさんで菓子の向かい側にベビーフードを置くなど）、独立したスタンドや列の両端のディスプレイを充実させたのである。

食品メーカーのゼネラル・ミルズは、一九八〇年代に幼児をターゲットとした電子レンジでつくるカラフルなポップコーンを開発した。ゼネラル・ミルズは子供向けのテレビ番組の合間に放映されるコマーシャルでさかんにポップコーンを宣伝したが、販売戦略を知らない商品開発の例にもれず、子供の手の届く位置にそれを陳列しそこねた。それどころか、実質的な購買層である親に焦点を合わせたゼネラル・ミルズの典型的な棚割り計画にしたがって商品が高い位置に配置された。売れゆき不振の原因がお粗末なセールスにあることは明らかだった。六歳前後の男の子がポップコーンの置かれた棚に向かって何度も飛び跳ね、それを落として母親に見せようとするシーンが写ったビデオを、われわれはいまでもクライアントに見せている。男の子はようやくそれを落とすことに成功するが、母親はそれをカートに入れようとはしない。しょんぼりした男の子はそれを棚に戻すのだが、元の場所ではなく、自分の目の高さに戻す。次にそこを通りかかった子供が案の定、それを見つけ、ポップコーンを取って父親の押すカートに入れるが、今度は棚には戻されなかった。買い物客の観察から智恵を学んだ決定的瞬間である。

もし子連れで食事できるレストランが登場しなかったら、一家揃って買い物にでかけるなどほとんど不可能だったにちがいない。これこそまさにマクドナルドが未曾有の急成長をとげた理由だ。外食は手間いらずであると同時に、午前中いっぱいおとなしく買い物につきあった子供へのごほうびにもなる。メニューの内容をはじめ、玩具やキャラクターつきのカップや遊び場で子供たちを引きつければ、その結果として親も呼びこめることに、マクドナルドは早くから気づいていた。アメリカ最大手のファストフード・チェーンが子供受けしているのにはそれなりの理由があったのだ。

だが、そのマクドナルドでさえ、すべてにおいて完璧というわけにはいかない。大失敗の一例が、子供には高すぎるカウンターだ。七、八歳になればテーブルを離れて一人でカウンターへ行き、ポテトや炭酸飲料を追加注文する程度のことはできるはずだ。しかし、店の設計がそれを許さない。メニューの表示の位置も高すぎて、楽に読めるのは大人だけだ。子供の目線に合わせて、大きな写真を使った、できるだけ文字の少ないメニューを表示すべきだ。

ベビーブーム世代が出産をできるだけ先送りし、ジェネレーションXが早々に結婚したおかげで、昨今の書店はかつてないほど大勢の子供たちでにぎわうようになった。以前は辞書コーナーの裏の奥まった一画が児童書コーナーになっていたが、いまでは客の集まりやすいひときわ目を引く場所が児童書コーナーになっていたりする。

書店の賢いレイアウトはこうだ。たくましい商魂が見え隠れするキャラクターに首をかしげるパパやママの妨害抜きで、子供がバーニーやイギリスの子供向けテレビ番組テレタビーズの本を読めるように、テレビの人気キャラクターが登場する本を下段に置く。一方、児童書の古典である『グリム童話』や『星の王子さま』など、字数の多い昔話は大人の目が届きやすい高い場所に置く。なぜなら、こういう不朽の名作を選ぶのはきまって大人だからだ。そして、中段には広い世代に読まれる本、たとえば『ぞうのババール』や『おさるのジョージ』、『ドクター＝スース』シリーズなどを置く（ビデオショップのレイアウトについても同じだ。親が選びそうな『黄色い老犬』や『オズの魔法使い』を上段に並べ、『ラグラッツ』や『セサミストリート』など、最近の人気作品を低い場所に置き、子供がそれを手にとって騒々しいがまだかわいげのあるおねだりをできるようにしておこう）。

われわれはクライアントである書店に、セクションを性別にしたがって分類し、男性がスポーツやビジネス、DIY、コンピュータ志向なのにたいして、女性が心理学、セルフヘルプ、健康、食事、ダイエット、家庭、ガーデニング派であることを頭に入れておくようつねに助言している。さらに、女性向けのセクションから見える場所に児童書コーナーをもうけ、その一画の棚を低くして、母親が自分の本を探しながら子供の様子をときどきうかがえるようにするアドバイスをしている。

私のオフィスに近いバーンズ＆ノーブル書店では児童書コーナーに小型の椅子をたくさん置いている。これはいいアイデアだが、ほとんどの子供が親の膝のうえで本を読んでもらっていることを考慮していない。私は毎度のように、どこからか大きいイスを一つか二つ引っぱってきてバーンズ＆ノーブルの児童書コーナーに置きたい気分になってしまう。

児童書の出版社は、その主な買い手である大人への売りこみがかなり下手だ。親が好みや読書力を知りつくしているわが子に本を買うのなら、わざわざ他人の手をかりるまでもない。だが、祖父母や叔父、叔母、一家の友人がわが子でもない子供に本を買ってやる場合はどうだろうか？　本（あるいは本棚や売り場）になんらかのかたちで対象となる読者、特に対象学年や対象年齢が明記されていなければ選びようがない。ところが、この重要な情報を表示した本も売り場もほとんど見あたらないのである。これは商品の企画者と販売者が消費者のニーズを把握できないでいる典型的な例だ。子供の本を探している客が内容をチェックしようとしてページをめくるが、結局はどれを選んでよいかわからず、本をあきらめて別のものに切りかえる光景はよく見かける。また、その本が贈りものとして適切であるかどうかを知るためにも、本のテーマ、たとえば人間関係について教える、あるいは想像力を育むなどを、なんらかのかたちで買い手に示すことも大切だ。

本を贈りものとして購入する場合に、出版社が客を失う例はほかにもある。児童書は比較的値段が安いため、二冊以上まとめて買うことも考えられる。だが、四、五冊もあれば立派なプレゼントになるにもかかわらず、『グースバンプス』シリーズのようなベストセラーでさえ箱入りのセットで販売されてはいない。

おもちゃを買う場合、それを選んで買うのは大人だが、事実上の決定権は子供が握っている。子供がまだしゃべれなくても、親は陳列棚からおもちゃを取って考えをめぐらせ、それを子供の前に差しだして反応をうかがう。子供がそれにかぶりつけば、親はそのおもちゃを買うのである。いまのおもちゃのほとんどがパッケージを開けずにボタンを押したり紐を引っ張れるようになっているのはこのためだ。だが、私が好きなのは子供の心をよくつかんでいるゼイニー・ブレイニーのやりかただ。この店ではおもちゃやゲームを箱からだして床に置いている。

つまりは、こういうことだ。**大人が商品にさわりたがるなら、子供はそれ以上にさわりたがるのである。**子供は何にでも手をだす。子供の行動をじっくり観察したうえで対策をねることが肝心だ。

しかし、これには少なくとも二つの厄介な面があり、販売店の良識が試されるところだ。

第一に、子供におもちゃを見せ、それを手に取らせ、欲しがらせることが、一方で子供を店に連れてきてくれた親を失望させ、困らせることでもあるということを肝に銘じなければならない。おい菓子売場やキャンディやガムであふれるレジや、セサミストリートのおもちゃを避けて通ろうとするあの心理である。自分が買い物の主役になったつもりでいる子供のあとを追いかけるとなると、買い物は非常に骨の折れる作業となる。子供への誘惑があまりに多いと、そのうちに親が店を避けるようになるのだ。相手を納得させるだけのバランスが大切だ。

第二に、子供をターゲットとした店では子供の安全に十分配慮しなければならない。つまり、子供にたいする家庭での安全策を店でも実施するのである。床から三フィートほどの高さの視線で店中を歩きまわり、やんちゃな四歳児がどんないたずらをしでかすかをチェックしてほしい。電気のコンセントや角張った棚など、明らかに危険なものはすぐ目につくはずだ。だが、重い商品を簡単に引っ張ったり倒したりできるようでは危ない。われわれは腰の高さに手すりをめぐらせてカウンターの前の客を整理しているバーガーキングで一日を過ごした。すると、八時間のあいだに五二人

の子供がその危なっかしい柵によじ登ったり、伝い歩いたり、ジャングルジムのようにして遊んでいたのである。そこから落ちて怪我をした子供もきっといるだろう。

何年か前に、国内の三カ所でAT&Tの電話機販売店を調査した。各店ともすばらしいデザインで、従業員数はほぼ同数、さばいている顧客の数も似たりよったりだった。だが一つだけ、販売員が客に声をかける呼びとめ率がいちじるしく低く、平均接客時間も非常に短かい店があった。ちがっていたのはただ一つ、この店だけが「滝型」ディスプレイを採用していたことだ。徐々に低くなっていく階段状の陳列台に商品が並んでいたのである。売り場をさまざまな角度からとらえたビデオを見ているうちに、あるパターンが浮かび上がった。売れゆきが不振な店では親に連れられた子供たちの手の届く場所に電話やファクス機が置かれているため、店員がその対応に大わらわなのである。店員はたとえ接客中であっても、子供たちが滝型ディスプレイから何をつかもうとしているかにいつも目を光らせていなければならない。問題は手際の悪さばかりではなかった。その店では各機種の在庫を一、二台しか置いておらず、高価なファクス機が落ちてこわれれば販売用の在庫がなくなるありさまだった。気の毒な店員たちは、接客よりも高価な通信機器を守るのにてんてこまいのようだった。興味津々の客が電話機に触れられるように工夫したのはいいが、子供から攻撃されてしまっては元も子もない。

わが社のスタッフからは以下のような報告があった。ある日の午後、そのスタッフはさる高名な双方向型ビデオの設計者と会い、ファストフード店の遊び場に設置された最新作のビデオゲームのお披露目に立ちあった。最初にやってきた二人の子供はちゃんと座っておとなしくゲームに興じていた。三人目の子供は靴を脱いでシートに深くもたれ、爪先でタッチスクリーンを操作した。その次にやってきた子供はファストフードのおまけにもらったプラスチック製のおもちゃでスクリーンを強く叩きはじめた。設計者は驚いて息をのんだ。

「おいおい、あいつは何をやってるんだ！」

「何って、遊んでいるのさ」

この光景は今日の買い物にひそむある種の矛盾を感じさせた。あらゆる店がいずれ受け入れなければならないのは高齢者層だ。だが、現段階における刺激的な店づくり、つまりディズニーやニッケルオデオン、ワーナーなどのキャラクターショップや、プラネット・ハリウッド、ハードロック・カフェ、レインフォレスト・カフェなどは、どれも若者に触発されたものだ。子供の目から見ればこうした店は遊園地が商店を兼ねているようなものだ。八歳の子供が好きな店は、ビデオや双方向型のデジタル機器、コンピュータなどの最新技術の宝庫だ。最近訪ねたニッケルオデオンでもお子様の主権がますます強まりつつあることに気づかされた。そこではさまざまなキャラクター商品の売り場案内に文字がいっさい使われず、絵だけで表示されていたのだ。お気に入りを探す子供たちには役立つだろうが、大人にはちんぷんかんぷんだ。

子供の気をまぎらわせるには

子供のご機嫌をとるためにバーニーを演じる必要はない。だが、客がある場所にとどまって神経を集中しなければならないような場合には、子供の気をまぎらわせる必要がある。

これは親にしてみれば当然しごくのことだ。ところが、業界側にそうした意識がほとんどないのには愕然とさせられる。

最近、母親が買い物をしているあいだに二歳の子供が店内を駆けまわっているのを目撃したが、これは買い物客に子供がいることを真っ先に察してしかるべきマタニティ用洋品店でのことだ。子供の気をそらすには、フランスのハイパーマーケットのように、すこし引っこんだ場所でテレビを見せたりディズニーのアニメを放映したりするという手もある（よりによってビデオショップでさえ親がもう少しゆっくりと商品を選べるように子供向けのプログラムを流すという配慮をしていないのだからあきれてしまう）。小さい店ならば、五フィート四方ほどのスペースにビニール製のおもちゃを置いて親がときどき様子をうかがえるようにすれば十分だ。

スウェーデンの家具メーカー、イケアはカラフルなゴムボールのあふれる遊び場で有名だが、いまではそれが店のトレードマークになっている。スウェーデンのチェーン店が進歩的でも驚くにはあたらない。ヨーロッパでは子供の安全にたいする意識がおおらかで、親が買い物をするあいだ子供を店員にあずけるのである。

何年か前、ニューヨークでこんな騒動があった。デンマーク人の若い母親がレストランの窓の前に眠った赤ん坊の乗っているベビーカーを停め、自分は店に入って窓ぎわの席に座って昼食をとったのだ。これには警察や児童福祉事務所の職員が駆けつけ、その女性は危うく逮捕されるところだった。

理由はどうであれ、アメリカの親は子供のこととなると異常に神経をとがらせる。イケアの場合、遊び場に子供を引き取りにきた人びとにたいして厳重に身元の確認をしなければならなかった。また、たとえ店内であるとはいえ、つねに目が届くとはかぎらない遊び場に子供を預けようとしない親も多かった。

何年か前、ブロックバスターが創意に富んだ子供用ドライブイン・シアターをつくり、大型スクリーンや、子供が座って映画を見るための小型自動車を設置した。だが、それが出口のすぐ手前にあったために不安を感じる親もいた。これは、いずれにせよ保育に不慣れな人びとのすることである。店や銀行で子供がうろつくことになっても仕方がないのである。

数年前、ウェルズ・ファーゴ銀行の依頼で調査を実施したが、この銀行の支店の一五％は開設して七年たらずだった。

われわれは貸付け担当に質問した。「成功のいちばんの秘訣は？」すると彼女は机の引出しから棒つきキャンディを取りだした。そのキャンディがあれば、たいてい二分間は邪魔されずに親と向きあっていられるし、それだけの時間がかせげれば十分だという。ウェルズ・ファーゴ銀行では、銀行のマスコットである子犬の塗り絵も用意している。あとはクレヨンさえあれば新規の住宅ローン契約も楽勝というわけだ。ニューヨークのシティバンク銀行では子供に工作ブックを用意している。いずれの銀行も、さしあたって必要な静けさを獲得すると同時に、えてして美化されがちな子供時代の楽しい思い出を提供して未来の顧客をも確保しているのだ。

理想的なキッズコーナーのための4つの条件

監獄とちがって、理想的なキッズコーナーの条件はいくつもない。

1　いつでも親の目が届くように、壁や障害物のない見通しのよい場所につくること。

2　安全であること。

3　十分な広さがあること。

4　できれば子供を年齢別に分けること。年齢別にしないと年上の子供が遊び場を仕切ってしまい、小さい子供が邪魔だてしようものなら痛い目にあわされる。

車のディーラーは一般に子供の気をそらすのが下手だ。ただでさえ車は子供のお気に入りなのだから（少なくともおもちゃの車は大好きだ）、これは考えるだけでもうんざりさせられることだ。解決法はいくらでもあるが、自動車産業の景気はすこぶる悪い。このため、家族が車を買うのは必要以上に難しくなる。各店が足並みそろえて手をこまぬいているかぎりこの業界は安泰だが、フォードやクライスラーがディーラーでの子供の言動に目をつけようものなら、他社もこれに追随せざるをえなくなるだろう。

調剤薬局の待合室も子供のご機嫌をとらなければならない場所だ。健康を損ねて薬の処方を待つ大人にとって、元気いっぱいの子供は目ざわりだ。おそらく当の子供たちも大半は病気なのだろうが、そうかといっておとなしくしているわけでもない。だが、調剤室のあるドラッグストアならば、玩具や塗り絵やクレヨンを待合室の近くで売るのは簡単なはずで、そうなれば一石二鳥というものだ。親が買い物をしているすぐそばで子供に買い物をさせるという手も、子供のご機嫌をとるには最高の戦略だ。子供に何かを買い与えて静かにしてもらおうとする親が多いことを考えれば、これはどの店にも応用できる。いまでも買い物のほとんどは女性がしているのだから、母親が買い物をする場所の近くに子供向けの商品を置けば相乗効果が期待できる。いったい子供を手玉にとるのか、母親の手助けをすることになるのかはわからないが、おそらくその両方に役立つはずだ。

ティーンエイジャーへの対応

何年か前、夜になるとティーンエイジャーが駐車場にたむろして困るというコンビニエンスストアの記事を読んだ。警備員を雇ってにらみをきかせるのも高くつく。その店がとった対策はこうだ。スピーカーを使ってマントバーニの落ち着いたムード音楽を流したのである。以後、ティーンエイジャーはそこにたむろするのをやめた。

ティーンエイジャーははなはだしくイメージに左右されるため、宣伝、アイデンティティ戦略、マスコミ、流行、うたい文句などの誘惑に弱い。彼らにとって、ブランド名はステータス・シンボルである。それは小粋であり、カリスマ性や知性を与えてくれるものなのだ。ティーンエイジャーは何を買うかでアイデンティティを確立する。イメージ戦略のからくりをまだ見破れなかった五〇年代の大人たちと同じだ。子供も大人にくらべてメディアの選択肢がせまいが、それだけにメッセージが強く焼きつけられる。子供はヒーローを求め、商品や店が子供向けであることを嗅ぎつけようとしてやっきになる。子供はイージー・リスニング音楽をまるでばい菌のように毛嫌いするが、われわれはそれを聞いてもへっちゃらである。

ティーンエイジャーの独特な買い物パターンを逆手にとる

いずれも市場のターゲットになりやすい存在だ。だが、彼らにもそれなりの限界がある。ジーンズの販売状況に関する調査を通して、われわれは若者の買い方に独特なパターンがあることを発見した。ティーンエイジャー同士のグループは、親と同伴のティーンエイジャーにくらべて、ジーンズ売場で過ごす時間が長いのである（それぞれ平均三分五二秒と二分三二秒）。さらに、ティーンエイジャー同士では吟味する商品が三割ほど多かった。ただし実際に購入した人びとの割合はティーンエイジャー同士が一三％であるのにたいし、親子連れではほぼ倍の二五％だった。

そこではたと気づいた。ティーンエイジャーは友達と連れ立って一種の下見をしているのである。買うものを決め、仲間内の賛同を得たうえでスポンサーとなる両親とともにふたたび店を訪ね、いい年をして親と一緒に買い物をしている姿を見られないよう、そそくさと買い物をすませるのである。

これは商業一般、とくに銀行が若者にたいするサービスを改善する余地があるということではないだろうか。給与を口座振込にして、キャッシュカードやデビットカードで引きだせるようにしたらどうだろう。いまどき商品予約購入を扱う店は少ないだろうし、かりにそれが復活しても若者が利用するとは思えない。私はフランスの金融機関クレディ・アグリコルが学生向けに試験的な支店を設計するにあたって、こう評価した。

長期的な成功の鍵となるのは顧客の確保であり、すばらしい経営戦略だ、と。

その支店は従来の銀行とは似ても似つかないものになるはずだ。デザイン、レイアウト、営業時間、スタッフ、音楽など、すべてがジェネレーションXをターゲットにしたものとなる。さらに、初めてアパートを借りる人の手引きやバイク購入の資金計画などに関するセミナーも実施される予定だ。

これはうまい戦略だ。商品やサービスが若者向けであることを打ちだせば、他の年齢層をシャットアウトできるからだ。

いまはもうなくなったが、化粧品会社のクラリオンは一時さかんに販売活動を展開し、双方向型コンピュータの採用では草分け的な存在だった。顧客が肌色や肌の質のデータを打ちこむと、その肌に合った化粧品をコンピュータがはじきだすのである。ところがどういうわけか、このコンピュータが下段へと移動し、若い女の子向けの棚を占領するようになった。彼女たちはコンピュータを喜んで利用した。だが、これを見た大人たちはクラリオンが若者向けだと思いこんで背を向けたのである。こうしてクラリオンの権威は失墜し、まもなく市場から撤退した。

第4部

ショッピングの力学

これまで快適な店づくりの条件について考えてきた。買い物をしてもらうためには顧客の解剖学的な特徴に配慮する必要がある。また、性別や年齢によって行動のパターンがちがうことを理解していないと、店やレストランや銀行のターゲットが性別や年齢の定まらない不可思議な生き物ということになってしまう。

だが、以上の点がクリアできたとなっても、その先は厄介だ。

ショッピングの科学の第三段階にはさまざまな技巧がからんでくる。プレゼンテーションの能力、粉飾、場合によっては誘惑さえもが。買い物はミステリーだ。IBMのコンピュータを買うつもりで店に入った人がコンパックを抱えてでてきたり、逆にコンパックをやめてIBMにしてしまうのはなぜだろうか。ほんのちょっとブティックで時間をつぶすつもりが一〇〇〇ドルも使ってしまい、いままでになくファッショナブルで美しくなったような気になるのはどうしてだろう。煎じつめれば欲しいものが見つかったからだが、なぜ、どのようにしてそうなったのかをひと言で説明するのは難しい。

よい店の接客は柔道に似ている。買い物客自身の勢いを逆手にとり、暗黙のうちに相手の好みや欲求を利用して客を思いがけない方向へと導いてしまうのだ。つまるところ、ただ商品を提供するだけでは不十分であり、手に取ってみたいと思わせなければならない。手に取らせたら、今度は買う気にさせなければ、それまでの努力が水の泡だ。さまざまな知識を総合すると、買い物の世界を左右するのは好みであることがわかる。買い物客は何を好むのだろうか？　これまでにわかったことをまとめると、次のようになる。

●商品に触ること

直接何かに触れる機会の少ない世の中で、ショッピングは物質的な世界と直接、自由に接触できるめったにない機会だ。衝動買いのほとんどが、店内で触れたり、聞いたり、においを嗅いだり、味見をしたりした結果、引き起こされる。だからこそ、売りこみよりも商品開発が重要なのであり、インターネットやカタログ、テレビによる通信販売が選択肢を広げても店舗をしのぐことはまずないのだ。

●鏡

どこか姿が映る場所で立ち止まって観察してみよう。男も女もまるでサルのようにポーズをとっている。鏡の前で客の歩調が鈍るのは先に述べたとおりで、これは近くの売り場にとって大きなメリットだ。しかし、人びとが身につけるはずの洋服、アクセサリー、化粧品売場にさえ鏡は少なく、ましてやそれが適切な場所に設置されていることはめったにないのが実情だ。

●発見

店内に足を踏み入れ、お目当ての品物を嗅ぎつけてそれを見つけられさえすれば、お客にとっては十分だ。表示や宣伝があふれていては買い物の意外性まで奪ってしまうことになりかねない。客をわざと混乱させて首をかしげさせるのは禁物だが、買い物客を誘導するには商品を暗示したりヒントを与えたりする程度で十分だ。焼き立てのパンのいいにおいがただよっていれば買い物客の足がおのずとパンの売り場へ向かう。でかでかと〈フォーマルウェア売場〉と表示するよりも、クリーム色のジャケットを着たジェームズ・ボンドばりの二枚目のポスターが伝えるメッセージのほうが強烈だ。

●会話

カップルや友人同士やグループに人気の店は、たいてい繁盛している。グループのおしゃべりや電話を歓迎する店づくりをすれば、おのずと売れゆきも伸びる。

●お得意様扱い

テレビドラマ《チアーズ》の主題歌ではないが、客は誰もが自分の名前を覚えていてくれる店へ行きたがる。地元の小さい商店が全国的なチェーン店に戦いを挑むなら、ここが勝負どころだ。店を選ぶ権利があれば、お客は自分が歓迎されているほうを選ぶし、そこで使う金額も増えるのがふつうだ。相手がお得意様であることをアピールすれば、どんなに小さい店でも贔屓にしてもらえるのである。調査によれば、なんらかのかたちで店員のほうからコンタクトをした場合、その客が買い物をする確率は高まるという結果がでている。商品をすすめたり情報を提供したりすれば、その確率はさらに高くなる。とはいえ、押しつけがましい態度は禁物で、引きぎわを知ることが肝心だ。

●バーゲン

買い物客がバーゲン好きなのは当然のように思われるかもしれないが、バーゲンはたんなる値引き以上の効果を発揮する。たとえば、下着メーカーのビクトリアズ・シークレットでは下着を台に積み上げて四組二〇ドルで売ることがよくあるが、こうすると一組五ドルで売るよりもずっと安いような印象を客に与える。超一流の店でさえ、バーゲン品は飛ぶように売れている。だが、バーゲン品売場が混んでいるのは当たり前だとはいえ、あまりに混雑が激しすぎると客にそっぽを向かれてしまう。ぎゅうづめのラックからバーゲン品を取りだして戻せなくなり、定価の商品と同じように入念なチェックをしはじめてしまうと、その商品は売れないのだ。

一方、買い物客が嫌うのは次のようなものだ。

●鏡が多すぎる売り場

店が遊園地のミラーハウスのようになってしまうのは考えものだ。あまりに鏡が多いとまるで迷路のようになる。

●行列

買い物客は待たされるのが嫌いなうえ、待ち時間に不快な思いをさせられるのが苦手だ。手ぎわの悪さにいらいらしたり、自分の列がいちばん早いかどうか不安を覚えたり、読むものも見るものもなく買い物すらできない状態で退屈をもてあましたりしたくもないのだ。それまでの買い物がどんなに楽しかったとしても、レジで不愉快な思いをすれば、一巻の終わりだ。

●つまらないことを聞く

新製品はショーケースなどに入れず、ぜひとも買い物客が見やすい場所に置くべきだ。表示を駆使し、パンフレットや使用法のビデオ、新聞の掲載広告、音声による案内など、必要なものをなんでも揃えて、買い物客が質問する前に予備知識を与えてしまおう。新製品や、扱いがややこしい製品をわかりやすく提供すれば、売上げはかならずや伸びていく。

●品切れ

これについては説明するまでもないだろう。

●数字のかすれた値札

論外。

●押し売り

ほかにも、失礼な態度、ぐずぐずした対応、説明不足、下手な接客、一貫性のなさ、手抜き、無愛想なども禁物だ。「あの店はとても親切だ」というのは店への最高の賛辞である。いくら商品や価格、場所がよくても、サービスが悪ければすべては水の泡で、客はほかの店へと流れていく。いくら買い物が生活の手段にすぎないとはいえ、先行するのは感情であり、何ごとも悪いよりはいいほうがよい。

次の章からは買い物をするにあたって何が最大の誘因となるのかを探る。手に取ったり、試着したり、試食したり、においを嗅いだりできれば、欲しい商品を探す手がかりになるし、商品の巧みな陳列がときにはまったくちがった結果を生むこともある。買い物客の目を引きつけるものと引きつけないものとのちがいはどこにあるのか、商品ばかりでなく陳列についても考えてみたい。買い物のイメージアップをはかろうとして、時間の感覚すら麻痺させてしまう販売店の戦略についても取り上げる。また、感覚的な買い物とは対照的だと思われる今後のネット・ショッピングについても考えてみよう。

12 意志決定をつかさどる感覚的な要素

これは、いつ誰がたずねてもおかしな質問だが、ショッピングについての研究も半ばをすぎたいまになってたずねるのは、なおさらおかしな話かもしれない。だが、あえてこう聞いてみよう。

ショッピングとはいったい何なのか？

ここで聞きたいのは、買うという行為が何かではない。換金を待つ商品が用意された公共の場所へ行くことが何を意味するかでもない。いわんや、小売りや商取引が何を意味するかということでは決してない。

ショッピングとは何か？　誰がどのようにするのか？　どうやってショッピングにとりかかるのか？

これを探るにあたって、ショッピングが生活必需品を獲得するための義務的な手続き以上のものであると考えてみよう。ショッピングはたんなる持ち逃げとはちがう。たとえばコーンフレークが必要だからコーンフレークを買いにいき、コーンフレークを手に取り、コーンフレークの代金を支払い、お買い上げありがとうございましたと感謝される。

ここでいうショッピングとは、販売を目的とする小さな世界を体験し、視覚や触覚、嗅覚、味覚、聴覚を駆使して何を買い、何を買わないかを判断することだ。意思決定の過程でとりわけ興味深いのが感覚的な部分だ。なぜなら、体験とは感覚を通してするものだからだ。しかし、ここで特に感覚が重要なのは、衝動買いや計画的なショッピングの大半が、見たり、さわったり、においを嗅いだり、味見をしたりして、完全とは言わないまでもほぼそれに満足した結果だからだ。

ショッピングの鍵——感触と試用

ここでショッピングの鍵となるポイントについて、再確認しておこう。いまの人びとはかつてないほど試用や感触でモノを買っているのである。

それならば、人はなぜ何かを買うにあたって、さわりたいと思うのだろうか？　これには具体的な理由がいろいろありそうだが、その最たるものは商品の手ざわりを実際にたしかめたいということだ。たとえば、タオルは買う前にぜひとも触れてみたい商品だ。調査によれば、タオルは売れるまでに平均六人の買い物客がさわっているという結果がでた（使用前に洗ったほうがよいのはこのためだ）。同様に、寝具のリネン類の決め手となるのはなんといっても感触だ。衣類の場合には、とりわけセーターやシャツをなでたりさすったり抱きしめたりするが、考えてみれば衣類の大半はセーターやシャツである。男性用下着メーカーが商品をビニール入りで売るのは感心できない。女性の下着は袋に入っていないが、これには正当な理由がある。女性は肌につけるものであればなんでも試着したがるからだ。いまの男性たちも、できることなら試着したいにちがいない。

身につけるものは繊維製品以外にもたくさんあり、そうした製品も十分にさわってみる価値がある。化粧品売場をざっと見渡しただけでも、ローションや保湿クリーム、口紅、メイク用品、デオドランド、パウダーなどがある。持ったり、移動してみたり、使ったりできそうなら、とにかく手に取ってみることが肝心だ。たとえば、金槌が使いやすいかどうかは実際にもってみないとわからない。ハンドバッグ、ブリーフケース、スーツケース、傘、ナイフ、フライ返し、トングも同じだ。財布など、一日中持ち歩かなければならないモノも手に取ってみよう。目で見ただけでもそれがどんな感触なのかはおよそ想像がつくと思うが、やはり自分の手でたしかめてみるのがいちばんだ。

では、さわる必要がないのはどんな場合だろうか?

たとえば電球。電球の感触をたしかめようとする人はまずいない。とはいえ、電球も大いに試す価値はある。電球についてはスーパーで箱入りのものを買えるし、金物屋でラックに下がっているものも買える。だが、大型のホームセンターへ行けば、電球がランプシェードの内側からやわらかい光を放っているのを実際に目で見ることができる。どちらがよく売れるだろうか? 特に値の張る電球の場合には?

以上のことから言えるのは、消費者にとって「気になる」商品、つまり便利そうだったり、他の商品とくらべてみたりしたいものであれば、消費者はそれをじっくりと吟味するということだ。

たとえば、スーパーで買い物をする場合、新しいブランドのケチャップやチーズ、あるいは高価なリンゴやモモは試食してから買いたいと考えるだろう。どういうわけか、サルサだけはしょっちゅう新製品の試食を実施しているようだ。バドワイザーについてはわざわざ試飲するまでもないが、これが高級エールやアルメリア産ビールの新製品だったら少しばかり試飲してから買いたいと考えるだろう。砂糖は？　時間の無駄。いくら味見をしようが砂糖は砂糖だ。サラダオイルも同じ。だが、オリーブオイルの場合にはみなビンテージもののワインのように味見している。二〇年ものバルサミコ酢は高級食材の代名詞だが、少し味見をさせれば案外とびつく客がいないともかぎらない。すると牛乳は？　ちゃんと冷蔵されていて、賞味期限が切れていなければ問題なし。

食料品の新製品では九割近くが売れゆき不振だが、これは製品が消費者に嫌われたからではなく、食べたことがないからだ。私に言わせれば、（販売戦略や広告を含めて）大金をつぎこんで新製品を全面的にバックアップし、消費者に試食させないかぎり、売りこみに全力をつくしているとは言えない。タバコはたしかに身体に悪いかもしれないが、街角に美男美女を配して試供品を配るタバコ会社の戦略はなかなかのものだ。ノンスモーカーでも巧みな攻勢に乗せられて、つい試供品を受け取ってしまう。彼らを再教育してスーパーマーケットのフロアで何か配ってもらうのはどうだろう。

販売と試用を組みあわせる場合にも、きちんとターゲットを設定しなければならないのはもちろんだ。電子レンジでつくるポップコーンが発売された当初、われわれはゼネラル・ミルズの依頼でポップコーンの販路拡大にかりだされた。製品の客層についてたずねると、六四％が女性だという。これは当時、電子レンジの手軽さが男性のあいだに浸透していなかったことや、コマーシャルや写真広告などが女性向けの番組や雑誌に登場していたせいだった。

「試食キャンペーンのターゲットは？」という問いにたいして、ゼネラル・ミルズはこう答えた。「もちろん、女性です」。だが、これは見当ちがいだ。なぜなら、女性客はすでに獲得していたからだ。考えてみれば、電子レンジ用ポップコーンは男性にぴったりの商品である。つくるのはいたって簡単で、塩味だし、男性は暗示にかかりやすくて行動的だから説得しだいでどんなものでも試してくれる。そのポップコーンは六パック四ドルで販売されていたが、男性客にアピールするために量を減らして二パックで一ドルにし、バス釣りやホッケーなどのテレビ番組の合間にコマーシャルを入れるよう助言した。

食料品以外の雑貨となると、消費者の心をつかむのがなかなか難しくなる。だが、高品質のトイレットペーパーが市場に割りこむ余地はかならずあるはずだ。スーパーマーケットのフロアで質のちがいをアピールできれば売上げは伸びるだろうが、これが一筋縄ではいかない。ラップやアルミホイル、ゴミ袋のメーカーにとっても、これは相当に頭の痛い問題だ。消費者のほとんどがいちばん安いものを買い、高くてよいものにどんな利点があるかを納得させるのがきわめて難しいからである。ゴミにしかわからないようなちがいのために、わざわざお金をかけたくないというわけだ。

スーパーマーケットはあの手この手で買い物客の感覚に訴えようとしている。売りこみが上手な店のフロアにはパン屋があり、香ばしいにおいがただよっている。ビタミン剤売場でそのにおいを嗅いだ客は、パンのにおいに誘われていつのまにかパン屋のカウンターへやってきて、ふとこんなことを思う。「そうだ、パンを買わなくては！」

スターバックスにならい、売れゆきの鈍い高級コーヒー豆でコーヒーをいれ、カップで供する店も増えたが、これも商品の持ち味を生かして感覚に訴えるやりかただ。すべてがこうなれば店内はさまざまなにおいでみたされる。洗剤コーナーへ行けば石鹼と柔軟剤の芳香が、精肉売場ではグリルに乗ったステーキや、フライパンで焼くベーコンのいいにおいがする。これは確実に肉の売上げを伸ばす一方で、買い物という体験へのプラスアルファとなっている。買い物がたんなるスーパーマーケットへの行き来から、感覚的な体験をする場へ進化しているのだ。イギリスでは一部の子供服メーカーが通気口からベビーパウダーを店内へと送って赤ん坊の甘酸っぱいにおいを思い出させているが、これ以上に効果的な香りはない。アメリカのベビーパウダーメーカーに香りつきのパッケージを使ってはどうかと提案したが、気乗りしないようだった。清潔で何のにおいもないスーパーのイメージを損なってしまうと店長が許可しないのでは、と恐れたのだ。言われてみれば、スーパーマーケットには生鮮食料品をのぞいて感覚に訴える伝統がなく、他の製品についてはにおい、味、感触、そして外見でさえ満足にたしかめられない。冷凍食品や缶詰、加工食品、粉末食品、パック入り食品が幅をきかせ、まぶしいほどの白さがかもしだす清潔感がもてはやされた六〇年代初めの風潮から、スーパーマーケットはいまだに抜けだせないでいる。その結果、スーパーマーケットは危険なくらい退屈な場所になってしまった（スーパーマーケット自体にとって危険だという意味だ）。できれば、テレビの料理番組で見るような大型の開放型キッチンを導入して手早くスナックをつくり、レシピをつけて買い物客に配ってほしいものだ。店長がスピーカーでこう叫ぶのはどうだろう。「お客様にお知らせします！ただいまより十五分間にかぎり、冷凍食品コーナーにてパッション・フルーツのシャーベットを無料で提供いたします！」。生鮮食料品売場にＤＪとダンスフロア、シリアル売場に人形劇、レジにジャズのトリオや高校のグリークラブの演奏を配するのはどうだろう。堅苦しい買い物の代名詞であるスーパーマーケットを多少なりとも活気づけることができそうだ。

感触や試用が重要になった背景

店の役割の変化

買い物のときに触れたり試したりするのがこれまでになく重要になったのは、店の役割が変化したからでもある。かつては店長や店員が商品の案内役をつとめていた。知識の豊富な店員が大勢揃っていて、買い物客と品物の橋渡しをしてくれたのだ。店員の言うことは十中八九間違いがなく、十分に信頼のおけるものだった。当然ながら、これは前面がガラス張りの大きな木製キャビネットに商品が並んでいたころの話であり、金物屋や紳士用服飾店や雑貨屋が繁盛し、買い物客と店員のスペースが厳密に区別されていたころのことだ。

しかし「開架式」の陳列が主流になったいまでは、さわったり、においを嗅いだり、試したりできる場所に商品が置かれ、店員が仲介の労をとることもなくなった。一九六〇年当時、シアーズの一般的な店舗では在庫置場がフロア面積の三五％を占めていた。しかし、現在ではそれが一五％足らずだ。いまでは自分の欲しいものが在庫置場にあるかどうかをたずねることすら無意味になっている。在庫置き場がない店さえあるほどだ。店にあるものはすべて棚にだしてあるか、上下に設置した猫の額ほどの戸棚にあるかのどちらかである。これは画期的な進歩だ。店の奥にしまいこんだ商品などないのも同然だからだ。店員がいなければ買えないし、その店員が足りず、しかも知識不足で、熱心に接客してくれないようではお手上げになる。できるだけ目につくように、客の買いたい気持ちを刺激するように、また見やすいように商品を並べたら、あとは買い物客と彼らの抜群のセンスにまかせればオーケーだ。

ブランドネームの価値の低下

触れたり試したりするのが重要な意味をもつようになったもう一つの背景には、ブランドネームの価値の低下がある。消費者が有名ブランドを信奉していたころには、ブランドネームが売上げを大きく左右した。しかし、いまは個々の人の好みがものを言う時代だ。以下は極端な例だが、ある事実を伝えてくれる。

スキンケアとヘアケア用品を扱う大手メーカーについて調査したところ、少数民族でもっとも積極的にパッケージを開けてローションや石鹼やシャンプーにさわりたがるのはアジア系アメリカ人であることがわかった。実際、アジア系アメリカ人の二三％が荒っぽく箱を開いたり瓶のフタをとったりして粘りやにおいをたしかめていたのである。この調査結果は、たとえメーカーが宣伝広告に何百万ドルという大金を注ぎこんだとしても、国内で重要な位置を占めるとともに拡大しつつある少数民族の支持が一朝一夕には得られないことを如実に物語っていた。

この点、いまの消費者はもはや消費者保護運動家に影響されず、自分自身で見たり、においを嗅いだり、さわったり、聞いたり、味わったり、試したりして納得する。商品や値段しだいではかすかな疑問を抱く（あるいは疑心暗鬼になる）が、すっきりした気分で買い物をしたければその疑念を振り払う必要がある。それには、テレビのコマーシャルや口コミを通してではなく、自分の感覚でたしかめたうえで商品とその価値をある程度まで納得しなければならない。これほど当たり前のことをほとんどの店が理解していないのにはびっくりさせられる。これまでコンピュータ販売に関する調査を数多く実施してきたが、この手の問題に出会うことはしょっちゅうだった。広々とした一画にプリンタがずらりと展示されていても、実際に電源が入っていて印刷用紙が補給されているのは、ほとんどのプリンタが簡単にテストできるにもかかわらず、ごく一部だった。

確信をもって買うべきなのは車やステレオのスピーカー、デザイナーズ・ブランドのスーツなど、高価なものばかりとはかぎらない。われわれは清涼飲料水用の冷蔵ケースを組みこむ予定のニューススタンドの設計について調査した。一つは冷蔵ケースをカウンターの下の見えない場所に設置し、見本として空の缶を置いておくという案だった。だが、これにはまったく説得力がないことがまもなくわかった。缶の表面が白く曇っていないと飲み物が冷えていないように見えるのだ。（いずこも同じだが）人びとは無意識に証拠を求めていたのである。冷蔵ケースに入った飲み物が見えるようにすると、今度はよく冷えた清涼飲料水が飛ぶように売れた。この点、コンビニエンスストアは進んでいて、たとえその場で飲まなくても、買い物客が冷たい清涼飲料やビールを買うことを、はっきりとスーパーマーケットに教えた。生ぬるいビールはとにかく不自然なのだ。

買い物を通して世の中を実体験（！）する機会は多い。何かをじっくりと観察しにいく場所といったら、ほかにどこがあるだろう？　博物館もモノを観察する場所だが、そこで手を触れることが許されている場所があるとすれば、一種の小売店であるギフトショップのなかだけだ。店舗だけにかぎっても、手ざわりや感じをたしかめるチャンスは数多い。特に買うものがなくても、たまには店へ行ってさわったり味見をしたりすることが大切だ。

ありとあらゆるものにさわる子供の様子は、私の知るかぎり買い物という行為をもっとも純粋なかたちであらわしている。子供は情報や理解、知識、経験、そして感覚を自分のものにしている。とりわけ感覚への欲求は強く、さわったり、においを嗅いだり、味わったり、聞いたりすることを繰り返す。観察をつづけよう。犬に目を向ける。今度は鳥だ。そして虫。その蟻は何か適当なエサを探しているのかもしれない。だが、私はそれをショッピングと呼ぶ。

まだ信じてもらえないようなら、においや感触などにはほとんど無縁な商品を扱う書店へ行ってみよう。書店では買い物客が本をなでたりさすったり持ち上げたりしながら手応えをたしかめているが、本の形状は読書という娯楽とは無関係だ（関係があるとすれば、活字の大きさくらいだろう）。それでも人びとは本に触れてしまう。たとえ想像力、概念、合理性、思考、視覚化などの能力が備わっていても、人間が動物であり肉体をもつ以上、五感を通して世界を知る以外に道はない（人によっては第六感という超能力、すなわち感じとれないものを感じとる能力がこれに加わる）。世の中のすべてがわれわれに働きかけて五感を刺激し、われわれはそれに反応する。感じるという能力やその必要性はあまりにも当たり前のものだから、たとえ感覚でとらえられないようなものに出会っても、あたかも感覚でとらえられるように錯覚してしまうのだ。

意味がおわかりだろうか？　こうした考え方は正しいだろうか？　理に叶っているだろうか？　それとも屁理屈に聞こえる？

感触が重大な意味をもつ最後の理由はこうだ。買い物客が何かを自分のものにするのはいつの時点なのだろう？　法的にはレジで品物の代金を払ったときだ。だが、店内でレジほど憂鬱な場所はなく、そこで所有の喜びを噛みしめている人はいない。実際、レジで味わうのは金銭的な喪失感と、列に並んだり、クレジットカードの照会を待ったり、店員が品物を袋に入れたりするのを待つことの苦痛だけだ。所有は明らかに感情的あるいは精神的なプロセスであり、法的な手続きとはちがう。所有は、買い物客の感覚が対象をとらえようとしはじめたときに始まる。まずは目で、つづいて感触でとらえようとする。ひとたびそれを手に取ったり、背負ったり、口に入れたりすれば、今度は入手へのプロセスが始まっているのだ。精算は事務的な手続きにすぎないのだから、買い物客が早い時期に商品を手に取るほど、また買い物客が試したり、味見をしたり、試乗したりしやすいほど、その商品の持ち主が販売者から消費者へと移行しやすくなる。

それがショッピングなのだ。

消費者のあらゆる感覚的欲求に答える

だとすれば、ショッピングの原理はごく単純だ。買い物客は商品を買う前にそれを試したいのである。したがって、買い物客を商品に触れさせることが販売店の主な役割となる。店は消費者が商品にさわったり試したりするようしむけなければならないが、店側がそれを非常に難しくしてしまっている場面も多々ある。コンピュータのキーボードだろうと、マッサージ器だろうと、新製品のデザートだろうと同じだ。ある機能をもった商品ならば店内で実演し、食品であれば試食させ、香りがあればそれを嗅いでもらうのである。さらに言えば、たとえその商品のにおいが使いみちとはまったく関係がないとしても、においを嗅げるようにしたほうがいい。なぜなら、消費者が本来の用途とはまったく無関係な部分を試す場合もあるからだ。

各種販売店での失敗例

●家電製品

たとえば、クーラーの本来の目的は室温を下げることだ。だが、本当に室温は下がるのだろうか？　友達に聞いたり、《コンシューマー・レポート》を読んだり、店員に意見を求めたりすることはできる。だが、見かけでだけは判断できないし、クーラーのきいた店内でスイッチを入れても室温が下がったかどうかはわからない。実際にたしかめられなければ有名ブランドを買うか特価品を買うかのどちらかだ。しかし、ここで別の問題が生じる。クーラーをつけたときの音だ。どれも冷風がでるとすれば、次に問題になるのは音である。最終段階で、音がクーラーのちがいを決める一つの目安となったわけだ。これから以後、何年間もクーラーのブーンというなり（場合によってはガタゴトとうるさい騒音）を聞いて過ごさなければならないからである。私自身も、夏になれば三、四回はクーラーの騒音についてあれこれ取り沙汰する。クーラーで気になることといえば騒音くらいだが、購入の段階ではそれがわからない。そしてメーカーや販売店はせっかくの機会を生かしていない。店員がクーラーのスイッチを入れて、客に音を聞いてもらえば、たとえばこれはプロペラ機の音、あっちはこわれたミキサーの音、値段が高いのは子猫が寝息をたてているくらいの小さい音などと、買い物客に新たな選択基準を提供できるのである。

これは他の大型家電、たとえば冷蔵庫や皿洗い機、掃除機、洗濯機など、また小型家電ならばコーヒーの豆挽き機やフード・プロセッサ、缶詰のオープナーなどにもほぼ当てはまる。それが自分の探しているものかどうかは箱を見ればわかる。機能については説明書を読めばおおむね理解できる。だが、そこまでわかれば、音を聞くことくらいはできるはずだ。

●寝具

販売店が、商品を試したいという消費者の欲求を理解していない例はほかにもある。寝具のリネン類の包装を見れば、繊維の目のつみ方をあらわす業界用語のスレッドカウントを基準として選べばよいという印象をもつはずだ。ところで、これはいったい何なのか？　誰もが知っていたところで、さして役に立たないのだが、シーツや枕カバーにはかならずと言ってもいいほどこの言葉が記載されている。寝具の専門家ならその意味もわかるのかもしれない。

だが、一般の人びとがシーツを選ぶ基準はただ一つ、それがどんな肌ざわりかということだ。問題はシーツがビニールで包装されていて、目で見ることはできても感触がわからないことなのだ。そこで爪をたててビニールを破り、こっそりと感触をたしかめることになる。だが、たとえそれを買うにしても、自分で破いたとはいえ、やはり傷ものはいやだから別のパッケージを選ぶことになる。

しかし、シーツ本来の感触は、結局のところたしかめようがない。シーツが糊づけされているからだ。糊づけとは厳密にどういうことなのだろうか？　これも知っていたところでどうということもないのだが、とにかく新品のシーツから糊を洗い落とさないかぎりシーツはゴワゴワのバリバリだ。いったいなぜ買い物客は最悪の状態でシーツにさわらなければならないのだろうか。私のオフィスの近くに寝具と洗面用品の大型展示販売場があるが、そこでは買い物客がシーツを自宅で使うときにどんな感触かをたしかめられるように、一度洗って柔らかくしたシーツをフックに吊るしている。買い物客が知りたいのはまさにこの感触なのだ。

●衣料品

感触と試着がとりわけ大きくものを言うのは、衣料品販売の世界だ。買い物客が心ゆくまで商品をさわることが許されない店など、いまではほとんど見かけなくなり、三ドルの靴下から一五〇〇ドルのデザイナースーツまで手に取って吟味できるようになった。ニューヨーク近代美術館でピカソの作品にさわることはいまでもできないが、カルバン・クラインやジョルジオ・アルマーニのブティックでスーツを好きなだけさわることはできるのである。衣料品店の設計者は買い物客が全商品に手をのばせるよう、あの手この手を使って心を砕いている。だが、更衣室を設計するとなると、それが何をするところか店はすっかり忘れてしまうようだ。

いったい何がまずいのだろう？　設計者は試着室をまるで配管設備のないトイレのように考えてい

る。彼らにとって試着室は買い物客が服を脱ぎ、試着したい服を身につけ、鏡に映った姿をそそくさとチェックし、ふたたび元の服に着がえる場所にすぎない。せいぜい公営プールの更衣室を思い浮かべながら試着室を設計しているのだ。これは店舗の建設や設計を手がける側の大きな誤解であり、少なくとも販売員や買い物客の要望をあまり反映していないことはたしかだ。おそらく、設計者はスペースを節約するために試着室を狭くするのだろう。彼らに言わせれば建築専門雑誌が取り上げないような場所に予算を割くのはもったいないというわけだ。

しかし実際には、フロアよりも試着室のほうが重要なのではないだろうか。試着室を改善すれば、売上げが確実に伸びるのである。試着室は便利なばかりか、ディスプレイやウィンドウや宣伝と同じように、れっきとした商売道具だ。使い道さえ誤らなければ他の商売道具を総動員する以上に効果をあげるのである。私は試着室にぶつかるとそこへ入らずにはいられない。近くにそれがあれば、かならずと言ってもいいほど検分してしまう。あたりに人影がなければ女性用の試着室に入ってもかまわないかどうかたずねることさえある。実を言えば、試着室をテーマに本が一冊書けるくらいなのだ。書くべきことはそれほど多い。数多くの衣料品店を調査した結果、次のような法則が浮かび上がった。店員が客に声をかけると、その客が商品を買う確率が一・五倍になり、店員がお客に声をかけ、さらにその客が試着室を使用した場合にはそれが二倍になるのである。裏を返せば、店員に話しかけて試着するお客が商品を買う確率は、店員と口を聞かず、試着もしない客の倍ということだ。

さらに大手のアパレルチェーンを調査したところ、大きな収穫があった。そのメーカーの試着室は、殺風景な安っぽい更衣室が通路に沿ってずらりと並び、突きあたりの暗がりにたった一つだけ鏡が据えつけてあるお粗末きわまりないものだった。時間を計ると、この店で服を買った客は店内で過ごす四分の一から三分の一の時間を試着室で過ごしていた。言い換えれば、自分が美しく見える服を手に入れたい一心で狭い部屋に閉じこめられていたのである。他の業界なら、こうした時間は商魂たくましく「いただき」、すなわちあと一歩で買い手が心を決めるきわどい瞬間と見なされるところだ。車のディーラーは決して売りこみに秀でているわけではないが、このきわどい状況を導くためだけの部屋をもうけている。だが、先のアパレルチェーンは、試着室を少しでも快適なスペースにしようとせず、できるだけ明るい場所で服を見てもらおうとする努力などしていない。さらに、試着室で過ごす時間がセールスの総力をあげてきわどい状況をつくりだすチャンスだと考える人などは一人もいなかったのだ。たとえば客を試着室に案内したり、試着中のズボンやシャツ、ベストに合いそうなベルトを用意するなど、ちょっとした心づかいでもいい。服を引き立てる小物を添えると服が売れるというのはよくあることだ。試着室にいる客はすでにその服を買う気になっている。にもかかわらず、ほとんどの店はそのチャンスをみすみす逃しているのだ。

実際、ニューヨークの某有名百貨店の婦人服売場を訪れたとき、見たこともないようなひどい試着室にぶつかった。汚れてよれよれになっている破れた敷物。やたらにまばゆい照明。場末のディスカウントストアで見るような洋服掛けとストゥール。歪んだ鏡に映る姿は実物よりもずっと見劣りがする。これを指摘すると、店員はきっぱりと言い放った。「ヒップは大きく映ったほうがお客は喜ぶわ」。試着室の内装は理想の寝室をイメージしたものにすべきだ。照明は誰もがリッチに見えるように。また、日中の光、蛍光灯、キャンドルの光などで服の色がどうちがって見えるかがわかるように、できれば何種類かの異なる照明を用意するとよい。鏡は大きくて歪みのない良質なものをたくさん設置すること。石膏ボードに金具でとめたただのガラス板ではなく、出来栄えのいい肖像画をおさめる額縁のようなものを。試着室の外に小さい控え室があれば最高だ。お客が連れと一緒に服を吟味できるからだ。控え室では服を着たまま座ってみることもできるが、たとえば特別なディナーの席で着る予定があれば座り心地は大切だ。さらに、生花を飾ること。生花を飾れば、その部屋が前日ではなくその日に掃除されたことが客にはっきりと伝わるからだ。

衣料品店が鏡ひとつ満足に扱えないのは試着室ばかりではない。鏡が少なかったり位置が悪かったりする例はどこでも目につく。商品を身につけたり、身体にあててみたりすることができる場所にはかならず鏡を置くべきだ。商品を選び、それがどう見えるかをその場でチェックできれば、客はそれを買うかもしれないのである。だが、鏡を探さなければならないと、わざわざ探す必要もないと考えてやめてしまうことが一度や二度はあるはずだ。帽子用の鏡は帽子売り場に設置すること。離れた場所では意味がない。足もとを映す鏡のないセルフサービスの靴屋も何軒かあった。なかには椅子一つない靴屋さえあるのだ！　これがなぜ不都合かは説明するまでもないだろう。

試着室は数を多くし、たとえ遠くからでもはっきりとわかるように表示しておくことだ。試着室が衣類から遠ければ遠いほど、わざわざ試着をしにそこへいく客も少なくなる。絶対に服が欲しい客は何がなんでも試着室を探そうとするが、そこまで決心の固い客だけを相手にしていては商売が成り立つまい。これまで試着するために店中を歩きまわり、あげくのはてに階段を昇り降りしなければならないような店について取り上げてきたが、これは致命的だ。

ある百貨店を調査したときには、洋服をかかえたまま試着室を求めてあてどなくさまよう買い物客の姿をビデオカメラがとらえていた。この店には試着室がたくさんあったのだが、隅に隠れていて場所がわかりにくく、飾りけのない小さな入口に書かれた表示も目立たなかったのである。試着室が見つからないようでは困りものだ。

●事務用品

話を進めよう。とある大手チェーンの事務用品店に一人の男性客がいる。鉛筆削りの売り場に立つその男性の前には、手動式、電池式、そして大型の電動式鉛筆削りが並んでいる。彼は手動式のハンドルをまわして手応えをたしかめる。次に、電池式を手にとって電池入れを開けてみると……電池が入っていない。今度は電動式を持ち上げ、コンセントがあるかどうかあたりを見まわす。コンセントはない。だが、たとえ電池やコンセントがあったとしても、鉛筆が見当たらない。おそらく鉛筆削りをつかんで踵を返し、通路を抜け、コンセントや鉛筆を探しまわるはめになるだろう。

これでは最善をつくして鉛筆削りを売っていると言えるだろうか？　さまざまな種類の鉛筆削りがある以上、それぞれに特徴があるはずだ。だが、この不運な男性客は実際に削りもしないでどうやって鉛筆削りを選ぶのだろうか。そもそも選ぶことすらできないはずだ。買い物客がどこで何をしたいかぐらいは誰にでもわかりそうなものだ。ここでは鉛筆削り売り場に担当者がいないようなので、私なりの考えを披露させてもらった。しかし、だめな店は何をやらせてもだめであり、たとえ大型で洗練された羽振りのいい全国チェーン店だろうとそれは変わらない。先の事務用品店では壁際に高さ一

○フィートの棚が設置され、包装紙で梱包された紙が五百枚単位で売られていた。紙の値段はさまざまだが、実際にそれを見たりさわったりすることはできない。五、六個に一個の割合で包装が破れていたが、これはおそらく業《ごう》を煮やした客がこっそりと中身をたしかめたからだろう。売りものにならない商品をつくらない（紙を一枚たりとも買い物客にさわらせない）つもりが、結局は高くつく（多くの包装紙が破れて使いものにならなくなった）好例だ。

●宝飾品

商品が手に取れないと不都合な点はほかにもある。われわれはある宝飾店を調査したが、その店のオーナーは最近博物館の展示を得意とするデザイナーを雇い、宝飾品のショーケースを設計させて話題を呼んだ。ショーケースの出来栄えは上々だったが、お客にとっては近寄りがたいものだった。そのデザイナーの設計は人に見せるという点で申し分のないものだったが、商品と客のあいだに距離をつくってしまい、商品をもちかえってもらうことを目的とする店舗としては不向きだったのである。これにくらべれば庶民的にディスプレイされた品物のほうがまだ売れゆきがよかった。

各種販売店の成功例

●電話機

今度は成功例を紹介しよう。われわれは全国的な電話機販売に乗りだしたレディオシャックの依頼で調査を実施した。すると、数多くの客が電話機の展示された壁面に近づき、全面を見渡し、値段をチェックして、その次はほぼ例外なく受話器を手にとって耳にあてたのである。耳にあてて何をするつもりだったのだろう？　おそらくは何も考えず、ただ反射的にそうしたのだろう。電話機を前にしてできることといえばそれくらいだ。電話機をくらべるには、握ったり耳にあてたりして感触をたしかめたりするほかはないようだ。できるだけ実生活に即した状態であることが何かを試す場合の鉄則だとすれば、電話機から声が聞こえるようにしたほうがよい。われわれは、受話器を取ったときにそこから録音メッセージを流すようレディオシャックにアドバイスした。

レディオシャックがこれを実施したところ、受話器を取った客がしばらくのあいだ耳を傾け、その受話器を連れに差しだしてメッセージを聞かせるようになり、店内は活況を呈した。これが購入について話しあうきっかけとなり、電話機の売れる確率が高まるという相乗効果も得られたのである（店内にいる人びとは自分が買おうとしている商品について、あれこれ取り沙汰するのが好きなのだ）。さらに、このメッセージはレディオシャックの宣伝にも一役買った。われわれが調査した別の電話機販売店ではカウンターに電話機が陳列され、さまざまな電話機を見たり、受話器を手に取れるようになっていたりしたばかりか、回線がつながっていて実際に通話できるようになっていたのだ。客は受話器を取ってそのまま夫や妻や友人に電話をかけ、電話機の購入について話しあうことができる。電話機そのものがセールスに貢献する究極の販売法である。

このほか、シャーパー・イメージやブルックストーン、また最近ニューヨークとシカゴに店舗をかまえたフランスの化粧品メーカーのセフォラなども、損失を覚悟で商品を試してもらうことの価値を十分に認めている会社だ。シャーパー・イメージがマッサージチェアを客に試してもらい、数カ月たって布地が擦り切れても気にすることはない。その損失を十分に埋めあわせるだけの売上げがきっとあったはずだ。さまざまな商品を買い物客に試してもらおうとする店は、客がそれを試す段階で多少の損をするものの、結果としては売上げを伸ばせるのである。

商品パッケージを再検討する

買い物客が商品に触れたり試したりできるように店内のディスプレイを変えるのは可能だ。だが、商品のパッケージもついでに変えないと、その後も数々のチャンスを逃すことになる。

たとえば、ヘルス&ビューティ用品の決め手は香りと手触りだ。スキンローションはつけたときに爽快感が味わえるかどうかが大切だ。デオドランドの生命は芳香だ。シャンプーでは主体となる髪の洗浄力を店内で試すわけにはいかないが、晴れた日に多雨林の香りを残すという第二の役割についてはメーカーの配慮しだいで試すことができるはずだ。あいにく、いまの厳重なパッケージではどれほど細心の注意を払って商品を試そうとしても絶対に無理だろうが。

ジレットは男性用デオドラント化粧品で画期的な戦略を試みた。想像力を刺激する（しかも男性的な）名前のついたさまざまな香りのジェル状デオドラントを売りだしたのである。ライトガードのメンソールをはじめ、ありきたりの香り以外にも選択肢を広げようとしたまではよかった。ところが、パッケージ担当者がせっかくのアイデアに水を差してしまった。

店に香りだけがちがう何種類かのデオドラントがあれば、それを嗅いでみたいと思うのは当然だ。

だが、蓋を開けると、中蓋の部分が頑丈なアルミテープでしっかりとふさがれている（わきの下を狙ったテロ対策だろうか？）人目がなければ、そのテープを少しばかりはがしてにおいを嗅ぐことも考えられるが、これは良心が痛む。買い物客はいったいどんな反応を示すだろうか？　あまり欲しいと思わなければ、商品を棚に戻して立ち去るだろう。どうしても欲しければ、デオドラントを横目で見ながら通路を行ったり来たりして、誰もいなければシールを破ってにおいを嗅ぐだろう。だが、その「アルプスの夜明け」の香りを買わなかった――きっとその客は「アリゾナの夕暮れ」タイプだったのだろう――場合、はがせないはずのシールがはがされているのを見た次の買い物客はどう思うだろうか。パッケージ担当者が買い物客の心理を理解しないと、欠陥商品でもない多くのデオドラントが次々と商品価値を失うことになる。

この手のダメージを避けるにはドラッグストアに試供品専用のカウンターを設置して、そこで自由に新製品を試してもらうことだ。化粧品類は感触が大切だから、感触さえ知ってもらえればかならず売上げが伸びる。

売る側と買う側の利益の不一致

最大の問題点は、化粧品をどのようにして販売したらよいかということだ。メーカーや小売店は化粧品類をできるだけ清潔に、きちんと並べて売りたいと考えている。この点については女性たちも異論がなさそうだが、その一方で買う前に使ってみたい気持ちもあり、こちらの願望は清潔にきちんと並べての販売とかならずしも一致しない。

処方薬や炭酸飲料が薬剤師にきっちりと管理されていたかつての時代には、化粧品のほとんどをこの薬剤師が扱っていた。ファンデーションを頼むと、薬剤師がカウンターの裏へまわり、引き出しを開けて頼まれたものが見つかるまで次々と箱を取りだすといったぐあいだ。商品と客のあいだに距離をおくこうした販売法はすでに歓迎されなくなったが、効率的で整然としていたことはたしかだ。このような化粧品販売の世界を消費者に開放したのは、カバーガールだ。カバーガールはフック付の壁を大いに活用して、買い物客が自分で化粧品を取れるようにしたのである。これを機に化粧品業界はセルフサービス型販売への道を歩みはじめた。セルフサービス型の販売は化粧品業界の恒例行事だった百貨店での特売にも大きな打撃を与えた。以来、買い物客はカウンターの前の椅子に腰掛け、歌舞伎役者も顔負けの厚化粧をしたメイク係にたっぷりと化粧をほどこしてもらうようになった。売り場を立ち去る人びとが手にした小さいが高価な化粧品入りの買い物袋は、そんなサービスへのささやかな返礼である。

しかし、女性たちが飽きたせいか、そんな化粧品販売もすたれはじめ、いまや開放的な化粧品販売が主流になりつつある。化粧品会社はそれぞれ独自のディスプレイで商品を紹介し、一定の範囲内でそれを使ってもらう。だが、思う存分に使うわけにはいかない。なかには制約されずに好きなだけ商品を試してみたいと思う客もいる。売る側と買う側の利益の不一致はできるだけ避けたいが、現実の問題としてなかなかそうもいかない。

また、化粧品売場の設計に問題があったりする。買い物客が、ティッシュのようなちょっとしたものを買う場合を想定せずにディスプレイを決めてしまうが、これを改めれば化粧品売場全体がすっきりする。また、鏡が少ないとメイクを試す女性が店中を探しまわらなければならなくなる。化粧品売場を設計した人びとは土曜日の夕方の五時ごろにそこを訪れたことがないにちがいない。もし訪れたことがあれば、もっと多くの女性たちが使えるように配慮したはずだ。また、化粧品が使われないようにパッケージを開けづらくするのは感心しない。買う気をそぐと同時に、商品へのダメージが大きくなるからだ。どんな商品であれ、パッケージをこわさずに試せるよう工夫するのが破損を防ぐ最善の方法だ。

画期的な商品パッケージ――ブロックバスター・ミュージックの事例

収縮フィルムの登場により、直接試すことができなくなった商品は数多い。過剰包装を感じさせる商品が実に多く、実感第一の買い物客にとっては不都合きわまりない。レコード店がかつて簡素な試聴ブースを設置したころにくらべると、世の中は格段に進歩した。いまでは買い物客に音楽のサンプルを提供する機材もかなり複雑になっている。一般的には、ボード盤にヘッドフォンが差しこまれ、メニューからダイヤルで聴きたいCDを選ぶ試聴ステーションがよく見うけられる。問題はこの手の機材を使い慣れない人がいることだ。聴きたいCDを選んでボタンを押してみる。ところが何も聞こえない。これは、曲の頭出しに多少の時間がかかるためだが、そんなことはどこにも記されていない。しばらくして肩をすくめてあきらめるか、使われていない番号を誤って押したと勘ちがいして次々にボタンを押しつづけ、しまいに機材をこわすかのどちらかだ。

理想のシステムはいつの世でも単純明快なものだが、ブロックバスター・ミュージックはそんなシステムのさきがけだ。ブロックバスター・ミュージックでは客が聴きたいＣＤを棚から選んでそれを試聴カウンターへもっていき、店員がパッケージを開けてそのＣＤをかける。たったそれだけだ。機材やボタンやメニュー、待ち時間などにはいっさい縁がないのである。この店では複雑で頼りにならない試聴用機材に大枚をはたくかわりに、収縮フィルムの包装用機材を導入して売れなかったＣＤを再包装するのである。このシステムのポイントは買い物客が自然体で音楽を聴けるように配慮しなければならないことだ。誰も直立したり、床を睨みすえたりして音楽を聴いたりはしない。

われわれがアラバマで調査した店では、試聴コーナーのヘッドフォンに二〇フィートのコードがついていて、音楽ファンが曲を聴きながら歩きまわって近くの棚を物色できるようになっていた。このシステムを導入したブロックバスター・ミュージックは、レコードを買うだけの場所から試聴できる場所になり、商品のラインナップや新曲、また誰が何を演奏しているかを知るための情報発信基地になったのである。双方向型のラジオ局と化したレコード店は買い物客を楽しませるところとなった。店にとっての何よりの収穫は、レコード会社にさほど依存しなくても商品を売りこめるようになったことだ。商品を試してもらうことが、実は立派な売りこみ戦略なのである。興味をもった消費者の要望にその場で応え、一対一の攻勢をかけているのだ。

商品に指一本触れさせないことへのしわ寄せ

買い物客が自分の欲しい情報を得られないと、そのしわ寄せがパッケージに行くことなどしょっちゅうだ。これは電化製品にもあてはまる。たとえば、ヘッドフォンを探す客が山と積まれた箱入りのヘッドフォンを見つけたとする。しかし、見本が見あたらない。ヘッドフォンの鮮明な写真が外箱に印刷され、そこに特徴や仕様が読みやすく記されていれば、わざわざ実物を見るまでもない。だが、中身を想像するしかないようなパッケージだと、箱を開けてヘッドフォンを取りだし、自分の目でたしかめたほうが手っ取り早いということになる。客がそれを買わなかった場合、あとに残されるのは売りものにならなくなった商品だけだ。破れた箱に入った商品など誰も欲しくはないだろう。

だが、パッケージを使ってじかにさわられるのを徹底的に防ぐ必要はかならずしもないのだ。おもちゃのメーカーは、大人たちが購入前にそれを動かして試したいと考えていることに気づいた。これはおそらくおもちゃの宣伝に誇張が多く、子供たちがまんまとそれにのせられて、安っぽいプラスチックの飛行機がミニチュアの爆撃機のように台所を飛びながら攻撃すると思いこんでしまうからだろう。いずれにせよ、いまでは箱やフィルムを傷めずになかのおもちゃが試せるようなパッケージが主流になりつつある。ボタンを押したり、紐を引いたりすると、クッキーモンスターが箱のなかで歌いだすのだ。おかげで、自分の買おうとしているおもちゃがどんなものかがしごくわかりやすくなり、ここでも買い物客の安心感が売上げの増加につながった。最近、これまでに類がないほど画期的なおもちゃのパッケージに出会った。それはサドル、ペダル、ハンドル、タイヤが露出した三輪車のパッケージで、箱をつけたまま子供が試乗できるようになっていたのである。これがすべての商品に適用されれば、ショッピングはいまよりもずっと楽しめる機会になりそうだ。

商品にさわらせない理由がセキュリティがらみの場合もある。ヘッドフォン付のウォークマンやC

Dプレーヤーもそんな商品の一つだ。若者に受ける高価な商品はしょっちゅう万引きされるからだろう。こうした商品は鍵のついたショーケースに入れておけば十分なのだが、実際には大ぶりの透明なプラスチック製の容器におさめられ、購入するにあたって試聴できないようになっている。いくつかの機種をくらべることさえできれば、高価な機種にグレードアップする人もいるはずだ。

イミテーションのジュエリーも同じような過ちをおかしやすい製品だ。せいぜい二、三〇ドルのアクセサリーが施錠したショーケースに入っているため、首や腕につけるとどう見えるか、それがどんな感触なのかをチェックできないのである。店内を見渡せば、ほぼ同額かもっと高価な商品がむきだしのまま並んでいる。またしても意味のない対策だ。コンピュータ化の進むアメリカで急成長したプリンタ用インクジェット・カートリッジ市場にも同じミスが見られる。このカートリッジは小型で高価なため、鍵つきのショーケースに入れて陳列されている。しかし、すでに見たとおり、多くの買い物客が鍵を持った店員を探しながらむなしく通路をさまよっていることを考えると、厳重なセキュリティがかえって災いしているのではないかと首をかしげたくなる。

衣料品店は、商品に指一本触れさせないような陳列のしかたに落とし穴があることを学んだ。マンハッタンのマディソン・アベニュー沿いの高級ブティック、アルマーニの例を思い出してみよう。買い物客は何にさわったのかわからない手でイタリア製の高級服をまるで自分のものであるかのようにさわりまくっている。自分のスーツに何人もの人が手を通していると知ったら、心穏やかではいられないはずだ。なかにはこんな解決策もある。スーツが色ちがいで何色かある場合、暗い色のものを手の届きやすい場所に置き、ベージュやライトグレーやオフホワイトをよく見えるが手の届かない、高い場所に置く。テーブルに陳列されたセーターが色ちがいで何色かあれば、上に乗った商品がもみくちゃにされることを考えて、かならず明るい色が下、暗い色が上になっているようだが、はたしてそうだろうか。

買い物客に比較検討する機会を与える

客ができるだけ商品を買いやすいように心を砕くのは、主としてそれを売りたいからだが、同時に在庫を処分するためでもある。商品をくらべる基準がわからないと、客は一般に安いほうを買おうとする。だが、店がほんの少しでも知識を与えるようにすれば、一部の買い物客は必要以上の金額を支払うようになる。三つのブランド、三つの選択肢があり、それぞれをくらべる機会があれば、客は少なくともよりよいものを選ぼうとするはずだ。

●マットレス販売店の事例

この問題はすでに取り上げたどの商品、たとえば男性の下着、コーヒー、ステレオのヘッドフォン、セーター、スキンクリームなどにも当てはまる。

マットレス販売店も同じで、たいていはむきだしのベッドが店内にずらりと並び、客がすみずみまでチェックしてくれるのを待ちかまえている。マットレスの値段は千差万別だが、四〇〇ドルのマットレスでも二〇〇〇ドルのマットレスでも、在庫管理には同じ費用がかかる。五人に一人の割合で客をつかまえて最初は安いマットレスを試してもらい、徐々にグレードアップさせていければ上出来だ。

グレードアップさせるには商品を試してもらうのが唯一の方法だ。ベッドはずらりと並んでいつでも横になれるようになっている。ここまではよいが、気兼ねせずに試せることが肝心だ。赤の他人を前にして公共の場所を利用することには多少のためらいがある。間近でおおいかぶさるようにして立っている販売員の前で横になるのはなんとか避けたいとさえ思うだろう（逆に販売員のほうは、客のすぐ脇に立って「いますぐにこのマットレスを買え！」というテレパシーを送りつづけないかぎり何も買ってもらえないのではないかと、気が気ではない）。横たわったマットレスはわざわざ店の正面に据えられ、前面のウィンドウからは背骨のかたちまで丸見えだし、ワンピースやスカートを身につけた女性は徹底的にはじらいの感情を試されることになる。いったいこの悪夢はどこまでエスカレートするのだろうか。そもそも、シーツのないベッドでは家にもちかえったときの感触がわからないし、枕がなければ寝心地すらわからない。

品質のいいマットレスを人目につかない場所に置いたり、部分的に目隠しするなどして試着室のようにすれば、あるいはマットレスをグレードアップさせやすくなるかもしれない。試した結果がものをいうのは、二〇〇〇ドルのマットレスよりも、むしろ四〇ドルのジーンズのほうだ。われわれはマットレス販売店を調査し、マットレスを試すときに洗いたてのカバーがついたさまざまな厚さや硬さの枕を置くようにできるかどうか聞いてみた。

これにたいして、店長からは「当店では枕を扱いませんので」というそっけない答えが返ってきた。枕のほうがずっと値段あたりの売上げマージンが高いことや、ただでさえ面白みのないマットレスに関連商品ができることなどまったく眼中にないようだ。

●電話機販売店の事例

ＡＴ＆Ｔも主力商品の販売ばかりに力を入れ、あとからとってつけたようにソフトトーク電話ホルダーなどというわけのわからない小物を売りだした。このホルダーは柔らかいプラスチック製の受け台で、首と肩のあいだに受話器をはさみやすくするためのものだった。これまで見たこともないようなかたちだったが、実際に使ってみるとじつに画期的だし、便利なのである。ところが、見かけがあまりぱっとせず、ディスプレイされてもいないので試すことができず、しかも販売員も信じられないほど売りこみに無関心だ。わずか五ドル程度の商品ではあるが、付属品の例にもれず売上げマージンは腹が立つほど高く、収益性は店内随一の商品である。お客の三人に一人がこれを買えば、店の賃貸料の一カ月分は稼げる計算だ。

その一〇年後、別の電話機販売店で同じような問題にぶつかった。ここでも携帯電話の契約を取ることだけに執着しすぎて、収益性が二の次になっていた。この店の携帯電話には、シンプルで飾りけのない合成皮革の携帯用ケースがついていた。しかし、もう少しかっこいいケース、たとえばアニマルプリントや赤いスエードのケースが欲しくても、残念ながら手に入らない。契約ばかりに気をとられて、売りこみがお留守になってしまったようだ。いまでさえ、ＡＴ＆Ｔの携帯サービスに加入したついでにおしゃれなケースや予備のバッテリー、充電器を買おうとしても何一つ手に入らない。たったいま、二〇分かけて電話機を売ったばかりのオペレーターが付属品はまったく扱っていないのである。彼らにできることといえば、せいぜい別の電話番号を紹介することくらいで、客はその電話番号に誰かがでてくれるまで、いったい何時間待たされるのかわからない。これだけ手間がかかるとわかれば、付属品は別の店で買うことになるだろう。

「商品をさわって!」

感覚や手触りがものをいう買い物にまつわるきわめつきの問題点はこうだ。妙な話だが、買い物では商品に「さわってもかまわない」ことを相手に伝えなければならない。ホールマークの調査では、クリスマス用オーナメントの売り場の最前列が芸術的にデザインされ、商品があまりにも美しくレイアウトされていたため、そこから商品を取ってよいのか、それともたんなるディスプレイにすぎないのか、判断がつきかねたという結果がでた。書店も同様で、台の上のディスプレイに少々凝りすぎるとやはり買い物客の手がでなくなる。モノを美しく見せることがいかに大変かを知っているからこそ、それを台なしにするのは気が引けるのだ。アインシュタイン・ベーグルがよりによってユタ州に試験的なレストランを出店したときも同じだ。ベーグル文化がさほど浸透していない地域でベーグルの新たな販売法を試みるとは突飛な思いつきだが、もしそこで成功すれば、ほかのどこへ行っても成功するにちがいない。この店では壁ぎわのラックにさまざまな味のベーグルをつめた袋を置いて、会計に並ぶ客が急にそれを欲しくなったときに手が伸ばせるようにした。問題は、ベーグルがあまりに整然と一糸乱れずに並んでいたため、買い物客がそこから取ってよいのかどうかわからなかったことだ。そこで店員がこまめにラックを見まわり、そこからベーグルの袋をいくつか引き抜いてそれとわかるような隙間をつくっておくことにした。そうしてからやっと買い物客が手を伸ばすようになった（ユタ州の人びとはとても礼儀正しいのだ）。実を言えば、店員がチップの袋を取ってそれを開け、並んで待っている人びとに試食してもらうという全面的な感覚作戦に訴えて全粒粉のハラペーニョ・チェダー味のベーグルの味を地域の人びとに売りこんだのだ。まるで嘘のような話だが、一度試してみれば、笑っていられなくなるはずだ。

13 三つの要素

いいことを考えた。経費を切りつめよう！　レンタルビデオのチェーンストアで、マーチャンダイジングと商品ディスプレイを手がけることになった。思いきって値の張る木製の棚を取り払い、もっと安いワイヤー製の棚一式を導入しよう。コストの差額は、そのまま純益として計上される。さあ、実行だ。完了。さて、結果は？

あれ？　ややっ。こりゃひどい。参った。ワイヤーの棚はこのうえなく美しく、機能的に思えた。実際にビデオのケースを並べてみるまでは。このとき（あるいはその数分後と言うべきだろうか）、ワイヤーの棚の大きな欠点が明らかになった。客が手を触れるたびにケースが倒れそうになるのだ。実を言えば、誰もさわっていないのにそうなることもある。あのいまいましいケースども、たがいに押しあいへしあいしているというのか。並んでいるワイヤーの棚を一歩引いたところから眺めると、ケースが四、五個おきにかしいでいて、なんともひどいありさまなのは、私もいのいちばんに認めるところだから、誰かにきちんと直させる必要がある。男の従業員たちが、まぬけなチンパンジーよろしく金切り声をあげている。いまでは、ビデオのケースを並べなおす係を時給六ドル五〇セントで雇い入れている始末だ。忙しい土曜日の夜、客の列が長くなるのを尻目に、一店あたりの業務の無駄について、われわれは一時間以上も話しあう。店舗はいくつ、勤務時間はどれほど、それでいくらの節約になるのか。やれやれだ。

しかもこれは、かりに考えだしたシナリオではない。わがエンヴァイロセル社が記録したリサーチ資料のファイルに載っている例で、一字一句そのままである。この実例によって、買い物におけるもっとも大事な原則の一つがよくわかる。

「小売業入門講座」の第一は、店には三つの要素があるということだ。つまり、設計（店舗の）、品揃え（仕入れる商品がなんであれ）、運営（従業員の業務がなんであれ）。

これらの三大要素は、一見まったくつながりがないように思えるが、実はたがいにがっちりとからみあい、関連しあい、依存しあっていて、このなかの一つについてなんらかの決断がなされると、同様に他の二つにも決断がなされたことになるほどだ。先のような失敗は、発生する危険がつねにある。はっきり言えることだが、ディスプレイのデザイナーは、担当した店舗に出向いて自分の作品が実際に機能しているかどうかを見たりはしない。つまり、現実の世の中で何が起こっているのか、しっか

り把握していないわけだ。

だが、もっと重要な教訓がある。**この三大要素のうち一つを強めると、他の二つにかかるプレッシャーが軽くなるのである。逆に、一つを弱めると他の二つに余計な負荷がかかる。**これは、良し悪しの問題ではない。とにかく、そうなるということだ。ショッピングの世界を支配しているのは幾何学の原理なのだ。

三大要素の相互関係

●衣料品店

例をあげてみよう。GAPのような衣料品店が売りものにしているのは、客が売り場の商品をなんでも手に取り、なでまわし、広げて、仔細に間近で検討してもいいということだ。販売員が商品を絶えず並べなおす手間は増えたが、あえて下したこの決断のおかげで、セーターやシャツが飛ぶように売れている。この販売方針に合わせて、ディスプレイが決まってくる(棚よりも買い物の楽な、面積の広い平棚が導入される)。それから、従業員が立つ位置と動きも。客がしょっちゅう手を触れるというのは、誰かがつねにセーターやシャツをたたみなおし、きちんとまっすぐに並べなおさなければならないことを意味する。言い換えれば、カウンターのうしろに立ってレジを打つ店員よりも、売り場を歩きまわる店員がたくさん必要になるのだ。経費はかかるが、GAPのような衣料品店にとっては堅実な投資、つまり商売上のコストである。ここで重要なのは、これが意図的な決断だということだ。

●化粧品を扱う店舗

そういう決断を下しても、ときには実際に即した結果につながらないこともある。レブロンの製品は、量販店、化粧品専門店、ドラッグストアなどさまざまな種類の店に置かれているはずである。後者はたいてい通路が狭く、商品があふれかえっている。そういう設計上の現実のために、客に嫌われるお尻がぶつかりあう状態——女性は買い物しているうしろから押されるのを嫌がる——がどうしても出現してしまう。ドラッグストアで売られるレブロン製品は、女性客がすぐさまブランド名に目をとめ、欲しいアイテムを見つけてできるだけすばやく立ち去れるよう、置き場がわかりやすくて間違いなしによく目立つ必要がある。店頭の看板やディスプレイがあいまいでわかりにくいと、女性客同士がお尻をぶつけあって通路から押しだされ、一個の商品も選びだせなくなるだろう。こういうことはしょっちゅう起こる。というのも、商品のパッケージや販促用品のデザイナーは、近所の店に出向いて自分の作品をじっくりと見はしないからだ。たとえば、大学出の買い物客はパッケージに印刷された文字をきちんと読む傾向がある。何を買うかを決める前に、情報を仕入れたがるのだ。だから、たとえばハーブ薬を売る会社は、パッケージ・デザイナーに言ってボトルに多くの文字を入れさせる。デザイナーは注文にしたがう。だが、小さい活字は年配の買い物客には読みづらい。ところが、ビタミン剤、ハーブ薬などサプリメント食品の主な購買客は彼らなのだ。そういった商品はドラッグストアでよく売れるが、ドラッグストアは概して通路が狭いので、客はパッケージの文字をおちおち読んでいられない。よい決断（パッケージに文字情報を多く入れる）を下しても、芳しくない結果（誰もそれをじっくり読めない）になることもあるという好例である。

先の先を読む

ここで問題になるのは、決断を下すときにはかならず、結果としてどういう事態が考えられるかと、先の先までよく読んでおくべきだということだ。現実には、そういうことがなかなか実行されない。二、三人が走りまわってあらゆる決断を下さなければならないような小企業なら、まずそんなことはしないだろう。また、大企業でも行なわれないはずである。われわれが調査結果を報告するためにどこかの企業の会議室におもむくと、しばしば店舗の設計、品揃え、運営をそれぞれ担当する役員たちも同席することがある。そのとき、彼らがおたがいのことをほとんど知らないと、はっきり見てとれる場合がある。極端な例になると、これらの部署がそれぞれ別の都市に拠点をおいていたりする。疑心、敵意、縄張り意識があからさまに見てとれることもある。管理職は他の管理職が何をしているかを知らないし、知りたいとも思わない。そして、近視眼的な決断が数多く下されることになるのだ。

●百貨店の事例

そのいい例がある。ある大きな有名百貨店で、婦人靴売場の主任が商品の陳列スペースをもっと広くしたいと考えて、その分レジ周辺を狭くすることにした。その結果、それまでカウンターの上で袋づめしていた販売員は、袋を床に置き、かがんで靴を差し入れなければならなくなった。そのため手順に余計な動作が加わり、レジを打つのが以前よりも面倒になった。販売員たち自身、ほとんどが凝ったデザインの美しい靴をはいていたのだ。一日が終わるころ、女性の販売員たちはみじめに疲れきっていた。そして見るからに恨めしげなようすだった。

調査の一環として、われわれはビデオカメラをレジに向けて設置した。テープをオフィスにもち帰り、映像を見ながらストップウォッチで一連の処理にかかる時間を、時間帯ごとに比較してみた。午後四時三十分、一人の客をさばくのにかかった時間は午前十一時の約二倍だった。また、狭くなったカウンターの上がなんとなく散らかり、そのせいで以前のようなてきぱきした動きが失われていた。

全体の結論としては、品揃えを少し改善しようとすると売り場の設計を変更しなければならず、それによって販売活動がいちじるしく阻害される。もう少し多くの靴（一二足ほどだろうか）を売り場に並べたいがために、レジの処理時間が長くなり、客の忍耐力が低下し、従業員の活力も意欲も減退するのである。靴が売れるのは、ディスプレイよりも従業員の労力によるところが大きいことを考えれば、この決断は非常によくなかった。

すべての責任は、一つを変えればすべてが変わるという事実を当然知っていていいはずの誰かが、それを忘れていたことにある。

●ビデオ店の事例

もう一つの例をあげると、ビデオを扱うチェーン店（冒頭の例とは無関係）で、店の外観にまつわる興味深い決断が下された。色調は、深みのあるワインレッドを基本とする。そして照明は、かつての映画館のエントランスのひさしのように、白色電球をずらりと並べるというのだ。図面の段階ではすばらしいものと思えたのかもしれないが、やがて現実の壁にぶちあたることになった。ワインレッドにしたことでしょっちゅう擦り傷や、へこみ、欠け、くぼみが目立つようになった。ほどなく店がみすぼらしく見えはじめ、塗装工は建物の塗りなおしに莫大な時間を費やすはめになった。これは、おおむね深く濃い色の塗装をほどこした場合には、避けられない運命である。つまり、ありとあらゆる傷がはっきりと目についてしまうのだ。それに、壁やディスプレイの棚が濃い色だと、オフホワイトの場合よりも多くの照明が必要になる。電気代だけを考えてもかなりの出費だが、さらに、電球はやがて切れるという事実がある。つまり、すぐに取り替えないと、まるでタイムズ・スクエア――昔のタイムズ・スクエア――のごとき風情になってしまうのだ。

労働力削減がもたらす危険性

小売業における三大要素の相互関係は、たいへんな緊張にさらされている。その大きな理由の一つに、たいていの企業はつねに労働力の節約に目を向けているということがある。経営者側からすれば、これは人員削減にあたる。一方、買い物客から見れば、サービスの質の低下ということになる。小売店ではサービスの質を落とさずに労働力を削減しようとするが、そんなことはたいてい不可能である。昔どおりに店員が適度に配置されていて、従業員はこの先もずっと働き、それぞれの持ち場について学ぶよう奨励されている店なら、設計や品揃えで凝ったことをする必要はなく、シンプルにしていればいい。店員がつねに待機していて何がどこにあるかをすべて教えてくれれば、店内は商品でごったがえしていてもかまわないのだ。

現在の小売業者は従業員を過小評価して賃金を低くおさえようとしているが、実はその逆こそ正しい。設計と品揃えに重点をおくと、それに見合った成果があがることはあっても、いつもそうなるわけではない。たとえば、小売業者は従業員の数を減らすかわりに、コンピュータ内蔵の装置を導入したり、案内ブースを設けたりして客の問いあわせに対応しようとする。問題は、そういった装置の多くは使いにくいということだ。操作がややこしいうえ、質問にたいする答えが不適切だったり、動作があまりにも遅く、フリーズしたのではと思えるほどだったりする。そんなときに、買い物客はどうするだろう。あきらめてぶつぶつ文句をいいながら店をでる客を、われわれは何度も目にしてきた。店員をつかまえ、装置の使い方を説明してもらう人びともいた。労働力削減の強い味方となるはずだったものなのに。

われわれが調査したある百貨店では、苦肉の策として商品の在庫を過剰にした。販売員が余裕をもって扱えないほど大量の衣料品を棚にぎっしりと詰めこんだのである。買い物客のなかには、商品をうず高い山のなかからわざわざ引っ張りだそうとしない人もいた。そうするのは、かなりの苦労をともなうことなのだ。苦心してやっとハンガーを取りだしても、かならず隣接した服を引っ掛けてしまい、床に落としてしまう。それを拾い上げ、埃を払って掛けなおすのは誰の仕事だろうか。過剰在庫で節約したはずの時間は、メンテナンスに費やされてしまうのだ。下着売場をのぞいてほしい。床に落ちている下着を買いたいなどと思えるだろうか。

とはいえ、設計や品揃えによってある種の労働力を節約することはできる。例をあげてみよう。

アメリカ郵政公社は、新しい制度を取り入れて郵便局を（飛躍的に）進歩させるため、いくつもの郵便局で実験的なサービスを実施している。そういう「局」の一つでは、切手や封筒の自動販売機があって、自分で郵便物の重さを計り、料金分の切手を貼ることができるセルフサービスのカウンターが、局員の常駐している従来のカウンターよりも奥に設置された。もう一つの郵便局では、セルフサービス・カウンターが入口の近くに設置され、局員のいるカウンターのほうが奥になった。前者の場合、セルフサービスを利用する客の割合がかなり低かった。局員に対応してもらうことに慣れている人びとはすぐ列に並んでしまい、奥にある機械には目もくれなかったのだ。後者では、セルフサービスを利用する客の割合がかなり高くなった。客が窓口に並ぶつもりで入ってくると、自分でさっさと郵便物の処理をしている人の姿が目に入るというわけだ。銀行も同じやりかたを採用している。ATM、現金自動預け払い機が窓口の列から見える場所に設置されていれば、行員のサービスを利用していた顧客も自分で処理できるほうへ「移動」するのである。

もう一つ、ある大型ドラッグストア・チェーンの例を紹介しよう。ドラッグストアはこの二〇年でがらりと様相を変えたが、一つだけ変わっていないところがある。それは、通路ごとにずらりと並んだ棚に小さな瓶、壺、箱の数々を補充してきれいに並べておかなければならない従業員の苦労である。客が何かを手に取ってラベルの文字を読むたびに、その商品をまっすぐにしたり、正面が見えるよう向きを変えたりする必要が生じるのだ。これはかなりの労働である。それほど遠くない以前、ウォルマートはある実験を試みた。従来の棚をやめ、そのかわりに蓋のついた箱型容器を導入したのだ。たとえば、商品名を見せて棚に並べる。アスピリンの瓶ではなく、買い物客はアスピリンのラベルを拡大したポップを目にすることになった。ポップの下には箱型容器が置かれ、そのなかにアスピリンの瓶が山と積まれたのである。

効果は絶大だった。まず、補充の問題が解決した。店員は商品を積んだワゴンを押して通路を歩き、容器の蓋を上げて商品をどさっと入れ、そのまま立ち去ればよかった。もうまっすぐに並べなおす必要はなくなったのだ。また、買い物客も喜んだ。小さい文字の書かれた瓶の列を眺めるかわりに、大きく引き伸ばされた読みやすいラベルを見ることができる。とくに年配の客にはずっと見やすくなった。この変更でウォルマートがもっとも心配したのは、棚とくらべて箱型容器が安っぽく見え、質が落ちたと思われるのでは、ということだった。だが、実際は逆だった。インタビューに答えた客は、箱型容器を以前とくらべて質の高い陳列法だとほめそやした。実にエレガントな解決法である。

14 買い物客の評価の物差し――待ち時間

店のなかでは、人生と同様よいときと悪いときがある。よいとき、つまり客が買っているときには、大きく胸を張りたくなる。悪いときには、背中を丸めてちぢこまりたい気分になる。

悪いときというのは、客が待たされているときだ。客は見るからにむっとしているが、理性をはたらかせて仕方なく待つ。しばらくのあいだは。だが、ある程度の時間を過ぎるとトラブルが起こる。

われわれが調査に調査を重ねた結果、買い物客がサービス面について評価を下す材料はただ一つ、待ち時間である。待っている時間がそれほど長くなければ、客はよい扱いを受けた気分になる。あまり長く待たされると、サービスが不十分で、手ぎわが悪いという印象をもつ。簡単にいえば、ショッピングという行為自体、待ち時間が短ければ価値が上がり、長ければだいなしになるのだ。

だが、待ち時間を「ちぢめる」ことはできる。客が待っていると感じる時間を変化させるのだ。そうすれば、悪いときをよいときにすることさえできる。

待ち時間短縮法

まず、時間と知覚の問題について一言。あなたがしている腕時計はおそらく正確に時を刻んでいるだろうが、それよりも重要な時計はあなたの頭のなかにある。頭のなかの時計は外部の要素に影響されやすいが、ロレックスなどよりもずっと大事なものである。われわれはこの点について多くの買い物客にインタビューし、面白い結果を得た。待たされた時間が一分三〇秒までなら、その人の時間の感覚はかなり正確である。だが、九〇秒を過ぎるとその感覚がゆがんでくる。どれくらい待ちましたかと質問されたときの答えが、ひどく大げさになる場合が多いのだ。二分待たされれば、三分あるいは四分という答えになる。客の頭のなかで、もっと大切な仕事（商品購入）への移行期だった待ち時間が、それ自体独立した活動に変貌してしまうのだ。すると、悪いときが訪れる。時間とは、ショッピングの世界に君臨する残酷な支配者である。客の処理に二分かかれば勝者に、三分なら敗者になってしまうのだ。

ドライブスルー方式の商店（あるいは銀行やレストラン）の魅力は、もちろんその利便性、効率性である。わざわざ駐車場を探して車を停め、車の外にでて店に入り、それからその逆の道筋をたどらなくてもいいのだ。われわれのお気に入りのビデオに、カリフォルニア州ホイッティアのある銀行のドライブスルーを撮影したものがある。行内で待ちくたびれた一人の男性が、車の列に徒歩で加わったのだ。ともあれ、ドライブスルーでは列がなかなか短くならなくても、ヒーターやエアコンを装備した自分の車のなかで快適なシートに身を沈め、ＣＤの音楽に耳を傾ける快適さによって、体感する待ち時間がちぢまるのは間違いないだろう。

こういった待ち時間の問題は、レジの周辺だけに集中して発生する。つまり、買ったものの代金を支払ったり、窓口の係と話したり、食事を注文したりするために客が列をつくったときのことだ。そして、その同じ場所に待ち時間をちぢめる仕掛けをすることもできる。たとえば、こうするのだ。

●人あるいはその他との交流

従業員が対応を開始したあとの待ち時間は、それ以前の待ち時間よりも短く感じることが、われわれの調査で判明している。単純に、待っていることを従業員に気づいてもらえれば、そして場合によってはなんとか言いつくろってもらえれば、時間にまつわる不安はおのずと解消する。待ちはじめてすぐのころなら、なおさらだ。

かつて私が訪れたある大手ドラッグストア・チェーンでのことだが、そこの店長は客の相手をするのがいかにも好きらしかった。レジの前の列が少し長くなると、彼はオフィスをあとにして客の前にでていき、レジの補助をしながら一人漫才のようなことをしはじめた。彼の出現によってレジ係の動きが少し速まったし、見ている人びとは楽しむことができた。

忙しい時間帯のためにレジ係を三人雇うか、レジ係を二人とライン・マネジャー（客の列を扱う係）を一人雇うかの選択をせまられたとしたら、私なら後者を選ぶ。ライン・マネジャーは前もってレジ係の仕事を助ける。注文の決まった客を親切に誘導したり、客の質問に答えてやったりして、客の体感時間も、実際の時間も短縮させるのである。またこのことは、客がもっと効率よく買い物をするためのトレーニングになる可能性もあるのだ。

これと関連したことだが、もう一つの時間短縮法として、客にこう伝えるということがある。待ち時間は運命や偶然に左右されるもので、かぎりなくつづくわけではなく、いずれ終わるし、きちんと管理されている、と。

一部の銀行はこのやりかたを取り入れ、窓口に呼びだされるまでの待ち時間を電子掲示板で表示している。表示時間はかならずしも正確ではないが、それでかまわない。あと二分だけ我慢すればいいと知らされるだけで、実際に待つ四分がよりすみやかに過ぎ去るのだ。先日のことだが、私はあるコンピュータメーカーのテレホンセンターに電話をかけた。するとテープの音声が、係員が電話口にでるまで「およそ一分から五分」かかると告げた。よく考えれば、これでは幅が大きすぎるが、このメーカーは危険をおかすことなく、私の時間にまつわる不安をやわらげた。うまいやりかたである。

●行列が整然としていること

ヨーロッパ人は大勢の人間がひしめいている乱雑な長い列に並ぶのをいとわないようだが、アメリカ人やイギリス人は、きちんと一列になって整然とした美しい行列に並びたがる。どこに並べばいいのか悩むのはいらだちのもとだ。混沌に身をまかせれば不安が生じる。先着順に対応してもらえることが確認できれば、客は安心し、待ち時間も短く感じるはずだ。これこそ時間短縮の秘訣である。不確実性を取り除けば、体感時間を短くすることができるのだ。

レジ前にできる列の秩序の問題は、買い物の世界ではきわめて厄介なものの一つである。言うまでもなく、もっともすみやかで美しいやりかたは、レジにやってくる客を一本の列に並ばせることだ。これなら客は間違いなく先着順に対応してもらえるし、別の列のほうが速かったのではないかと気をもむこともない。

ただし、一つだけ問題がある。その一本の列が、ひどく長くなる場合があることだ。急いでいる客にとって、その光景は不安の種になる。どういうわけか、十五人が一列に並んでいるよりも五人ずつ三列のほうがましだと思えるのである。不合理なようだが、これは本当で、体感時間と実時間のあいだのちがいはそういった部分にあるのだ。

●話し相手

話し相手がいれば待ち時間が短く感じられるのは、当たり前の話である。それについて店のほうでできることはあまりないが、従業員との接触をもっとも必要とするのは一人できている客だということは心得ておくべきだろう。

●気晴らし

これは、ほぼなんでもいいだろう。レンタルビデオ店なら、万人受けのする映画のビデオを流せばいい(そして、モニターは客の列に向けておく。われわれが仕事をしたあるレンタルビデオ店ではモニターが店員のほうを向いていて、店員が楽しんでいた)。

またわれわれが調査したある銀行では、列に並んだ顧客を楽しませるために、テレビでメロドラマを見せていた。これはよいアイデアとは言えなかった。メロドラマなんて三〇分をそっくり見つづけないと面白くないものだ。もっともよい気晴らしを用意していたのが、カリフォルニア州のある銀行だ。顧客のほとんどが引退した年配者になる午後の時間、古い短編コメディ映画『キーストン・コップス』シリーズを、大画面のテレビでずっと流していたのだ。このごろでは誰もがビデオデッキの導入を考えるが、ローテクの娯楽にも同様に効果のあがるものがある。

食料品店の多くは試食品を提供しているが、これが新製品の宣伝になるばかりでなく、客のいい暇つぶしにもなるのである。レジに並ぶ人の手の届く位置に棚を据え、つい衝動買いしたくなるような商品を並べることは、マーチャンダイジングの戦略としても賢い方法だが、待ち時間を短く感じさせるためにも効果的だ。だが、ここで鍵になるのは設置する場所である。われわれが調査したあるレコード店では、レジに近い商品陳列棚は並んでいる客に背を向けていて、列から（足を一歩踏みださないかぎり）ＣＤが手に取れないようになっていた。さらに留意すべき点としては、列の先頭の客はあまり気晴らしを必要としないことだ。ネクスト・バッターズ・サークルに立って、相手バッテリーのウォーミングアップが完了するのを待っているのだから。販促の看板や店頭の表示、商品の陳列棚などは、列の二人目、三人目に向けてあればいい。

スーパーマーケットではレジの前に安っぽいタブロイド紙のスタンドが置いてあるが、これは退屈をまぎらわせるのにもってこいだ。ジェリー・スプリンガーの番組など見なくても、くだらないゴシップをたっぷり吸収することができる。

もう一つ、店内によく見かける気晴らしがある。信じられないかもしれないが、それは店頭の表示である。文字を読んでいると待ち時間が短く感じられることは、われわれの調査ですでに明らかだ。事実、賢い小売業者は待ち時間を目に見えない財産だと考える。客がある一カ所に立って一定の方向を向き、手持ちぶさたにしているのだから、これを利用しない手はないだろう。この場所で、悪い時間をよい時間に変えることができる。つまり、待つことはいわば必要悪だが、それを利用して客にメッセージを送れるし、同時に客の体感時間を短縮することもできるのだ。

レジ以外の場所でも、待ち時間は今日の店舗がかかえている問題である。たいていの小売業者は労働力の面で経費削減をはかるが、これはつまるところ買い物客がわからないことをたずねようとして店員をつかまえようとすれば、ひどく時間がかかるということだ。そんな待ち時間は、店にとってとりわけ致命的である。われわれは、店員を探して店内をうろうろする買い物客を数多く見てきた。空しく一、二分ほど歩きまわると、憤慨した客はむかっ腹をたてて耳から蒸気を噴きださんばかりになる。とくに男性客はこういう状況に弱い。ただちに答えが得られなければ、あきらめて家に帰ってしまう（あるいは、他の店へ行ってしまう）。われわれが調査したある百貨店では、ちょうど店員の配置を変えたばかりだった。それぞれの売り場にレジ係をばらばらに置くのをやめ、レジのコーナーを一カ所に統合してフロアの前面に設けたのである（当然ながら、係員は少なくした）。その結果、レジに並ぶ客の待ち時間が前よりもずっと長くなった。さらに、売り場で店員を見つけるのがにわかに難しくなった。そのうえ、フロアの前面の入口付近でいらいらしながら順番を待つ人びとの列がふくれあがり、外から入ってくる客に店が非常に混みあっている印象を与えるようになったのだ。結論としては、少々の人件費を削ったがために次々と新たな不都合が生じ、多くの不都合が生じ、なんとか手を打たなければならないはめにおちいったのである。

今日の小売業界では、こういった状況がしょっちゅう生まれている。労働力の節約が客のいらだちを解消するための出費に化けるのはいったいどういうわけだろう。とくに銀行はこのパターンにおちいりやすい。銀行は、窓口係として最低賃金すれすれの給与でパートタイマーを雇う傾向があり、したがって従業員に数学的な処理を教えたり、接客法を訓練したりすることがない。その結果、待ち時間が長くなる。やがて、顧客の不安感が銀行に損失をもたらすのである。

われわれが調査した二つの店舗——ヨーロッパの銀行とアメリカの電子機器店——では、主にセキュリティの関係でレジの機械を一つだけにしていた。銀行のほうでは、係員は簡単な問題を処理するときでさえ窓口とレジのあいだの距離を往復しなければならなかった。電子機器店では、店員同士がわれ先にレジにたどりつこうとして押しあいへしあいする光景が客の目の前で繰り広げられた。どちらの状況も客の信用を得るという点ではまったくプラスにならず、客の待ち時間によってもたらされた結果はまさに想像したとおりのものだった。

われわれの調査のなかで、多くの店が時間をかけて万引き対策を講じていた。だが、結局は販売不振におちいってしまったことがはっきりと見てとれた。どのケースにおいても、狙われる商品はサイズが小さくて値段の高いものだった（一件はブランドものの香水、もう一件はコンピュータ用プリンタのインクジェット・カートリッジ、あと一件はビデオゲームのプレーヤー）。これら三件の店は商品を施錠できるガラスケースに陳列することにし、買い物客は欲しいものを選ぶのに手を触れたり近くでじっくり見たりすることができなくなった。それだけでも、確実に購買意欲がそがれる。そして、商品を選ぶと、客は従業員をつかまえなければならなかった。願わくばこれがケースの鍵の携帯を許可されている店員でありますように、と祈りながら。われわれはこの三つの店のすべてにおいて、客が店員を見つけられずに買い物をあきらめる場面を見かけた。万引きが減った分で売上げの低下を補えるだろうか。おそらく、そうはいかないだろう。

15 会計／包装にまつわる憂鬱

これは必要悪である。おそらく、あるいは将来には存在しなくなっているかもしれない。あらゆる商店はガソリンスタンドのようにセルフサービス制を導入し、銀行と同じように、代金を徴収する自動装置を設置することになるだろう。客が買いたいものをコンピュータ内蔵の機械に入れれば、スキャナーが製品コードを読み取り、合計代金と消費税を加えた金額が表示される。クレジットカードかデビットカードを差しこめば、認証とレシートが発行され、適当なサイズの袋がでてきて、金属的な音声が流れる。「パコの店でお買い上げいただきありがとうございます……ビーッ……サービス券をどうぞ。次回のご来店時に紳士用小物を一〇％値引きいたします……ビーッ……どうぞよい一日を……ビーッ……パコの店で……」

こういった技術の一部はすでに実用化されている。たとえば、宅配便のフェデックスやＵＰＳの配送車のドライバーが使っている携帯用スキャナーだ。いまやスーパーマーケットのなかには、買い物客がデビットカードを読取り機に差しこむ「儀式」に依存しているところも数多い。ヨーロッパのレストランには、伝票のかわりに携帯用スキャナーを食事客に渡すところもある。人に見られずにクレジットカードの処理ができるようにとの配慮である。

小売業者が抱える最大の難問

現実を直視してみよう。二十世紀のショッピングはすばらしい進歩をとげてますます魅力的になっているし、商才のある人びとによってさまざまなテクニックが考えだされているというのに、客に愛される会計/包装のシステムを考えついた人はまだいないのだ。

小売店はレジまわりを活用し、利益率の高い、衝動買いをうながす商品を陳列する。気晴らしになるものを置いて、金を支払うという権利を行使しようとしてそこに並んでいる現実を、客に忘れさせてしまおうというのだ。これこそ、会計/包装コーナーに関して究極の不満を感じざるをえないところである。理論の上では、客はそこで自分の金を手放すのだから、めくるめく感動を味わえる場所でなければならない。ところが、実際はショッピングのプロセスでもっとも味気ない思いをする場所になっているのだ。

また、ここで大部分の客が不安にかられる。「どこに並べばいいんだ? 時間はどれくらいかかるのだろう?」。店内は設計がゆきとどいていて、使い勝手もいいように思える。だが、会計/包装の段階にいたると幻想はどこかへ消え去り、店というものの本質的な役割、つまり商品を金と交換するマシンであることが表面化する。このマシンの段取りが悪かったり仕組みがお粗末だったりすれば、あるいは係の者が操作の手順をよく知らなかったりすれば、ここですべてが露見してしまうのだ。

会計／包装コーナーをどこに設置するか

すでに述べたとおり、会計／包装コーナーについての最大の難関はどこに設置するかということである。正面の入口付近は妥当な選択だろう。客は入店して売り場を歩きまわり、いくつかの商品を選んでから正面に戻り、支払いをすませてでていくのだ。人員配置の面から見ても、これは理にかなっている。小さい店の場合、レジを入口付近に設置すれば、暇な時間帯には従業員が一人いれば大丈夫だ。それ以外の場所だと、従業員を二人にするか、少なくとも店員一人にガードマン一人を配置する必要がある。われわれが調査したある靴店では、心得ちがいな建築業者が会計／包装コーナーを店の奥に設け、レジを壁ぎわに据えつけていた。そのために、レジ係は処理のたびにかならず客のいる店内に背を向けることになった。事実上、盗難の発生をうながすような構造になっていたのだ。

しかし、入店する客の目がまず会計／包装コーナーに行くようでは、これも失敗だ。それは、厨房からレストランに入るようなものである。これでは、店にたいする客の期待をふくらませるわけにいかない。レジ処理がもたついていれば客の列がふくれあがり、入ってくる客の目にはさながら死へのいざないのようにうつるだろう。客が店内をのぞいてレジの前にできた列に気づき、そのまま立ち去ってしまった例は何度も見てきた。会計／包装コーナーとは、まさに苦難の約束された場所なのだ。欲しいものを見つけたとしても、それを手に入れるためには多少の苦しみを味わわなければならない、というわけだ。

会計／包装コーナーの位置を決めるとき、それが店内の他の場所におよぼす影響も考慮しなければならない。新しい店の青写真や完成見取図や縮小模型を眺めたとき、店内はきれいにととのってすっきりと見えるにちがいない。設計者は、好んでそういうつくりかたをする。つまり、人のいる雑然とした状況を考えに入れたがらない。建築物を扱う雑誌でも、店舗はそういう状態――空っぽ――で掲載されるのがつねである。だが、開店すれば客が現われ、レジの前にはすぐに行列ができる。店内はその行列によって分断されることになる。理想に燃える設計者の頭脳が考えもおよばなかった方向に（買い物は妻君まかせなのにちがいない）、会計の順番を待つ客の列がうねうねと伸びていく。そこでやっとわかるのだ。客のつくる壁によって店の半分の見とおしが悪くなり、通り抜けもできなくなることが。並んでいる客がカートを押していれば、まさしく障害物となる。外から入ってくるほとんどの客には列の向こう側が見えず、欲しいものが奥にあれば、売り場に気づきもしない可能性さえある。われわれはいくつかの方法で買い物客の行動パターンを測定したが、そのなかに売り場の混みぐあい別に測定したデータがある。一定の時間ごとに、フロアじゅうをまわって各売り場にいる客の数を数えたのだ。会計／包装コーナーがまずい位置に設置された店では、忙しい時間帯には奥の売り場にいる客が少なかった。そして、レジの前にできる列は人間バリケードと化するのである。

皮肉なことに、会計／包装コーナーが混んでいても、売り場のほうが混雑しているわけではない。二、三の処理に時間がかかってしまうだけで、客に店が混んでいるという誤った印象を与えてしまうのだ。したがって、店の前面に人が群がっていても、その向こう側へ一歩足を踏み入れれば、そこはもう買い物客のパラダイスである。ただし、そこへ行って楽しもうという客がいるとすればの話だが。

小売店が基本中の基本ともいうべき会計／包装コーナーの扱いをしくじってしまうのはなぜだろう。その主な理由には、レジのシステムが効率的に機能すれば、ショッピングという行為全体にもよい影響があるという事実を小売店がしっかり認識していないことがあげられる。これは、経営者にとって危険なことだ。レジの処理の不手際にじりじりさせられ、この店には二度とくるまいと誓ったことがある人ならわかるはずだ。

小売業者と建築業者は、会計／包装コーナーを設計するとき、買い物客を満足させようなどという了見はもたない。スペースを十分にとらず、面積をできるだけ小さくしようとする。配置する店員の数もたいていは少なすぎる。経営者が会計／包装コーナーをほんのつけたし程度にしか考えていなかったせいで致命的なダメージを受けた店の例を二つ紹介しよう。

●事例1――ホールマーク

まず、グリーティングカードなどギフト用品を売るホールマークである。驚かれるかもしれないが、ここはクリスマスにたいへん繁盛する。売れ筋は、高価な美しいクリスマスツリーと、飾りつけ用のオーナメントである。これらは贈りものにされることが多い。したがって、ギフト用ラッピングを頼む客はかなりの数になる。包装は、会計を処理した店員がそのまま会計／包装コーナーで行なう場合が多い。あなたは祝祭日のシーズン中にカード店を訪れたことがあるだろうか。きれいに包んでリボンをかけるため、店員が会計処理を二分間中断すれば、何が起こるかを想像してみてほしい。感謝祭前夜のオヘア国際空港上空よりもっとひどいことになるのだ。まさにメルトダウン。

ギフト用ラッピングのために専用コーナーを設けるべきなのだが、そういう昔ながらの理にかなったやりかたをする店は、年々少なくなりつつある。経営者が店員一人分の賃金を浮かせようとするために、レジまわりが渋滞してしまうのだ。ギフト用ラッピングに関して真に効率的といえる唯一の方法は、セルフサービス・コーナーを設け、店員は置かなくてもいいから、包装紙、リボン、薄紙、鋏、テープを揃えておくことである。

●事例2――レディオシャック

第二は、家電製品のチェーンのレディオシャックである。ここでは、会計／包装コーナーと修理／返品コーナーが同じカウンターにあった。当然、買い物とは無関係な処理のせいで、さっさと会計をすませて帰りたい客の順番がなかなかまわってこないことがしばしばだった。また、たとえば期待に胸をおどらせてテープレコーダーやコンピュータ用モニターを買いにきた客が、すでに買ったテープレコーダーやコンピュータ用モニターについて苦情を言いにきた客と隣りあわせるかもしれない。それらがまったく同じメーカーの製品ということさえあるだろう。こんなことでは、消費者が多大な信頼を寄せるわけにはいかない。われわれはこうアドバイスした。修理／返品コーナーを別に設けること。場所は店の奥の、客のあまりこないところにしたらいい、と。

会計／包装コーナーという場所には、私も個人的に利害関係をもっている。それは、ホテルのフロントだ。近ごろはそういう人が多いが、私も一年の約半分はホテル暮らしをしている。今日、ビジネスマンが全国各地を飛びまわるおかげで、宿泊産業は飛躍的な発展をとげている。だが、ホテルに宿泊するときにもっとも厄介な問題は、昔と少しも変わっていない。いつも同じパターンだ。夜遅くに到着し、疲れきり、時差ぼけしていて、できるだけ早く手続きをすませて部屋に直行することを心待ちにしてやってくる。ゆったりとくつろいで、eメールを読んだり、読書をしたり、手紙を書いたり、電話をかけたり、あるいはたんにルームサービスを頼んで映画を見たりするのを楽しみにして。ところが、ここで永遠につづくのではないかと思うほど行列のなかで待たされることになるのだ。前もって電話をし、あるいは旅行代理店に依頼して手続きをすませていて、あとはルームキーを受け取るだけだというのに。

その点、かつて私が泊まったあるホテルは進んでいた。ロビーに小さい円形のチェックインカウンターが点在していて、宿泊客とフロント係は隣りあわせに座りコンピュータの画面に向かうのである。これはまだほんの第一歩というところだが、もっと先へ進んで、さらなるビジネス旅行者を獲得しようとするホテルもある。ロビーに設けたチェックインコーナーに、座り心地のよい椅子を置くのだ。宿泊客が腰をおろすと、フロント係がやってきて手のひらサイズの小型コンピュータ、クレジットカード読取り機、ルームキー、客の好きな飲み物を運んできてくれる。書類上の処理が、このように洗練された方法で行なわれることもあるのだ。

16 マーチャンダイジングとは何か

魔術とか奇術などというものが存在するとしたら、その大部分はわれわれがマーチャンダイジングと呼ぶもののなかにある。ここからは、人間工学（エルゴノミックス）、分析学、動力学、統計学といった、実際に即した話題を論じることにする。この章では、商品がぽんと飛びだし、客の目のなかに飛びこむようにする手段を紹介しよう。

二つの解釈

マーチャンダイジングの世界は、つまるところ二つのまったく異なった解釈に分けられる。

一つは、**商品を陳列棚とは別のところに置くということである。**陳列棚では、さまざまな会社の同じような製品が隣りあわせに並んで競いあっている。そんな状況に甘んじようなどと誰が思うだろう。だからこそ、商品を目立たせるために多大な努力と資金が投入される。棚というものは、図書館にうってつけであることは誰もが認めるだろうが、それ以外の場所ではできるだけ使用しないようにしたほうがいい。実際、ボルティモアでは図書館のシステムを試験的に変更し、一部の本を表紙を見せて並べるようにしたところ、本の貸しだし件数が劇的に増加した。このことは書店にも参考になる。書店では、少なくともタイトルの大部分に関して、陳列の方法になんの創造性も発揮されていない。とはいえ、表紙を見せて陳列する場合、店に在庫できる本の冊数が大幅に減少してしまうというマイナスがあり、そうなれば作家や出版社が悲鳴をあげるのは間違いない。

マーチャンダイジングのもう一つの解釈は、**もっと微妙な技術と「隣りあわせの法則」を利用するものだ。**あるアイテムともう一つのアイテムを隣りあわせに陳列し、相乗効果によって両者の売上げを伸ばすのである。

隣りあわせに置くことで得られるもっとも大きな効果は、「あともう一つ」に客の手が伸びることだ。この現象は、たとえばアーモンドジョイや乾電池やホラー小説のペーパーバックを最後の瞬間に買い物カゴに投げこむレジの直前の衝動買いというかたちをとることもある。だが、客が「あともう一つ」を手に取るのは、店内のどの売り場でも起こりうることだ。私に言わせれば、小売店はこの点にもっと注目すべきなのだ。さもないと、商売が行きづまることになる。たいてい「あともう一つ」は利ざやの大きい商品なので、店がまずまずやっていける程度か、大はやりするかの分かれ目になるのだ。つぶれる寸前の店が救われることさえある。私はかつて、ニューヨークのあるバーを共同経営していたことがある。そこでは、ジューク・ボックス、タバコの自動販売機、ビデオゲーム機の売上げだけで家賃をまかなうことができた。小売業者は、新規の客はこないという事実を受け入れるべきである。人口が爆発的に増えるわけでもなく、店なら必要を上まわる数がすでに揃っているのだ。たいていの店が、売上げの八〇%を常連客の二〇%から得ていると思われる。だから、店の規模を拡大したいと思ったら、いつもくる客にもっと金を使わせればいい。客がもっと足しげく店を訪れ、長い時間店内にとどまり、より大きい、より高い商品を買うように仕向けるのである。

だからこそ、GAPはフレグランスやキャンドルを置くようになった。衣料品店のクラブモナコは化粧品を販売している。女性はどこであれメイク用品の売り場があればのぞいてみるものだし、とりわけ自分の容貌をさらによく見せる設計がなされている店にいるときはなおさらだという(賢明な思惑によるものだ。モール・オブ・アメリカ内にある郵便局では、郵便物の輸送トラックのおもちゃ、革のジャケット、郵便配達の制服を着たテディベアといった関連商品を販売している。いつの日か、これが郵便システム全体を支える屋台骨になるかもしれない。

それから、レンタルビデオ店が電子レンジでつくるポップコーン、キャンディのジュジュビーズ、コカコーラといった映画鑑賞向きの食べ物を販売しているのにヒントを得て、わが社の近所にある大型書店のバーンズ&ノーブルは、アン・ライスの新刊のわきにゴディバのチョコレートを並べている(いいではありませんか。どうせ買うつもりだったんでしょう!)。多くの書店が「あともう一つ」に工夫をこらそうと苦心惨憺しているようだが、その理由の一部として、商品だけではなくアイデアも提供しようとする売り手の姿勢のことがある。私はつね日ごろから、書店が本棚も販売すればいいのにと考えている。シンプルでモダンなデンマーク製のものからアンティークのものまで。本棚は利ざやが大きいいし、原価は動産として計上できる。そして、書店がさらに面白い存在になることは間違いないのだ。

●衣料品店

たとえば一軒の衣料品店があって、主に売れる商品が三〇ドルのシャツだとする。このシャツを買う客にたいして、六ドルの靴下も一緒に買う気を起こさせたとすれば、売上げは二〇％増加することになる。悪くないではないか。その客が二〇ドルのベルトを買うことにした場合、売上げは六六％増。天才的だ。さあ、そこで、どうやって買う気を起こさせるかを考えなければならない。一つのよい方法は、ほかにも買うものがあるのではないかと、それとなく客にほのめかすことだ。マウスを買う客なら、それに合うマウスパッドも欲しいのでは？　もう一つの方法は、マウスの隣にマウスパッドを置いて、隣りあわせの法則が効果をあらわすのを待つことである。多くの場合、これは実に単純なことだ。ベルトはどこに？　ズボンの隣。靴下は？　靴の隣（だが、靴はどこへ行くのか？　もちろんあなたが履くのである）。トマトソースは？　パスタの隣。百貨店のネクタイ売場は一階のフロアにあり、主に女性客が購入する。それも結構だが、ネクタイはスーツやジャケットの売り場でも販売されるべきなのに、驚いたことにそういう店はあまりない。これは大きなミスというほかない。たとえば、あそこのやけに派手なネクタイとあの地味なグレーのスーツを組みあわせたら、などと思って、客が実際に見たりさわったりしながら考えてみたいときもあるからだ。それに、スーツだけを身につける人なんていない。シャツ、ネクタイ、靴下、靴、カフス、ベルトも着用して、やっと家をでられるのである。では、これら一式のうちでもっとも高価なアイテムを不自然にも切り離して売るのはなぜだろう。その点、コンピュータ店はもっと大きな失敗をおかしている。たいていはコンピュータだけを陳列した売り場があって、プリンタは別の売り場、パソコンラックなどはまた別の売り場、ケーブルやリストレストなどのアクセサリーはさらにまた別の売り場に置かれているのだ。これほど気の利かない、買う気を起こさせないディスプレイの方法があるだろうか。商品を種類ごとにきっちりと分けるやりかたは、倉庫ならいいだろうが、売り場には向かない。売り場では、客が使用するときと同じように見せる必要があるのだ。コンピュータ、モニター、プリンタ、アクセサリーをすべて接続し、プラグを差しこんで電源を入れ、ラックに設置して、客が座って試用できるようにしなければならない。

●スーパーマーケット

スーパーマーケットにも同じような問題があって、さしあたりこんな疑問が生じる。タコス用の皮はどこに置けばいいだろう？　メキシカンフードのコーナー？　たいていの店はそうしている。牛ひき肉の隣ではどうだろうか？　夕食のメニューに迷う客の頭にフィエスタのイメージを吹きこむには、タコスと肉を組みあわせて陳列するといいかもしれない。両方のコーナーにタコスの皮を置いたらどうだろう？　考えてみれば、食肉コーナーにパン粉、ステーキソース、肉たたき用ハンマー、コショウの実、海塩、新鮮なハーブを並べるのもいいアイデアだ。イタリアのあるスーパーマーケットでは、実験的に食事ごとの食材をまとめてディスプレイしている。朝食用の食材はここ、夕食はあそことい
ったぐあいに。

どうとも判断のつきにくい商品、たとえば一切れずつパッケージされたケーキの場合はどうすればいいのか。ケーキコーナーに置くのもいいが、まるごとのケーキが欲しくてやってくる客がたった一切れを購入すること――あるいはその逆――があるだろうか。冷たいデザート、たとえばプリンなどと一緒に冷蔵ケースに並べるのもいい。だが、一切れずつのケーキをサラダバーの隣に陳列して、健康のために禁欲的な食品を選んだご褒美にするのはどうだろう。そうするだけでも、ケーキは冷蔵ケースに並ぶお子様向けのおやつ以上のものになるはずだ。

12章で私は、有名ブランドのアルミホイルのメーカーが頭を悩ませている問題について述べた。客が少し余分に金を払って品質のより高い製品を購入するよう仕向けるにはどうすればいいかということだ。効果的な方法の一つは、売り方をもっと考えることである。たとえば夏なら、スーパーマーケットは炭とバーベキューソースとおかしなデザインのエプロンとアルミホイルをまとめて同じケースに陳列し、食肉カウンターの近くに設置すればいい。とくに男性は、通路から通路へと歩きまわって一つずつ揃えていくよりも、まとめて一気につかみとるほうを好むものだ。そんなとき、すぐれた品質を誇る有名ブランドのホイルは手に取られやすいのではないだろうか。

●ドラッグストア

ドラッグストアでビタミン剤などのサプリメント食品について書かれた本の陳列場所は、書籍コーナーにするべきだろうか、それとも栄養補助食品コーナーにするべきだろうか。両方と口で言うのは簡単だが、それではいつかスペースが足りなくなってしまうだろう。それに、複数の場所に陳列しても、売上げが増えるのでなければ意味がない。それから、複数の場所に陳列するといえば、同じくドラッグストアで、お試しサイズのシャンプーやコンディショナーといった商品はどこへ置くべきだろうか。たいていはそれのみが独立してディスプレイされている。だが、こういうものは同製品の正規サイズのボトルと並べて置くべきである。そうすれば、客が新製品を試そうという気を起こすかもしれない。気に入るかどうかわからないのに大きなサイズのボトルあるいは広口容器を買わなければならないなら、客は買うのを躊躇するだろう。常識的に考えれば、先にシャンプーコーナーへ行っていつもの製品をカゴに入れたら、お試しサイズのコーナーを通りかかっても新製品を手に取ることはまずないはずだ。

隣りあわせの極意

合理的な組みあわせ

隣りあわせの法則は、並び順の法則ということでもある。分別を働かせ、合理的な順番に商品を並べるのである。以前、さまざまな企業のカフェテリアでポテトチップスがどう売られているかの調査を依頼されたことがあった。ある企業では、チップスやプレッツェルの陳列棚はカウンターのいちばん手前のトレーを取る場所に設置されていた。もう一つの企業では、カウンターのいちばん奥のレジの手前に置かれていた。はたして、売れ方に大きな差がでただろうか。チップスは、奥に置いたほうが手前にした場合よりもずっと売れゆきがよかった。まだサンドイッチも買っていないときに、食べたいチップスの種類などわかりっこないではないか。白パンにピメントローフとスイスチーズのサンドイッチに合うのは、コーンチップスか、あるいはバーベキュー味のポテトチップスか？

似たような例だが、ある年の十二月にわれわれが調査した百貨店で、クリスマス用のラッピングペーパー類が入口を入ってすぐのところに陳列されていたが、贈りものを購入する前にラッピングペーパーを選ぶ客はいなかったので、売れゆきはあまりよくなかった。売り場を移動し、客が買い物の最後に立ち寄りそうな場所に変えると、売上げは伸びた。

スーパーマーケットの棚割計画は、ほとんど隣りあわせの法則を利用している。それは、たとえばかつてのコーンフレークのような人気商品を正しい場所、つまり中央に置けば、それをとりかこむように配置した他のケロッグ製品も売れゆきが伸びるという考え方である。買い物客の大半は右利きだから、すばやくつかみ取るのがもっとも容易な中央のすぐ右隣は最高のポジションとなる。

不合理な組みあわせ

しかし、不合理な組みあわせによってパワーが生まれ、注目を集めるケースもある。

たとえば、高価なチェストが家具店で販売されている場合と、近ごろはやりのインテリア雑貨店で販売されている場合を比較してみよう。前者では、何十というチェストが整然と並んでいる。行けども行けどもチェストばかり、チェスト、チェスト、チェストといったぐあいだが、これぞ大型店の売り方といった魅力はある。一方、レストレーション・ハードウェアは、チェストを家具のひとつとして扱い、椅子の横に置いたり、壁際の角に寄せて設置したりして、上面にレースのドイリーや写真立てや鏡を乗せている。あるチェストなどは上面に古めかしい大きなガラス瓶が鎮座していて、そのなかにはこともあろうにクロムめっきの丸頭ハンマーが何本も入っていた。おそらく、客はガラス瓶あるいは丸頭ハンマーに目を引かれ、なかの一本を手に取ったときにふとチェストの存在に気づき、改めて見なおすことになるのだろう。そして、引き出しの取っ手に値札が控え目についているのを見て、チェストがハンマー入りの瓶の台としてあるのではなく、実際の売りものであることを知るのだ。

店に似たような家具がずらりと四〇も並んでいても、そう感銘は受けないのではなかろうか。ショールームとはまったくちがい、家のなかに実際に置いたときのように商品を陳列する店もある。そして、客はまずハンマーに目をとめ、やがて家具に行きついたということで、人の心の発見好きな部分が満たされる。つまり、この店はつねに客の気をそらすことがない。家具を欲しい人に家具を売ることは誰にでもできる。欲しいと思っていない人に売るためには、少し工夫がいるのだ。賭けてもいいが、ドイリーを買いにきて真新しいメープル材のドレッサーをもちかえった客が一人ならずいたはずである。

相乗り販売を狙え

ある商品のそばに立ってそれ以外に何が頭に浮かぶかを考えれば、隣りあわせの法則が明らかになる。ペンキ売場には電動工具も置いて、相乗り販売を狙うべきだ。あるいはポスターや書籍、チェーンソーを台に置いておくのでもいい。誰もが思わず手に取るはずだ。書店なら、主な対象読者の性別で各売り場を配置するといい。つまり、コンピュータとスポーツとビジネスで一つ、セルフヘルプとダイエットおよび栄養と健康と家庭で一つというぐあいである（どちらが男性か女性かは読者の想像におまかせする）。コンピュータ用プリンターの販売方法について相談を受けたとき、われわれはその小売業者にたいし、メーカー別に陳列してはどうかとアドバイスした。ヒューレット・パッカードはここ、沖データはあそこというぐあいである。だが、われわれはその後、客がそういう買い方をしないことに気づいた。客はメーカーごとにどういう商品があるかではなく、三〇〇ドルの価格帯にどういう商品があるかに注目していたのである。そこで、われわれはすぐに前のアドバイスを撤回した。児童書の出版社ゴールデン・ブックスは、出版物の価格帯によって売り場を分けていたが、われわれはあまり高価ではない商品の場合は価格の差がそれほど問題にならないことを発見し、キャラクター別にまとめたほうがいいと気づいた。小馬はここ、テディベアはあそこといったように。

変貌するPOPビジネス

気の利いたマーチャンダイジングのアイデアとして、こんなのはどうだろう。パンティストッキングをプラスチック製の卵に入れて売るのだ！　たしかに少し奇妙ではある。しかし店頭ですぐ見分けられるこのパッケージによって、ストッキングメーカーのレッグスは国内で業界ナンバーワンのブランドに成長したのである。何年も前にブランド名をふせて実施されたモニターテストの報告書によれば、もっとも多くの女性が選んだ商品は、ノーナンセンスというブランドのものだった。このブランドは、たいていレッグスのすぐ隣に陳列されている。それでもレッグスのほうが上位に座っていて、これはマーチャンダイジングの真の勝利である。というのも、理論上は、もっとも品質のいいブランドならそれこそサルでも売ることができるのだ。

小売業にかかわりのない人なら、店頭に置く販促用のマテリアル、すなわち店頭の看板、商品陳列ケース、衝動買いを誘う商品を置く設備などを提供する業界がどれほどの規模か、おそらくわからないだろう。スーパーマーケットやドラッグストアからホームセンターや自動車のショールームまで、現在、店頭購買に付随するビジネス——ポイント・オブ・パーチャス・ビジネス、略してPOPビジネス——と呼ばれる商売は、短期間に大きく変貌した。もちろん、POPの宣材はかなり昔から存在していて、初期のタバコ店の店先に置かれたインディアン像や、理髪店の赤白ストライプのポールもその一例だ。だが、八〇年代の初頭以降、POPは非常に大きな役割をになうようになり、いまや販売の世界でマーケティングと肩を並べるほどの存在になっている。

しかし、それ以前のマーチャンダイジングはマーケティングの継子的な存在だった。マーケティングを担当するエリートは商品の見せ方について全面的に責任をもち、マーチャンダイジングを担当する下っ端には、上が決めたことを小売店のレベルで応用する細かい仕事が残された。店頭の看板やディスプレイである。やがて、両者の立場が入れかわった。買い物客が店にきてから商品を選ぶケースがますます増えていることに、小売業者がにわかに気づいたのだ。別のところでも述べたが、調査によれば、スーパーマーケットで売れる商品の半数以上は計画的に購入されるものではない。こういった状況が進むにつれ、非常に大きかったマーケティングの影響力は徐々にしぼんでいった。いわば同じジャンルの番組だけを放送するテレビネットワークがさまざまな番組を選択できるものに道をゆずり、ブランドに固執していた消費者はもっと用心深くなって、明らかな目的意識をもって買い物をするようになった。そのために、やがてマーチャンダイジングへの依存度が高くなり、この業界はほぼ一夜にして年間五〇億ドルを動かす手押し車から、年間二五〇億ドルを運ぶジェットコースターへと変貌したのである。この商売は昔から、小規模な（現在はそうでもないところもある）家族経営の企業で行なわれてきた。つまり、洗練されてはいないが、根性、活気、エネルギーはたっぷりあるのだ。もっともうまくいった場合でも、これはむちゃな商売である。誕生して日が浅いため、進歩の余地はまだたくさんあり、業者はつねに試行錯誤しながら前進している。事実、過去一〇年のあいだにわれわれが手がけた仕事のほとんどは、店頭看板の効果をテストして評価することや、ディスプレイの決定、何をどうすれば効果的かを見きわめることだった。

マーチャンダイジングという魔術

賢明なマーチャンダイジングによってもたらされる驚くべき魔術のまたとない例がある。私は以前、全国にチェーン店を展開しているある若い女性向け衣料品店の、マーチャンダイジング部門の幹部に話を聞いたことがある。そのなかで、彼女はTシャツをディスプレイする方法について語った。

「単価三ドルで、スリランカから仕入れます」というふうに話ははじまった。

それから国内に輸入し、洗濯の方法について指示するタグを縫いつけます。英語とフランス語で書かれたものを。言っておきますが、シャツがフランス製だというわけではありませんよ。でも、そう思いたい人にそうは思っていただいても結構ですが。それから、マーチャンダイズ作戦にとりかかります。きれいにたたみ、おしゃれな感じをだして平棚の上にディスプレイし、すぐそばの壁には同じTシャツを着た美しいモデルがどこか外国を背景にたたずんでいる写真を使ったゴージャスなポスターを飾るのです。撮影に工夫をこらして、シャツが一〇〇万ドルに見えるようにして。これをエクスペディションTシャツと名づけ、定価三七ドルで販売します。よく売れますよ。

これくらい気の滅入る教訓は、ほかにはちょっとないだろう。

マーチャンダイジングへの理解不足がまねく問題点

自動車のディーラーは、マーチャンダイジングというようなことをまったく考えていないので、逆に何をしないほうがいいかを学ぶことのできるよい手本となる。われわれが調査したある外国車の販売代理店は、まさにそういった学習の総仕上げの場といってもよかった。営業マンはチラシはどっさりくれるが、フォルダーをくれないので、客はちらしの束を手にショールームをうろうろすることになる。カタログ用のスタンドは豊富にあってもカタログ自体は品切れで、これは問題だった。それは、客はカタログが好きだからではなく、この店は隅々にまで目がとどいていないという(間違っていない)印象を客に与えていたからだ。片面刷りのポスターがウィンドウの外側にも内側にも貼ってあるので、何も書かれていない白い長方形がいつも客の目に飛びこんでくる。5章でも述べたが、ある販売代理店で、新型車の販売開始の告知が掲示されていた。だが、これは前年の新型車のものである。掲示物で目立っていたのは、その販売代理店がメーカーから授与された「賞状」の数かずで、客にはあくびがでるほど退屈なしろもの。選択できる色のディスプレイに関しては、本当にひどかった。らせん綴じのポートフォリオが、ダクトテープで修繕されていたのである。さらに、それぞれの色に塗装された車の写真ではなく、カーテンを選ぶのにいいような、色見本のはぎれを寄せ集めたカタログしかないのだ。車の頭上に吊り下げるようにつくられた店頭の案内カードは、テーブルの上に載せてあった。扱っている車種をほめた新聞記事の切り抜きもあったが、きちんとレイアウトされていず、ただ壁にテープで貼ってあるだけ。そのなかには、黄ばんで反り返っているものもあった。こんな状態で、一万二〇〇〇ドルから六万ドルを支払う顧客をサポートするというのだから、まさに驚きだ。

●販促マテリアル

販促マテリアルのデザインや配備をしくじってしまうのは、何も小売店だけではない。販促マテリアルのデザインと製作を手がける（そのあとで哀れな小売店に売りつける）企業が、そういったものを店舗のフロアに送りこむ前の段階でだいなしにしてしまうことも多い。それも、たとえば上塗りをしていないボール紙を素材に使ったなどという単純な原因によってである。そういう素材を使用した日焼けローション用の販促マテリアルが金曜日の夜、あるドラッグストアに届いた。これはすぐフロアにだされ、商品はよく売れた。やがて清掃業者が入ってきて、たいていの清掃業者はそうするものだが、売り場の設備やディスプレイを片づけないままモップをかけた。日焼けローション用のディスプレイは、下部が少し濡れてしまった。土曜日の午後、それは傾きはじめた。そして日曜日の夜、ごみ箱に捨てられることになった。

●商品ディスプレイ

また、商品の半数が売れたあとのディスプレイがどう見えるか、少しも考えられたことがなかった。残った商品は人気アイテムに見えるだろうか、あるいは補充を忘れられたわびしい存在に見えるだろうか。これと関連しているが、たとえばケチャップのボトルなどを手に取ったとき、そのあとがどう見えるかということも一考すべきである。茶色いクラフト紙がむきだしになるのか、あるいはなんらかのメッセージが読めるのか、ボトルの写真が見られるのか。この部分で、大きなちがいがでるものだ。

●活字

それから、まだ問題がある。文字は、二〇フィート離れたところからも読めるだろうか。ディスプレイは、客がへばりついているときにしか効果を発揮しないなら、半分しか仕事をしていないのと同じだ。裏面に何も書かれていない？　側面にも？　そのわけは、デザイナーがディスプレイを店でどう設置されるかを考慮しないため、客がまずどの面を目にするか（見ることがあるとすればだが）を確実に把握していないせいである。

ディスプレイにおける最新トレンド

エンドキャップとディスプレイ用スタンドは、アメリカの小売店の必需品である。効果的なのもそうでないのもあるが、それは店舗に設置されたあとの働きしだいで決まる。店頭の案内もそうだが、実際に使ってみないと良し悪しはわからないのだ。ディスプレイにおける最新のトレンドは、いわゆる動く設備だ。作動装置、とくに可動式のライトがついていて、それで客の注意をひこうというものだ。われわれはさまざまなタイプの設備をテストしたが、そこで思わず感心してしまうような結果がでた。清涼飲料用のクーラーの調査で、動くディスプレイの場合は買い物客の四六％が目をとめ、動かないものの六％を圧倒的に上まわった。動くエンドキャップは三七％、昔ながらの動かないものは一六％だった。だが、ディスプレイが複数あると、ある時点でたがいに効果を打ち消しあうことになる。一所懸命に呼びこみをして客の注目を集めようとするディスプレイがあまり多くなると、それらはたんに謎めいたうなり声をあげるあいまいな存在になり、雑然とした背景の一部と化してしまうのだ。商業の世界のプリンスといわれるジョン・ワナメーカーがかつて言ったことだが（私が簡単に言いかえると）、彼の広告活動の半分は無駄だった。だが、どれがその半分かは自分でもわからないという。現代の販促マテリアルやマーチャンダイジングの戦略に関しても、それと同じことが言えるのである。

●製薬会社の例

かつて、われわれはこんな依頼を受けた。消化不良、胸やけ、吐き気、膨満感など、胃腸の不快な症状を緩和する売薬について、あらゆる混乱を解決してくれるすばらしいアイデアを検討してほしいという。実に恥ずべきことだが、こういった症状があっても、悲しいことにどう対処していいかわからないと、そのまま放置しておく場合が多い。これは、ある製薬会社の調査で判明したことである。こうした症状に悩む客は、レジに、あるいは薬剤師にさえ近づくのを少しためらう（個人的に言わせてもらえば、それを聞いて、はたと思いあたった。私もどの製品がどの胃腸疾患に効くのかよくわからなかったし、人にたずねる気もなかった。おそらくあなたもそうだろうが、私はおならがでて困るときゲップに効く薬を飲んでいたし、下痢の薬と吐き気の薬をごっちゃにしていた）。これらの症状に効く薬については、店頭案内の一種を導入することにした。円柱を倒したかたちの装置の横にダイヤルがついている。自分の症状、たとえば胸やけにダイヤルを合わせると、小さいウィンドウに該当する売薬の商品名があらわれる。これで大丈夫、とわれわれ全員が思った。その後、試作品をいくつか設置して、客が実際に操作するようすを調査したのである。

だが、実は客が操作しないようすを調査することになってしまった。装置はほとんど使われなかったのだ。おそらく、客は調査結果が示していたほど混乱してはいなかったのだろう。しゃれたデザインが災いして、陳列棚に置かれたグレーの装置はあまり目立たなかったのかもしれない。側面のダイヤルは、手でまわすものかどうかさえわかりにくかった。大きな赤い矢印をつければもっとよかったかもしれない。ともあれ、このアイデアが不首尾に終わったため、われわれは胃腸に関する混乱ともう少しつきあうはめになった。

●スパイス製造会社の例

もう一つの例を紹介しよう。ここではアメリカでも指折りのスパイス製造会社が登場する。しかし問題は、スーパーマーケットのために金をかけて豪勢な販促用マテリアルをつくるかどうかといったことではない。その点についてはすでに決定ずみで、ある大手POPマテリアル製作会社の提案にしたがい、一〇〇万ドルという大金を投じディスプレイ用の設備をつくることになっていたのだ。試作品は美しかった。商品をスパイス、エキス、エッセンス、フレーバーのカテゴリー別に陳列するようになっていて、こういうやりかたで成功している他の例はまだなかった。スーパーマーケットはどこの売り場も戦場である。スパイスの場合は二大勢力の争いなので、この設備が店頭に置かれれば、その企業は大事なところで一歩先んじることができると思えた。

設備の試作品が本社に届き、(言ってみれば）実物のオリジナルに接した関係者一同は絶賛の言葉を惜しまなかった。こうして店に設置される運びになったが、売上げにははっきりとしたプラス効果はあらわれなかった。

とはいえ、マイナスの効果も見られず、その点ではよかったのだ。だが、あれだけコストをかけたにもかかわらず、その前に使っていた古いディスプレイとあまり差がなかったのだ。何が悪かったのだろうか。まず考えられたのは、カテゴリー別にスパイス、エキス、エッセンス、フレーバーというふうに分けたディスプレイは、買い物客にとってあまり意味がなかった。カテゴリーなど誰が気にするだろうか。大事なのは食材にどういう効果をもたらすか、つまり味と香りだけなのだ。ターメリックの正しい使い方は？　チキン料理の場合、ローズマリーはどこで使えばいいのか？　スパイスには知っておきたい知識がたくさんあるので、そのいくつかを利用して客の購買欲をそそることができるかもしれない。サフランはどんな香りがする？　そんな疑問に答えてくれるディスプレイならまさに進歩的だが、このディスプレイはそうではなかった。それに、グレー一色（ベージュだったかもしれない）の本社ビルで見れば色とりどりで美しくても、調和とはほど遠い色の洪水で目まいのしそうなスーパーマーケットではやはり事情がちがった。クエーカーオーツ社のシリアルのキャラクター、キャプテン・クランチでさえ大声を張り上げないと気づいてもらえないような環境では、人目をひくのもひと苦労なのだ。

そんなわけで、すてきな新ディスプレイはお払い箱。おそらく、その後にまた新しいディスプレイ・システムが採用されたかもしれない。だが、例のディスプレイのときのプロセスには、最初から不備があった。売り場における製品の見せ方の主な部分は、その企業のほかに外部の三つの業者によって決定された。広告代理店、パッケージ・デザイナー、それからこれら二者の決定をおおむねまったく意に介さないPOP宣材の製作会社である。彼らにはそれぞれ自分たちの都合や優先事項があって、ディスプレイがいったん設置されてしまえば、そのあとは売り場でどういう状況になるか、じかに見てその後に手を加えたりはしない。仕事の予定がたくさんあっても実地で得た教訓を取り入れないのであれば、彼らはこのあとも欠点の多いディスプレイ・システムを次々と送りだすことだろう。

●清涼飲料メーカーの例

最後の例を紹介しよう。ある有名清涼飲料メーカーが大金を投じてスーパーマーケット用ディスプレイを製作し、試作品のテストをわれわれに依頼してきた。私はクライアントとスーパーマーケットに足を運び、一緒に窓から店内をのぞきこんだ。フロアには、ソーダのケースが山と積まれていた。思わず目を見張らせる色をした炭酸飲料の巨大な山である。

「なぜ、あんなふうに雑然と置くのかしら」と、彼女が言った。「雑然として見えるではありませんか」

彼女がソーダをきちんと陳列するよう手配しにいく前に、私はこのままにして一日だけビデオ撮影させてほしいと頼んだ。人の流れを調べたところ、山のそばを通りかかった客の六〇％がソーダの存在に気づいたが、これはあちこちの企業が製作したどんな販促マテリアルもかなわないほどの数字だった。その巨大な色のかたまりこそ客の足を止めるのに必要だということは明らかだった。この例にも学ぶべき点はある。

17 サイバースペースでは、こっそり買い物ができる

一九九八年の春、私が本書の第一版を執筆したころ、インターネットは爆発的に発展しつつあった。多大な影響力をもち、社会に変化をもたらす力となったのである。やがてサイバー革命が到来し、その余波でインターネットは営利を目的とする方向へ、びっくりするほど大きく傾いていった。

一九九八年にはサイバーセックスの話題が世間を騒がせ、われわれはオンラインで出会い、オンラインで恋愛をし、オンラインで結ばれることさえありうることを発見した。

そして、われわれが二〇〇〇年に注目しているのは、そんな話題よりも野暮な、商売の方面に応用されているホームページである。雑誌は明日への期待を書き立て、輝かしい未来を予測した本は飛ぶように売れている。はたしてeコマース（電子商取引）は、前宣伝ほどすばらしいものになるのだろうか。

派手でおおげさな宣伝文句にもかかわらず、eコマースは企業間の商取引というごくありふれた分野に定着することになった。病院、工場、企業は、eコマースが本当に便利で効率のよいものである

ことを実感している。注文書、納品スケジュール、見積り、在庫の問いあわせを一括して処理してもらえる、まさにワンストップ・ショッピングなのである。他企業との商取引をオンラインで行なう企業は、多くの小規模な小売業者と接触をはかることもできる。取引のプロセスは標準化され、何度も戻って手続きが繰り返せるよう設計される傾向にある。したがって、利用者にとって好都合なことに、ホームページをデザインするうえで余計な装飾は排除される。オンライン上で運営されている卸売りの会というわけである。まったく、すばらしいではないか！

個人への販売については、店舗／オンラインを統合して人目をひくホームページ・デザインを生みだすことのほかにも、多くの問題点をみたさなければならない条件がある。われわれが何をどうやって買うかということは、本書で指摘しているように、その根底にひそむより複雑な要素によって左右されるものなのだ。こういった問題は、インターネットに投資する人びとの無謀で非現実的な思いこみによって、さらにこみいったものになる。その結果、企業の成長は、申し分のない実際的なビジネスモデルよりは、株式を公開公募する必要にうながされることが多くなる。

インターネットが煉瓦とモルタルにとってかわるというような発想は、ファンタジー小説にふさわしいものだ。実際、インターネットは煉瓦とモルタルでできた店舗が大きく一歩前進したものなのである。インターネットによって、小売業界では流通とマーケティングをより効率的に統合できるかもしれない。また、小売業者は現実の店舗の場合よりも創造性を発揮できるかもしれない。いくつか例をあげてみよう。

未来のショッピングの姿

ある大手アパレル・チェーンストアのホームページを訪れたとしよう。全国に支店をもち、大勢の人びとが普段着を購入する店である。あなたは名前、メールアドレス、郵便番号をタイプしてから、こう記入する。

カーキ色、ウエスト三四インチ、レングス三二インチ、折り返しつきのゆったりフィットするチノパンツ一本と、黒、MサイズのVネックTシャツを一枚、購入したいのですが、もよりの支店に在庫はありますか？

eメールを送信したあと、一時間ほどしてこんな返事が届く。

パコ・ストリートとアンダーヒル・アベニューの交差点にある支店に在庫がございます。ごらんになれるようお取り置きいたします。または、お客さまのクレジットカード番号はこちらに記録がございますので、会計と商品の包装をすませ、いまから三〇分ないしそれ以後に入口近くのお引渡しコーナーでお渡しできるようにいたします。ご利用ありがとうございます。パンツに合わせて、茶色の革ベルトはいかがでしょうか。

実に単純に思えるではないか。購入する側の利便性の点から見ても、レジ前の行列という拷問から解放してくれることだけで、まさしく一歩前進である。だが、こういったサービスを実行するのに必要なインフラストラクチャーは存在していない。受信メールを管理し、いくつかの店舗の在庫データを参照し（情報がコンピュータ化されていると仮定してのことだが）、顧客からの問いあわせに応じる応答センターが必要になると思われる。

そして、このようにサイバーの世界と煉瓦の世界が結びつけば、それはわれわれすべてにとって大きな意味をもつ。というのも、われわれは古き良きアメリカを舞台にしたテレビドラマ《オジーとハリエット》の村、つまりフェデックス／ＵＰＳが業務を遂行する三時間のあいだにかならず誰かが家にいて、配達物を受け取れる世界に住んでいるわけではないのだ。郊外族を対象として販売をするｅコマースを計画すれば、それはたしかに多くの人びとの役に立つだろうが、その一方で、ｅリテーリング、つまり電子小売業の未来は、現在のシステムのままでは立ちゆかないだろう。

大きな問題として、配達方法をどうするかということがある。解決策としては、われわれが自宅にセキュリティの万全な大きめのメールボックスを設置してもいいし、フェデックス／ＵＰＳの各支局でピックアップ／ドライブスルー方式の受け渡しセンターを運営するのもいい。また、夜間配達専門の企業が新たに出現したり、企業向けの郵便物配達サービスの会社やメールボックスがその方面に手を広げたりすることも考えられる。

それから、企業側に特定された解決策もある。たとえば私が気に入っているアイデアだが、地元の農家の経営する農産物売場はサイバー・スーパーマーケットのなかで営業すればいいのである。そうすれば、私はチーズをつくった人、リンゴを絞ってジュースにした人、魚の内臓をきれいに取ってくれる人などと直接話をして、それからサイバー・マーケットに立ち寄ることができる。そこは、前の晩につまらない品々（ごみ袋、トイレットペーパーなど）をeメールで注文したのと同じ場所なのだ。これなら買い物の楽しみを心ゆくまで味わえるし、頭痛がするようなことはほとんどなくなるはずだ。同じことが、近所のスーパーマーケットの場合にも当てはまる。スーパーマーケットのクローガーのホームページで毎日必要な食料品を注文し、受け取りにいく時間を伝えておく。それから車で（または歩いて）、時代を先取りした小規模なスーパーマーケット、「ニューエイジ」クローガーに出向き、農産物、パン類、惣菜、肉、グルメ食品などを物色し、カウンターですべての会計をすませる。そして、くるりと向きを変え、メールオーダー受け取りカウンターへ行くと、自分の名前のついた買い物袋が用意されていて、すぐにもって帰れるようになっているのだ。店へ足を運ぶには、いまよりもずっと効率のいい、楽しめるやりかたがある。スーパーマーケットは、あいも変わらず冷たい大きな箱のままである必要はないのだ。

もう一つ方法があって、これもメールで注文して店頭で商品を受け取るのと同じくらい簡単に思える。煉瓦とモルタルとオンラインを統合するのである。大型書店バーンズ&ノーブルは、店舗とホームページをまったく別ものにしている。理想としては、たとえばＧＡＰの店舗、ホームページ、カタログがすべてつながっているのがいい。ホームページで注文し、店舗で商品を受け取れる。カタログから注文し、問題があれば店舗のほうに返品できる。店舗を利用すれば、送料や郵便局へ出向く手間を省くこともできる。いまのところ、煉瓦とモルタルとオンラインのインフラストラクチャーは、たがいに連絡しあえるような構造になっていない。ましてや、正確にすばやく相互に伝達しあって仕事をきちんとこなすことなど望むべくもないのである。

インターネット・ビジネスは既存の枠組みをこわせるか

ここで、問題の肝心な点に立ち返ってみよう。インターネットは、それ以外の世界がよりどころにしているビジネスの基本的なルールに当てはめられるだろうか。ウォール街と無責任な投機家たちによって支配されるものなのだろうか。おそらく、煉瓦とモルタルが結びついている場合は、インターネット・ビジネスもそれ以外の世界と同様、十九世紀以来の利益と損失の法則にしたがうことになると思われる。なんたることか。

ちなみに、現実の世界とオンラインの統合に関して発生する問題の一部は予測できる。テッキー（コンピュータ専門の技術者）とは、われわれがインターネットについて少々疑い深くなっているときはサイバー・ジョッキーと呼ぶ人びとのことだが、彼らは誰かが椅子から立ち上がってコンピュータ・ディスプレイの前を離れ、家をでて店に足を踏み入れたくなったら、その人はもっているモデムをしかるべき人にゆずってしまうべきだと考えている。オンラインショップを企画し、ホームページのデザイン、管理、保守を手がけるコンピュータの達人たちにとって、現実の世界とオンラインを統合することなどお茶の子である。だが、彼らにしてみれば、そんなことはインターネットを通じてソフトウェア、本、音源、ポルノやビデオ映像を売るのにくらべてあまり興味がわかないのである。なぜなら、そういったものはまもなくオンライン上でダウンロードして入手できるようになり、消費行動そのものがデジタルで行なわれるようになるからなのだ。純粋にデジタル化された商取引のもつ魅力は、大幅に安くつく(製品化にかかる人件費や原料費など、内部の人にしかわからないコストが含まれない)ことだけでなく、オンラインショップの経営者が流通や配達といった昔ながらの業務について頭を悩ます必要がないこともある。

現在、アメリカの小売販売高の約一%がオンラインによるものだと言われている。もちろん、この数字はこれから大幅に伸びるだろうし、インターネットによる小売販売高が五%から一〇%に達すれば、これはビジネスとして大成功と言える(それでもインターネットを基盤とするいくつかの企業の株価を正当化するにはとうていおよばないわけだが)。しかし、すぐそこに障害がいくつも立ちはだかっている。その最大のものは、商用ホームページには将来、物品販売税を課さなければならなくなることである。そうなれば、現在は値引き販売を行なって客に好評を博しているオンラインショップも、間違いなく大きな痛手をこうむるはずなのだ。

とはいえ、インターネットによって買い物の世界が一変することは疑いようがない。そこで、インターネットが小売店とメーカーの業務を変えるという事実に慣れておいたほうがいい。このツールを理解して上手に利用する企業は、よく理解していない企業に一歩先んじるだろうし、それが生き残るか否かの決定的な分かれ目になるケースさえでてくるにちがいないのだ。

それではここで、オンラインショッピングには可能だが、現実の世界の買い物には不可能なことを考えてみよう。

●選択の範囲がほぼ無限になる

理論上、オンラインショップは売買可能とされているものならどんな商品でも扱うことができる。書籍を例にあげると、一件の大型書店は約一七万五〇〇〇冊のタイトルを在庫できるが、オンライン書店は在庫をどこまでも増やすことができる。二〇〇万タイトル、三〇〇万タイトル、そして五〇〇万タイトルまでも。しかし、実際には倉庫も、補充係も、在庫さえ存在しない（観念上はあるのだが）ため、膨大な数のなかからの選択が可能になるのだ。

●価格を比較できる

検索サイトやショッピング・ボット（ロボットの略――何千、何万というホームページのなかからもっとも安値をつけているところを見つけるプログラム）を利用して、欲しいものを売る小売店を瞬時にいくらでも見つけられる。信じられないほど広い範囲から比較検討して買い物ができるのだ。多くの店をはしごして、いちばん安いところを探すのがばからしくなるかもしれない――とにかく時間は貴重なのだ――が、クリックしながらどこも太刀打ちできないほど安いところにたどり着くまで、どれくらいかかるかという問題もある。

●便利である

家でも オフィスでも、電源と電話線のジャック、あるいは最近では携帯電話や携帯情報端末のパームパイロットなど、ワイヤレスの通信機器のあるところなら、どこでも買い物ができる。曜日も時間もおかまいなしだ。どの店へも、数分もかからずにたどりつける。駐車場を探す手間がいらない。コートを着る必要もない。何も着ていなくたってかまわないのだ。

●高速である

好きなときにホームページを訪れることができ（ただし接続できたときで、混みあう時間帯は話中の場合がある）、自分のペースで閲覧でき（ただしページのダウンロードが速い場合で、ひどく遅いこともしょっちゅうだ）、会計手続きも電光石火の速さですませられる。マウスをポンとクリックするだけで終了ということもある。もちろん、レジ係と親しくおしゃべりするわけにいかないが、長い行列の後尾についてうんざりさせられることもなくなる。

●情報量が多い

オンラインには商品についての情報や資料が無限にあり、瞬時に呼びだしてセーブしておくことができる。現実世界のカタログ、マニュアル、店員の記憶や知識などとはくらべものにならない。この点に関して、インターネットは商品についての、おそらくは公平な評価を顧客に直接提供し、すばらしい成功をおさめている。私はオンライン書店のアマゾン・コム（amazon.com）を訪れて読者による本書の書評を読んだとき、褒めているものとこきおろしているものの両方があって、たいへんどきどきさせられた。情報は、客が自信をもって買い物をするのに役立つものである。

インターネットのもっとも基本的な強みは、いくつかの特徴を特定した検索が可能なことである。したがって、オンラインのみの小売店、いわゆる純然たるインターネット・ショップは検索機能を備え、顧客に特別な商品を提供できる。これは、煉瓦とモルタルの世界では不可能なことである。一つ、わかりやすい例がある。たしかあったと思うのだが、スタジオアパートメント・コム（studioapartment.com）といって、自宅に欲しいと思うあらゆるもののミニチュアを見つけることができるのだ。ラグ、ソファ、洗濯機に乾燥機、コーヒーメーカーなどなんでもある。もう一つ、私の妻が見れば大喜びするものにトラベリントールガール・コム（travelintallgirl.com）というのもあって、いつもあちこちを飛びまわっている背の高い女性のための衣料品を扱っている。このサイトは、毎日アウトドア関連のホームページを検索し、それぞれのページが掲載している何やらつまらないアイテムを二つずつ選びだして膨大な数の品物を提示し、客がそこから自由に選択できるようにしてくれるのだ。

オンラインショッピングに向いた商品

いまのところ、オンラインショップに向いているのは、じっくり比較検討しても、手に取って眺めたり、さわったり、突ついたり、撫でまわしたりする必要のあまりない商品である。煉瓦とモルタルの世界なら生き残れない、いや存在することさえ考えられない店もいいだろう（たとえば、先ほどのスタジオアパートメント・コムのような)。また、オンラインショップは周囲の環境から妥協せざるをえない人びとに救いの手を差し伸べる。私の妹はオンラインショップを利用しているが、それは子供たちがまだ小さいし、妹が断言するところによれば、彼女の夫ときたら野菜を選ぶのが誰よりも下手なうえ、サルサ風味のトマトソースに目がなくて、見ればかならず買いたくなるからだそうだ。

最適なのは株のオンライン売買で、これによって株式仲買人の手数料も底値を打つという、利用者には嬉しいおまけつきである。航空券のオンライン販売も非常に利用しやすい。書籍、レコード(CD)、ビデオも、オンラインで気軽に購入できる。ギフト商品も同様だ。食料品、ワイン、生花、それから衣料品もいいだろう。なんといっても、奥さんに贈るクリスマスプレゼントのビスチェを試着する人はいないだろうから。コンピュータのハードウェアとソフトウェアはオンラインで飛ぶように売れているが、平均的なサイバー・ショッパー像(独身、大卒、三十代、月収六〇〇〇ドルの男性)を考えれば、それも驚くにはあたらない。

現実の店に足を運んで欲しいものを物色し、もっと安く購入できるインターネット・ショップで買い物をする人は数多い。これからは、多くの商品がそうやって購入されるようになるにちがいない。とりわけ高価な商品、たとえば腕時計、マットレス、比較的大きい家電製品など、割引率いかんで大きなちがいのでるものならなおさらだ。買いたいものがあるときは、店に足を運び、一日じゅう見てまわって商品を選び、帰宅してからコンピュータにログオンし、家賃や諸経費や保険料や人件費を払う必要のない小売業者から購入するのである。そうなれば、サイバー・ショップ一本やりの小売業者と、現実の世界で店を経営しながらホームページも運営している小売業者のあいだで本当の戦いが始まる。だが、後者は価格の点で太刀打ちできない。とはいえ、それが敗北を意味するわけでもないのだ。たとえばウォルマート・コム（walmart.com）が店舗ネットワークをデリバリーシステムとして活用し、送料がいらなければこれだけの節約になると宣伝したらどうなるだろうか？

低価格ばかりに固執すると、ばつの悪い思いをすることもある。たとえば、一九九九年の秋、私は各代理店の価格を比較できるホームページを利用して、車を購入した。地元の、私の家から三マイルのところにある代理店にでかけて車を物色し、これ以上は負けられないという価格を聞きだしたあとで、例のホームページをのぞくと、同じ車をそれよりも一五〇〇ドル安く売りましょうという、自宅から三〇マイルの距離にある代理店を見つけたのだ。購入を決め、家まで三〇マイルの道のりを買った車で帰った。ここからがトラブルの始まりだった。代理店が、自動車登録でへまをしたのである。何度も電話で話したあげく、結局は問題を解決するため、貴重な土曜日の午後を二度もつぶし、店とのあいだを二往復することになった。こんなことなら、すぐそこにある店で一五〇〇ドル余計に支払い、腹だたしい気分にならずにすむほうがよかったわけだ。

さて、人間らしさという問題に立ち返ってみよう。オンラインで熟した桃の香りが嗅げるだろうか。たまたま自分の足にぴったりする靴を見つけて、衝動的に三足も買いこんだりできるだろうか。オンラインの衣料品店で、親友にたきつけられて赤いシルクのスーツを買ってしまうというのはどうだろう。ここで、現実の店でしかできないことを以下に三つあげてみよう。

1　さわったり試したりなど、感覚に訴えること。
2　ひと目で気に入ること。
3　他の人とのやりとり。

これらについて注目すべきは、前もって計画された購入行動とはほとんど関係がなく、買い物の感覚的、実験的な側面、つまり一般大衆は大好きだがインターネットにはまだ実現できない、非常に俗っぽい楽しみに大きく関係している点である。

企業ホームページの4つの働きと、買い物客が訪れる5つの理由

マスコミの注目、そしてわれわれ自身のテクノロジーにたいする愛情のおかげで、多くの小売業者がわけもわからぬままホームページを立ち上げている。なかには、オンライン化しないと船に乗り遅れるのではと恐れた人もいる（どんな船かは聞かないでほしい）。ホームページをつくる理由が必要だということが、頭をよぎりさえしない人もいる。ホームページをどう利用するのか、その目的が必要だということを考えないのだ。彼らの頭にあるのは、誰もがホームページを開いていること、ケーブルテレビ局のＣＮＢＣに折れそうな首の上に大きな頭を乗せた賢そうな人びとが出演し、誰もが開

くのは当然だというような口ぶりで話すことである。われわれはすでに、ホームページは質がよくなければだめなことを知っている（魅力を備え、整然としていなければならない）。ネットサーファーは、訪れたホームページが支離滅裂でまとまりがなく、総じて価値がないと感じれば、もう二度と戻ってきはしないのだ。

ところで、企業のホームページには主に四つの働きがある。

1　プレスリリース、最新の（もちろん、できればだが）ニュース、商品情報などマーケティング用の素材を掲載し、企業の紹介とイメージづくりができる。ネットサーファーが検索サイトを訪れて自分の企業の名称をタイプするとなれば、あなたは考えをめぐらし、そういう人びとに公式の宣伝を見せようと考えるはずである。

2　何をつくって（販売して）いるかを知らせ、製品の情報や購入できる場所（とリンク先）のリストを提供できる。店舗では入手できないたぐいの情報を提供することで、客を啓蒙することもできる。たとえば、どのジャンルの音楽にはどのステレオがいいとか、そのステレオはどれくらいの広さの部屋に置けばもっともいいかということなど。

3　店舗の縮小版として、販売している商品の一部——どちらかといえば規格の決まった、オンラインでの購入にもっとも向いている商品——を掲載し、たんにサイバースペースのなかに自分の場所を確保するという目的で利用できる。

4　店舗全体のオンライン版として利用できる。実際、純然たるネット上の小売店なら、それが唯一の店舗ということになる。

これらの働きに対応して、人びとがインターネット・ショップを訪れる理由は五つある。

第一は、すぐに買えること。書籍やレコード（CD）を販売するホームページなら、もっとも簡単なことである。ギフト用でも自分用でも、買いたいものが決まっていれば、それをすばやく見つけ、手早く購入して、あっというまに立ち去れる。

第二は、暇つぶしに商品を物色できること。ネットサーフィン自体、楽しめる娯楽なのだ。買うか買わないかは目にする商品しだい。ごく気軽に購入を決意する場合もある。ということは、問題が生じたり、ほかに気になるものがあったりすれば、いま見ているホームページや選んだ商品はいとも簡単に放棄できるのだ。

第三は、検索できること。インターネットにはモノを見つけるためのすばらしい機能が備わっていて、これは現実の世界ではとてもできないことだ。ネット・オークションの大手、イーベイの成功がいい例である。

第四は、購入する前に情報を集め、スペックや製品に関する批評を閲覧できること。購入はオンラインでするかもしれないし、そうでないかもしれない。

第五は、購入も物色も目的としないが、すでに所有している製品について質問したり、苦情を述べたりするために企業と接触できること。こういう人びとは、企業の多くが設置しているフリーダイヤルのかわりにインターネットを利用する。eメールなら延々と待たされる心配がないことを知っているのだ。

オンラインショップの発展の余地

これら二つのリストの交わるどこかに、オンラインショッピングのもつ意味と可能性がひそんでいる。だが、抽象的な意味以上に、商用ホームページはまだ買い物の世界の石器時代にとどまっている。概して使いにくいデザイン、お粗末なつくりで、サイバースペースを含むあらゆるスペースで人間がどう動きまわるかが考慮されていないのだ。その理由の一部は、疑いもなく、デザイナーと小売業者が別の人間だという事実とかかわりがある。五年ないし一〇年後なら、商用ホームページの世界も少しは様相が変わっているだろうが、いまのところはまだ発展の余地が多くある。

ここで、ある失敗例を紹介しよう。一九九八年に発見したものだが、ありがたいことにいまではそれほどひんぱんに目につかなくなっている。つまり、ホームページのなかでできることとできないことが明確にされていないという例である。ヤフーのような検索サイトを使って小売業者のホームページを訪れると、小売りはしていなかったりする。これではまったく矛盾しているし、小売業者の自信と野心の欠如を示すことでもある。ある大手小売店が運営しているホームページは、アイテムの一部が購入できないようになっているため、訪れた客を確実にいらだたせてしまう。一所懸命に新型車の売りこみをしているホームページはいくつもあるが、訪れた人がオンラインで車を購入できないと気づくまでにはしばらく時間がかかる。そういったサイトは、次に車を買いかえるときに選ぶ車種を検討するという場合、型、デザイン、色、オプション、価格など、多くの情報を提供してはくれる。だが、その後は最寄りのディーラーに、車を欲しがっているクライアントがいることを知らせるだけである。そんなことは、電話と新聞を利用すれば自分でできるのだが。

現実の世界の場合、店内に一歩踏みこめば何を売っているか、どんなサービスを受けられるかが即座にわかる。サイバースペースでは、こんなきわめて基本的なことでも謎解きゲームのようになってしまうのだ。

入口付近にレジコーナーを置かなければならないという現実世界の法則は、オンラインの場合にも当てはまる。ホームページを訪れた客は、慣れるまでに多少の時間と空間が必要だ。次々とあらわれる情報や商品の選択肢に備え、心を落ち着けて周囲の様子をうかがって、現状を見きわめるのである。ホームページに掲載する文字があまりにも多すぎると、客はその大半を見落としてしまう。選べる商品のすべてが入ってすぐのところに並べられていれば、客は閉口してしまうだろう。だが、われわれの見たホームページのなかには、ぎっしりとつめこまれた文字が堅固な壁のように立ちはだかっているものもあった。そういう例もいまでは少なくなりつつあるのだが。

ホームページには、いくつかの階層が設定されていなければならない。最初のページの仕事は、そこが何のホームページか、その「店」がどういう構造になっているかを簡単に伝えることだ。客は、いまいるのが広大な格納庫のような巨大店舗なのか、小さなブティックなのかを知る必要がある。それから、入口や通路への行き方も知らなければならない。男性用衣料品のある場所にはどこから行けるか、商品情報はどこにあるのかといったことを明示していなければならない。

ホームページは人目をひくデザインにし、余白を十分にとって文字を読みやすくしなければならない。それから文字は、最高の状態とは言えなくても、平均的なモニターで読める大きさにするべきだ。サイトごとにわざわざブラウザーのフォントを変更する人などいない。ホームページには店頭の看板や掲示およびディスプレイのデザイナーと同じ考え方を取り入れるべきだが、そうしている例は少ない。ホームページ・デザイナーの大半が若く、コンピュータに精通していて、彼らの価値観でデザインの傾向が決まるために、われわれ一般大衆は困ったことになってしまう。私が見たことのあるホームページのなかには、新聞の広告欄のもっとも小さい活字よりもずっと小さい文字が並んでいるものさえあった。

ホームページを訪れたら、実際の店舗の場合と同様、目的の場所がどこかを見定め、なるべく迷わずにたどりつくことが肝要だ。極端な例をあげてみよう。かなり有名なある食品雑貨店のホームページは、この点に関して最悪の部類に入るものだった。ログオンすると、まずこんな謎めいた言葉が目にとびこんでくるのだ。「すべての売り場にまた戻ってください」。どういう意味なのか、当てずっぽうにでも言える人がいるだろうか。客が最初に見るところにこんな言葉をのせるなんて正気の沙汰とも思われない。

われわれは、赤ちゃん用のおむつを探すことにした。赤ちゃん用品のカテゴリーにあるのでは？　いや、なかった。少なくとも、画面にあらわれた選択肢には含まれていなかった。子ども用品では？　いや、そこにもなかった。もう知りたくもないかもしれないが、正解は「非食品およびペット用品」だった。

なかに入って「赤ちゃん用品」を選ぶと、そこにおむつはあったのだ。ベビーフードのセクションもあり、画面いっぱいに並んだ商品の選択肢には、いちいち画像がついていた。瓶があまりに小さいため、ラベルの文字はまったく読めなかった。それは、このホームページ全体について言える問題だった。子供用の歯ブラシの画像など、小さすぎて爪楊枝かと思うほどだった。それから、「グルメ食品」をクリックすると、まずあらわれたアイテムはパワー・バーというものだった。このごちそうには画像がついていなかった。ただカメラのイラストがついていて、「画像は近日掲載」という文字が入っているだけだった。近日とは数秒後、あるいは数カ月後という意味だったのだろうか。われわれはいまだに待っているのだが。

ホームページ内を行ったり来たりするときは、ブラウザーについている「戻る」ボタンに頼るのではなく、画面のなかの指示ボタンを使えるほうがいい。店の「なかに」入ったときは、外にでることなく、あちこち行ったり来たりできるべきである。だが、こういった法則を無視しているホームページは数多い。サイバーショッピングの世界は、いらいらさせられるつまらないトラブルにこと欠かない。たいへんよくできたサイトさえも、その罪はまぬがれない。ある衣料品店のホームページでは、入ろうとするとエラー・メッセージがあらわれるのだが、実際はたんにそのサイトが混みあっていて入れないだけだったりする。それから、別の衣料品店のサイトでは、われわれの注文したアイテムが在庫切れだったとき、その通知がなんと、郵便で届いたものだ！

言うまでもないが、テッキーたちはホームページに単純な処理をさせるだけで手一杯である。それに、つくりを複雑にして新しい試みをするのはいいが、メンテナンスに手がまわりかねるのであれば、ひんぱんに更新してきちんと管理できるシンプルなサイトのほうがいいと考える傾向がある。スタッフ不足で季節ものの商品を扱うセクションをつねに更新できないなら、そんなセクションはないほうがましだ。サーバーの都合で画像の読みこみが遅い場合、画像はあまりたくさん使わないほうがいい。《ニューヨーク・タイムズ》紙の最近の調査に、企業のホームページにeメールを送るとどれくらいで返事がくるかというものがあった。結果として判明したのは、あまり驚きもしないが、届いたメールに返事を書くことは大半の企業で優先順位が低いという事実だった。つまり、きちんと対応してもらえると思ってメールを送った顧客は、ほとんどの場合まったく期待を裏切られるのである。こういう企業のなかには、ホームページなどなかったほうがもっと小さいダメージですんでいたと思えるところさえある。

一九九九年のクリスマスシーズン、歴史的には最初のインターネット・クリスマスと言えるが、私はインターネットを利用してできるだけ多くの買い物をしてみようかと考えた。だが、成功したのは三回に一回の割合だった。アメリカンガール・コム（americangirl.com）では、私の住む州のアドレスコード「NY」にどうしても入ることができなかった。結局、手続きを完了するためにフリーダイヤル・サービスを使ってカタログ販売部門に連絡するはめになった。ホームページにはカタログのストックナンバーが掲載されていず、私は電話の交換手を相手に、姪のミランダに贈りたい人形とアクセサリーがどんなものかを説明するのに四苦八苦したものだ。アマゾン・コム（amazon.com）でさえ、問題が発生した。ギフト用ラッピングのページで、私が緑色のラッピングを選んでクリックするたびに、コンピュータがクラッシュしてしまったのだ。そんなことが、少なくとも三回はあった。

在庫切れ、手続きの不首尾、請求書の間違いなど。これは悪夢そのものとは言えないにしても、オズの魔法使いのドロシーが帰ろうとするカンザスの話のようだと言ってすませるわけにもいくまい。

サイバー・ショッピングがどれほど楽しいか、あるいはこれからどれほど楽しいものになるかという話題はしょっちゅう耳に入ってくる。非常に斬新でわくわくするようなホームページには、音響効果（笑い声やおならの音など、なんでもありだ）、動くグラフィック、試着するための自分自身の画像、おしゃべりのあいまに二人で一緒に使える買い物カゴなどが備わっている。ある企業など、デジタル化された情報を受け取ってある種のオイルを混合し、現実ににおいをつくりだす装置をテストしているという。この話は、いまのところは信憑性が薄いし、広く知れ渡ってもいないが、ことによると熟した桃がオンラインに登場する日がいつかやってくるかもしれない。

サイバーの世界は、まだまだ発展途上なのである。

18 店舗診断法

私はときどき、クライアントに科学者もどきの実験をしてもらうことがある。一緒に店のある場所に立ち、三〇分ほど店内を観察してもらうのだ。これは禅と非常によく似た経験になる。動かずにただ見ていると、それまで見えなかったものが見えてくるのである。一分後に見えなかったものが五分後に、五分後に見えなかったものが一〇分後に見えてくる。私はクライアントと、たとえば出口のそばに立ってこうたずねる。

「さあ、何が見えます？　たったいま、あのお客は何をしましたか？　あの母親ですが。ベビーカーを押しながらどうやってドアを開けました？　あの男性が困惑しているのはなぜだと思います？　あの二人、ここで何をしているんでしょう。どちらが買い物客で、どちらがつきあいで同行しているんでしょうかね？　あの女性はあそこにあるディスプレイをどうしました？　彼女の行動は、あなたの予想したとおりですか？」

答えがおのずと浮かび上がるまで二人でそこに立ちつづけると、やがてそのクライアントは、われわれがせっせと観察し、数をかぞえ、時間を計り、ビデオをまわす理由を理解してくれるのである。

基本的なレベルで言えば、何を売っていようと、またどんなふうに商売をしていようと、店というものはすべて似通っている。われわれがここで扱っているのは、小売業の周囲を取り巻く環境と人びととのかかわりあいにつきまとう問題なのだ。この観点からすれば、銀行もレンタルビデオ店もスーパーマーケットも同じである。教訓は全般的に当てはまるものだ。そこで、あらゆる種類の店に使える自己診断の方法を披露しよう。本書は書籍なので、書店を例としてやってみよう。

店舗の自己診断のステップ

ステップ1

まずは、小売業の周辺を評価するには最適な条件をもつポイント、つまり店から半ブロック離れた地点に立ってみる。ここで最初の問題点が見えてくる。どこが書店かわからないのだ。建物はよく見えるが、書店がここにあると教える大きな看板や本の模型のようなものは何もない。たしかに、常連客なら場所を知っている。しかし、それ以外の客でこの同じ場所に立ち、きょろきょろして店の場所を探す人が何人いるかわからないではないか。それから、毎日この通りを歩く人びとがふと思いついて立ち寄るかもしれないのに、場所がわからなければ立ち寄れない。三〇分ほど暇ができてコーヒーショップを探しているとき、ふと書店の看板が目に入れば、こう思うはずだ。やあ、あそこで立ち読みでもしよう。コーヒーも飲めるかもしれない！（実際、その書店にはカフェもある。）この店は、どこからもはっきりと見える大きな看板がないために、こうした気まぐれな客を何人も逃しているのである。

ステップ2

それでは、もっと近くに寄ってみよう。入口のすぐ外である。ここなら看板はよく見える。だが、ウィンドウに何があるだろうか。そう、本だ。ほかには？　ウィンドウは大きく、幅も高さも十分だ。外はかなり人通りが多く、歩行者やベビーカーや自転車がひんぱんに行き来していて、おなじみの危険がひそむ都会の雑踏といったところだ。これらを頭に思い描けば、本くらいの大きさのものに目をとめるのは至難の業だとわかるだろう（足早に歩くママのベビーカーに轢かれないよう、注意していればなおさらだ）。同じ問題は、ドラッグストアや文房具店や金物店のウィンドウ・デザインにも当てはまる。商品が小さいので、ディスプレイがお粗末になってしまうのだ。事態のさらなる悪化を招いているだけなのだが、板ガラスに反射防止フィルムが貼りつけてあったりする。ガラスの向こうが見えにくいうえ、汚くもあって、ウィンドウ・ショッピングをしている客にとっては邪魔になる以外なんの効用もない。

これだけでも、すでに本は目立たない。たとえば洗剤やアイスクリームなどの場合とはちがって、本の装幀者は自分のつくっているものが商品パッケージにあたるものだとは考えたがらない。彼らにとって、それはパッケージというよりも美術作品、文学表現の媒介物、あるいはその両方なのだ。したがって、本のカバーはパッケージの良し悪しの判断基準となる販売効果だけでは評価できない。本のカバーには五つのメッセージが印刷され、見る人の目をひこうとして競っている。本のタイトル、サブタイトル、「小説」という表示、著者名、著者のこれまでの作品。そして、テレビの人気司会者オプラのブッククラブに選ばれたという印の丸いステッカーもついている。それから、ぼんやりしたイメージ画が一点。実は二つあるのだが、いかにもアートっぽい雰囲気で一つに重なっているのだ。色はどうだろう。紫色を基調にし、そこにくっきり映えるとは言い難い色で活字が組まれている。これら全部を、前を通り過ぎる一秒半のあいだに、すべて見てとらなければならないわけだ。

ウィンドウ・ディスプレイが効果的なのは六フィート離れたところが範囲なのだが、世界最高のウィンドウ・デザイナーでさえ、六フィート離れたところからこの本を見えるようにすることはできまい。業界によってはメーカーが小売店の意見を採用し、店の環境に最適のパッケージ・デザインを決める場合もあるが、出版業界ではそういうことをしない。概して、エンターテインメント系のメディア、たとえばCDとカセット、ビデオ、書籍は、マーチャンダイジングを念頭においてパッケージをつくろうとはあまり考えていない。したがって、本のカバーがもっとよく（あるいはもっと大きく）ならないかぎり、書店のウィンドウにはカバーを拡大したものを飾るなど、ディスプレイになんらかの工夫が必要なのだ。

ステップ3

さて、いよいよ店内に入っていこう。本は持ち運びやすいとは言えず、それも数冊を手にもちながらコートや鞄をかかえている場合はなおさらだ。だから、カゴは絶対に必要である。これはわれわれが何度も議論を重ねてきたことだが、非常に大事なので繰り返すのも当然だろう。あえてもう一度言おう。われわれの調査によれば、買い物客がもっとカゴを利用するようになれば、売上げは自動的に伸びる。この書店の場合、これまでに訪れた書店の九〇％がそうだったように、カゴは入口のすぐ横にひっそりと積み重ねてあった。これではまずい。客の目に入らないのだ。なかのほうへもっていき、もっと目立つ何カ所かに置くべきである。この点はこれまでに繰り返してきたことだが、この先もずっと言いつづけよう。

ステップ4

さあ、店のなかに入った（やっと！）。最初に目にとびこんでくるのは、右側のカレンダーだ。いまは八月だ。八月に来年のカレンダーを買う人がいるだろうか。おそらくいない。だが、それでもカレンダーはずらっとディスプレイされ、前面右側の一画を占めている。ここはどんな種類の店でも一等地だというのに。十二月なら、ここにカレンダーを置くのもよい判断だろう。だが八月となると、季節の売れ筋に合わせて商品を移動させるのを店長が面倒くさがっているとしか思えない。この店のカレンダーは、かなりの長期にわたって陳列されていると推測していい。最近とどいたボール紙製のスタンドで一部が陰になっていることからも、それがはっきり見てとれる。実際、数台あるスタンドの一つがカレンダーのディスプレイのすぐ前に陣どっていて、これをどけないことにはカレンダーに手が届かない。だが、そこまでする客はまずいないだろう。

また、入ってすぐのところに箱が置いてあり、なかにはその月に店頭で行なわれる著者による朗読会などのイベントを告知するチラシが入っている。告知のチラシは結構だが、置く場所が悪い。書店に足を踏み入れたとたん、広報用の印刷物を読みはじめる人などいないはずだ。そんなことは、客が本を買うときの主な行動——歩きまわり、本を眺める——とは両立しない。両立しないのだから大部分の客がチラシを無視し、店側が考えに考えたマーケティング計画は思ったほどの成果があがらないことになる。目的の遂行をめざして行動する客によそ見をさせようとしても徒労に終わることは、あらゆる種類の店でわれわれが何度も目撃してきた。もう一つ例をあげれば、銀行へ行って預入伝票を記入しようとしている客は、休暇のためのローンに関するパンフレットなどを読む気にならない。インストア・メディアは、客が移動の途中で自然に立ち止まる場所に置く必要がある。そうすれば、わずかでも読んでもらえる望みもでてくるだろう。

ステップ5

この書店の前面の部分について最後にチェックするところは、会計／包装コーナーである。ここは、あらゆる客が同じ方向に顔を向け、じっと立ちんぼうで過ごす場所なのだ。客の時間感覚について取り上げたときにも述べたが、こういう願ってもない機会をうまく利用する方法があって、この店もなかなかうまくやっている。だが、あと一歩のつめが甘い。たとえば、購買欲をそそるしおり、ポストカードなどの商品がいくつかディスプレイされているが、少し遠いところに置いてあって、列に並んで退屈をもてあましている客の手が届かない。その結果、客はうんざりするし、商品は売れないことになる。《ニューヨーク・タイムズ・ブック・レヴュー》の最新号のスタンドを置いたのは非常にすばらしい判断だ。しかし、レジのはるか左の出口付近に設置されていて、客は会計をすませたあとでないとそこへ行けない。それでは遅すぎる。列で待つ客を楽しませるための用意がまったくないわけだ。レジのうしろに何か吊り下げてあるわけでもなく、読める店頭の掲示も、物色できる商品の陳列棚もない。会計待ちの列ができるところは、入口のところで役立たずになっているチラシを置くのにうってつけの場所なのだが。客は、自分の本を選んでしまえば他の読みものに目を走らせる気にもなる。それに、意外かもしれないが、書店で会計を待つ客はほとんどが自分の選んだ本を見たりはしないものだ。

ステップ6

さて、ついに本が並んでいるところまでやってきた。このごろはたいていの書店がそうだが、ここでも新刊と話題の本が平積みされている。書店と退屈で古臭い図書館とを区別する画期的な配置である。図書館なら、本は背表紙を見せて並んでいるだけなのだ（最近は事情が変わってきたが）。平積みは本の見せ方としてはすばらしいが、買わせるという観点からすれば完璧とは言い難い。平棚に商品を補充する係の店員は、できるだけきっちりと仕事をしようとする。まさに命がけできれいに並べようとする。その結果、客は本を手に取るのさえ気がひけることになる。誰かが一所懸命にやった仕事を台なしにしてしまうような気になるのだ。われわれは書店の調査で何度もビデオ撮影をしたが、本の山に近づく客に、ためらいの気持ちがありありと見てとれた。これは、細心の注意を払ってつくりあげられた美しいディスプレイが、実は買う意欲をそいでいる例の一つだ。12章のベーグル店の場合でもそうだったが、われわれはこうしたクライアントにたいして、少しだけ乱雑な感じにするようアドバイスする。商品が持ち去られたような穴を開けたり、少し曲がった並べ方をしたり、でたらめな置き方をしたりして、手に取ってもいいことを客に伝えるのだ。

平棚から本を取りにくくしている障害物はもう一つある。それは客の買い方を仔細に観察していればよくわかる。一〇冊ほどの本の山がいくつか並んでいて、それぞれの山のいちばん上にはプラスチック製のブックスタンドがあり、そこに一冊が表紙を見せて置かれている。ブックスタンドの本を買いたがる客はいないない。商品ではなく、ディスプレイに思えるからだ。それに、手あかまみれかもしれない。そこで、その下の山から一冊取ろうとして、ディスプレイされた本を持ち上げ、もう一方の手でブックスタンドを持ち上げ(あるいは、おずおずと片手で両方を持ち上げ)、しかるのちに山のなかから一冊抜きだすということになる。客がすでにコート、鞄、別の本など手に何かもっていれば、平棚から本を手に取るのは、容易にはできないちょっとした離れ業になる。

そうは言っても、ここの本を手に取る客は多い。たいていの小売店では、客が長くもてばもつほど、その商品を購入する確率は高くなる。書店の場合は、その逆だ。本を六〇秒吟味していた客は、三〇秒の客よりも購入率が低いのだ。もちろん、まったく買う気がないために、あえて念入りに中身を吟味する人もいる。これはと思える本、あるいは書評で絶賛されていた本を見つけた人なら、手に取ってカバーの文字を読み、著者の写真を確認し、中身も一、二ページは読むかもしれない。これはほとんど本とその著者のアイデアにたいする礼儀としてである。長々と立ち読みをしている人は、購入を思いとどまるよう自分を説得しているのかもしれない。いずれにせよ、こうした状況が生まれる原因の一部は、書店の本質的な部分とかかわりがある。つまり、書店はあてもなく冷やかすのにもってこいの場所なのだ。暇をつぶしながら、人びとの意見を知ることも、新聞やテレビで取り上げられている話題をチェックすることもできる。その点、セーターの陳列棚ならそれほど知識を仕入れられないだろう。それに、他の店の場合とはちがって、書店の客は購買欲にかられてやってくるとはかぎらない。われわれがある書店のチェーンストアを調査してわかったことだが、ショッピングモール内にある支店はそうでない支店にくらべて実際に本を買う客の数が少なかった。買わない客はとくに男性に多く、その理由は明らかだった。つまり、奥さんや恋人や家族が別の店で買い物をしているあいだの時間つぶしにきているのだ。こういう男性の場合、店を冷やかすパターンもふつうとはちがっている。独立した支店なら、客は入店するとまっすぐどこかのコーナーに向かう。ショッピングモール内の支店では、なかに入ると当てもなくさまよい、さしたる目的がないように見える。これこそ、書店がショッピングモールから撤退する理由である。高い家賃に見合うだけの売上げが見込めないのだ。

新刊の平棚を過ぎると、昔ながらの書店らしい光景にでくわす。本棚だ。高さが六フィート半くらいはありそうな木製の本棚が、何ヤードもずらりと並んでいる。賢明にも、この店は読者のタイプ別にコーナーをまとめている。たとえば、料理、健康、家庭、セルフヘルプなど、すべてが一般に「女性」が興味をもつもののコーナーがここ、コンピュータ、ビジネス、スポーツのコーナーがあそこと「隣りあわせの法則」を生かしている。それぞれのコーナーにはエレガントな小さい表示板がついているが、あまりにも小さすぎ、エレガントすぎるので、困ったことに一〇歩も離れると読むことができない。「写真集」という表示が写真集のコーナーの前に立っていないと読めないなら、なんの意味もないではないか。

書店の本棚の配置についてよくある問題は、事務的で気が利いていないことだ。閉所恐怖症をかきたてそうなところさえある。本棚を上へ上へと高く積み上げるのがふつうになってしまったのは、いったいなぜだろう。家庭でもそうだから？　ばかげた理由である。家庭用品や衣料品の店が同じように考えたらどうなるか、想像してみてほしい。皮むき器を買うのにキッチンの引出しをかきまわしたり、セーターを買うのにクローゼットをあさったりすることになるではないか。背の高い本棚にはさまれた狭い通路など、ディスプレイ計画としては想像しうるなかでも最悪である。われわれが行なった調査のほぼすべてにおいて、時間とスペースに関するはっきりしたデータが得られた。つまり、ある一つのエリアで客が過ごす時間の長さは、その人を取り巻く連続したスペース（実際的にも実感的にも）の大きさと正比例するのである。したがって、店内のある売り場が広々と見え、どの方向にも自由に行けて見通しもいいときには、長居したい気分になるわけだ。一方、人ごみに閉じこめられたように感じるときは、あるいは店の構造やディスプレイのせいでそう感じるときも、目の位置よりも高いものや腰の位置よりも低いものにわざわざ目を向けようとする人などほとんどいない。とりわけ、下のほうにある商品は見づらいので、どうしてもという事情でもなければ見はしないだろう。その結果、アルファベット順の不運のせいで存在を無視される本は損をしてしまう。ばかばかしいシステムである。商品の並べ方を決めるのに、アルファベット順を採用している店がほかにあるだろうか。CDがそうだって？　そのとおり。だが、水平方向にディスプレイされているので損になることはなく、本にもこの方法を試してみたほうがいいかもしれない。せめて最下段の棚の本を少し見やすくするために、ビーズを詰めた椅子や大きなクッションを置くべきだ。あるいは、下段の本は表紙を表に少し上向きに傾けて置き、なんとか客の目にとまるチャンスを与えたい。だが、そういう手を打ったとしても、書店の最下段の棚は、小売業界全体を考えてもまさに最果ての地、極寒のシベリアであることは変わりがないだろう。

ステップ7

さあ、ここでまた書店独自の画期的なコーナーにいたる。椅子である。あらゆる小売店がこのように座る場所を提供すれば、買い物客やその連れにとっていまよりもずっと利用しやすくなることだろう。椅子が登場したことで書店の雰囲気はがらりと変わり、以前よりもはるかに人の集まる「第三の場所」となった。家庭でも仕事場でもないが、快適に時間を過ごせる場所である。そして、客が店内で時間を過ごすのは、たいてい購入行動の起こる前兆である。だが、椅子を設置した人物はそこに座ってみたことがなかったにちがいない。椅子から店内を見渡しても、見る価値のあるものは何も目に入らないし、座っている客向けの掲示やディスプレイは皆無なのだ。客が長居する場所にはなんらかの情報伝達手段を考えるべきで、ここは店頭の掲示を時間をかけて見てもらう場所としては最適なのだ。

ステップ8

最後にもう一つ。インフォメーション・デスクの脇の、壁の上のほうを見てほしい。何が見えるだろうか。今週の《ニューヨーク・タイムズ》のベストセラー・リスト、あるいはそれをコピーした薄汚れた紙がテープで貼りつけてある。その隣には、モダン・ライブラリーの「二十世紀の小説ベスト一〇〇」というリストをコピーした汚い紙。こういった便利で役に立つ情報が、これほどみすぼらしくディスプレイされている例をほかに見たことがあるだろうか。こういうリストは拡大コピーし、店の前面の目立つところに貼りだすべきである。レコード店は客がリストを好むこと、とりわけ情報のメモとして役立てていることをよく知っている。そういうことがわかっていない書店は多い。私なら、店の前面にリストを掲げるだけでなく、その下に本をストックしておく。それどころか、ベストセラーのトップ一〇〇に入る作品は特別扱いにする。一〇〇冊のすべてを購入する客には価格を割引し、本を収納するための上質な書棚を特別価格で提供するだろう。大勢の客がこれにとびつくだろうか。いや、そうはいかない。だが、買う人も何人かはいるだろう。レコード会社はモーツァルトの作品集を、一〇〇枚を超えるディスクを収納する巨大なボックスセットにして売りだし、コレクター相手にかなりの数をさばいている。書店は本の収集家に照準を合わせないし、そういう分野を開拓しようともしないが。それはなぜなのだろう。書店は、レコード会社の例に見習えば、大きなマーケットをみすみす失わないですむのだが。

それから、今日の書籍販売を推進する例の一大勢力、オプラ・ウィンフリーのブッククラブにも便乗するといい。リストにある本を全部まとめて陳列し、コレクションのすべてを購入する客には特別なサービスを提供する。そういう客は何人いるだろうか。多くはないだろうが、間違いなく数人はいるはずだ。出版社と書店は定価二七ドルの本を一冊ずつ売ることばかり考えているので、うまく工夫してセット販売をし、一度に一〇〇ドルないし一〇〇〇ドル単位の売上げを手にすることなど考えもしないし、そのための努力もしない。多くの場合、書店は本の販売方法について、出版社が本を出版する方法に合わせていて、客が本を買う方法のことは考えに入れない。チェーンストアではない独立した書店が、顧客の好みや気質を知りやすい立場にあることを考えれば、これは大きな見落としだ。大型書店のチェーンストアやオンライン書店が大きな顔をしている書籍販売の世界で、独立した書店が生き残って成功をおさめるには、このやりかたが有効かもしれないのである。

異なった分野の小売店に学ぶ

この章の初めのほうで述べたように、基本的なレベルではどんな種類の店も似通っていて、すべてに共通する機能というものがある。ということは、まったく異なった分野の小売店同士でも、おたがいに学びあうことはできる。

●レンタルビデオ店と書店

たとえば、われわれが訪れた例の書店、そして私がこれまで見てきた書店の大部分は、出口に向かう客のためにまたこようと思わせるメッセージを用意することを考えていなかった。その点ではレンタルビデオ店は優秀であり、もうすぐリリースされる新作ビデオの情報を貼りだしている。なぜ書店は、たとえばあと一週間でスティーブン・キングの新刊が発売になるといった情報を客に提供しないのだろうか。レジのうしろにそんな掲示があれば、列に並んで退屈している客の暇つぶしにもなるのだが。

また、レンタルビデオ店のほうにも書店に学ぶべきところはある。書店は商品を売るだけでなく、それ以外のことにも力を注いでいる。著者を招いたり、討論会、朗読会、子供向けのイベントのような催しを店頭で開催する。カフェを併設した書店は珍しくなく、もう当たり前だと言ってもいいほどだ。なぜレンタルビデオ店は、映画ファンのための討論会を催したり、脚本家や映画評論家や映画研究家を招いたりしないのだろうか。マーティン・スコセッシの監督作品を研究するクラブをつくれば、スコセッシの古い作品や、彼が影響を受けた作品さえ、繰り返しレンタルされることは確実である。このごろはいたるところに熱心な映画ファンがいるから、レンタルビデオ店はそこを利用し、書店が文学を紹介するのと同じようなことをすればいい。レンタルビデオ店が書店を見習ってほしい部分はもう一つある。ビデオのケース・デザインは、映画のプロデューサーと主演俳優のあいだの法的同意によって規制される。その結果、映画のポスターとまったく同じデザインになってしまう。これはよくない。サイズが大きいときは効果的だったデザインも、ケースのサイズに縮小すると、たいていはぱっとしなくなるからだ。客のニーズに合わせてケースのデザインを変えられる自由を得るため、レンタルビデオの小売店は戦うべきである。書籍の場合、ペーパーバックの表紙はたいていハードカバーのときとはちがうデザインになるので、新鮮な印象になり、好評を博することになる。ビデオも、リリースしてから数カ月たったら、ケースのデザインを新しくし、たとえば主演俳優や監督の最新のヒット作品と連動させたり、そのビデオ自体がいかに好評を博しているかを宣伝する文句を入れたりすればいいのだ。

●コンビニエンスストアとスーパーマーケット

一段低く見られているコンビニエンスストアにも、他の小売店が学ぶべき点は数多い。コンビニエンスストアは、それこそサルにもわかる簡単な戦略を用いて、スーパーマーケット業界と互角に張りあえる存在になった。つまり、非常に利用しやすく、非常に便利な店をつくったのである。コンビニはとりわけ女性の生活の変化に注目したが、これはきわめてすぐれた着眼だ。女性がフルタイムの仕事をもつようになったため、週に一度だけ多量の買い物をすることは、アメリカの多くの家庭ではすでに過去の習慣となった。結婚年齢が上がったことも、この傾向に拍車をかけている。その結果、いまやアメリカ人はこまめに食料雑貨を買いにでかけ、一度に少量ずつしか購入しないようになった。しかも、買い物はつねにそそくさと行なわれる。こういったことのすべてが、コンビニの強みとなっている。スーパーマーケットよりも割高だが、ベビーブーム世代に言わせると、利用しやすさを考えればそれも許容範囲なのである。

また、コンビニは情報を伝達する媒体の設置場所に関しても優秀である。ガソリンの代金を支払うために並んでいる客の目は、三カ所――自分の車（盗難にあっていないかを確認する）、手もとの現金（釣り銭が合っているかどうかを確認する）、店員（人間は人間を見る習性がある）のうちのどれか――に向けられているはずだ。コンビニはこうした客の視線を目いっぱいに利用し、店頭の掲示や購買欲をそそる商品を入念に配置して、客がそちらに目を向けるよう工夫しているのである。

実際、スーパーマーケットはついに目を覚まし、コンビニ業界に地盤を侵蝕されていることを自覚すると、この小さい挑戦者の強みの核心をつかんで、新しい販売方法を考えだした。6章で述べたように、スーパーマーケットの店舗設計で肝心なのは、乳製品の冷蔵ケースを奥に配置することである。そうすれば、毎日の必需品を買うために、客は他のあらゆる商品陳列棚の前を通らなければならない。だが現在では、入ってすぐのところに小型のコンビニをしつらえ、牛乳などの必要不可欠な食料品を陳列し、客が商品を取ってからすぐ会計をすませて帰れるようにしている店もある。客は店の奥まで長々と歩くかわりに、入口の周辺をぐるりと一巡りすればいいわけだ。

スーパーマーケットのかかえていた大きな問題は、客が広大な店内に目新しさも刺激も感じられないと思いはじめたことだった。そして、店の多くは小規模な専門店に切りかえた。つまり、かつてはとくに仕切りもないだだっ広い空間だったところが、いまやベーカリーカフェ、銀行の支店、薬剤師の常駐するドラッグストア、ハーブ薬といった商品を扱う専門店など、小規模な店のように見える売り場の集合体になったのである。スーパーマーケットは働く女性の要望に応え、食品加工も手がけるようになった。鶏肉は精肉カウンターでも焼肉コーナーでも買えるし、レタスは野菜コーナーでもサラダバーでも買える。

また、スーパーマーケットは独自のストアブランドを展開している。遠い昔、そういった商品は経済的に余裕のない人びとが買うものだった。簡素で画一的なパッケージも、そんな概念を裏づけするものだった。だが、現在ではまったく逆で、ストアブランドの商品は陳列棚のどの商品にも劣らぬ華美なパッケージに包まれている。なかには方向転換の度が過ぎて、商標権侵害すれすれに、大手メーカーのパッケージ・デザインそっくりのものさえでている始末だ。

●コンビニエンスストアとドラッグストア

それから、ドラッグストアもコンビニを見習うことから得をする。とくに、全国展開しているチェーンストアならなおさらだ。現在、こういった店では食料品から家庭用品、清涼飲料やビールにいたるあらゆる商品をあきなっている。つまり、コンビニと同じである。たいていは遅い時間まで開いていて二四時間営業の店さえあり、この点もコンビニの魅力を取り入れている。もちろん、ドラッグストアにも独自の方針がある。ドラッグストアはこれまで、体調の悪い人だけでなく、健康な人びとにもアピールすることで事業を拡大してきた。いまや、ビタミン剤、ハーブ薬、栄養補助食品、健康やフィットネス関連の書籍や雑誌も販売している。言い換えれば、自分の健康を自分の手で管理したい人びとの役に立っているのだ。これは、管理医療の危機を迎えた現代における、すばらしいアイデアである。医師と患者の関係は変化しつつあり、目端の利くドラッグストアはそのことを利用している。つまり薬剤師を常駐させているのだ。信頼のおける薬剤師の助言のおかげで、ビタミン剤や家庭用コレステロール値測定器が飛ぶように売れている。最低賃金で雇われている店員ではこうはいかない。このことから、客が助言を求めて、知識が豊富で親身になってくれる従業員との接触を望んでいることが改めてわかる。

●ファストフード店

ファストフード店にも、他が見習うべきことはかなりある。まず教訓の一つは、子どもの好みに合わせれば、彼らが両親を連れてやってくることだ。そのせいで、アメリカ人全般の味覚の成熟は妨げられたかもしれないが、少なくとも、「アメリカの味」はここから生まれたのだ。また、ファストフード店のすぐれているところは、楽しいセットメニュー（食べ物に映画のキャラクターを使ったおもちゃのおまけをつけたりする）、ダイナミックな店頭の看板（窓には電信文のように簡略化したメッセージを、レジにはその全文を掲げる）、文字よりも目立つ写真（言葉で説明するかわりに、価格表と実物の写真を使って、子供や目がかすむお年寄りや最近移民してきたばかりで英語のおぼつかない人でも注文しやすくなる工夫）である。

事実上、ドライブスルー方式を完成させたのはファストフード業界だが、これにはまだ細部に欠点がある。たとえば二番目、三番目に並んでいる車向けにメニュー表を用意すれば、マイクに向かうころには注文するものが決まっているはずだ。ある調査によれば、ドライブスルーを利用した客の一八％は注文するときに迷ってもたついてしまうという。全体のプロセスが長びいてしまうのはそのせいである。

それから、他の小売店がファストフード店を手本とするべき非常に重要な点は、すすめて買わせるところだろう。あるファストフード店で調査を行なったとき、われわれは店員に、大きいサイズ――「スーパーサイズ」――にしてはどうかと、ひとこと客にたずねてもらった。そのときは、客の四七％が大きいサイズのドリンクに変更した。教訓としては、売り手は商品をすすめるのをあっさりとあきらめてしまうため、付属品や追加品目を売りそこねてしまいがちだということだ。そういう商品の多くは、利鞘の大きいアイテムなのだが。だから、客がノーと言うまで（もちろん穏やかに）商品をすすめつづけることを、店員は心得ておく必要がある。

●銀行

銀行が他の小売店の手本となる部分はなんだろうか。銀行は、形態としては小売店なのだが、われわれの大部分はそういう見方をしていない。たしかに、店舗を構えて営業しているところは、他のあらゆる店と同様である。また、「買い物」をする場所が銀行でもバナナ・リパブリックでもバーガーキングでも、そこにいる人間に関する分析と行動のパターンの法則は変わらない。どこでも同じなのだ。建築物や設計によって、われわれの行動は変わってくる。そして、銀行は販売もしている。サービスを提供し、金融商品をすすめることによって、銀行は手数料や利息を得ることになっているのだ。小売店が学ぶべきなのは、自動化の陰に隠れたこの法則である。つまり、顧客が自分でできるように訓練すれば、店舗側が動く必要はなくなるということだ。われわれがATMを好むのは、便利だからである。一方、銀行がATMを好む理由は、窓口にくる顧客を減らしてくれるからなのだ。

だが、たいていの銀行は、小売業務の面ではどうにもお粗末だ。八〇年代に、アメリカの大手銀行の多くは、いまごろ（二十世紀末に）は個人を相手にした小口金融業務、リテールバンキングから抜けだしているはずだと信じていた。大企業への融資、そして富裕な顧客のための個人の口座開設という未来を思い描いたのだ。しかし、そんな未来は到来しなかった。大口の顧客はごく少数で、大勢いる小口の顧客ほどの利益をもたらさなかったのである。だから、銀行はしかたなくリテールバンキングにしがみついている。ひどくまずいやりかたをするようになったのは、おそらくそのためだろう。われわれはアメリカの銀行だけでなく、ヨーロッパ、南アメリカ、オーストラリアの銀行からも依頼されて仕事をしてきた。サービスの質が高く、気が利いていて、顧客に親身になってくれるリテール・タイプの銀行ならいくつもある。だが、どこも申し分がないとは言えない。

銀行がしくじっているのはどういう点なのだろうか。第一の失敗は、もっとも基本的な要素の一つ、営業時間である。九時から五時までしか開いていない小売店がほかにもあったらぜひ教えてほしい。

しかも、営業は月曜日から金曜日までである。ばかげた話だ。ところが銀行のほうでは、支店の存在をしかたのない失費ととらえていて、顧客とじかに顔を合わせて彼らの役に立つ方法、つまり銀行の収入を増やす方法を見つける場だとは思っていない。銀行が提供するサービスは、われわれの生活のもっとも重要な部分と結びついている。住宅ローン、退職金預金、自動車ローン、教育預金、個人年金預金など、枚挙にいとまがない。だが最近の調査によると、アメリカ人は金融関連の情報や助言を得るところについて、銀行を上位五位までに入れていない。ましてや銀行を、生活に変化をもたらすものとも考えていない。稼いだお金が自動的に銀行に入ることを考えれば、これは目がくらみそうな失態である。銀行員は入口に立って挨拶をし、客の注意をひくべきである。だが、銀行でどの従業員がもっともひんぱんに客に接しているのかご存知だろうか。これをイタリアのある銀行で調べたとき、驚くべき結果がでた。それは、制服を着た警備員だったのだ。アメリカの銀行も、たいていは同じ状況にある。顧客は店内に足を踏み入れ、目立つところに座っている警備員を見て、どうすればいいか、どこへ行けばいいかをたずねるのがつねだ。そして、警備員はその銀行の従業員ではなく、外部の警備会社の社員であることが多い。銀行の支店では、もっとも偉い役員はまず簡単に見つけられる。彼あるいは彼女のオフィスは、入口からもっとも遠いところにあるからだ。こういう慣行は小売業界のものだが、いまや銀行でも採用されている。少し前にも話題にしたが、銀行は支店に置く店頭掲示のような設備についてまったくひどい扱いをしている。効果を考えたうえで配置されているものはほとんどない。たんに空いているところに釘で打ちつけていたり放りだしてあったりで、顧客が店頭案内やカタログスタンドの前にきたときどうするか、どう思うかということは少しも考えていないのだ。

もし行員と相対することになったら、机の上にあるものの配置によって、あなたと相手との関係は大きく変わってくる。彼あるいは彼女が机の一方に、あなたがその向かい側にいて、あなたの財務状態の赤裸々な事実をすべて表示しているコンピュータのモニターは、あなたではなく行員のほうに向いている。行員の顔の表情から、何かまずい事実を見つけたらしいと判断できる。それが何かを知りたくはないだろうか。イギリスのある優良銀行を調査したとき、重要な教訓を学んだ。行員と顧客が広い机やテーブルをはさんで向かいあうのではなく、隣りあわせに座ったほうが、ローンを決済するときのレートは下がり、決済までの時間は短縮されることだ。行員と顧客がゆっくりと話しあえるスペースをつくるのは実に簡単なことだ。一つは、回転するコンピュータ・モニターを置いて、どちらからも見られるようにすること。もう一つは、席を隣りあわせにして、行員と顧客が相対して威圧しあうのではなく、チームとして一緒に手続きを進めることである。

最後に、ATMは銀行が導入したきわめて革新的なシステムだが、これも事態を悪化させている。チェース・マンハッタン銀行の役員がある会合で述べたことだが、銀行業界で最近よく耳にする言葉は、「人と人との結びつき」である。だが、人と関係を築こうと思ったら、まず必要なのは場所である。ATMは、顧客が支店に足を踏み入れる邪魔をしている。つまり、銀行は顧客と対面し、サービスの内容を説明するための確実な機会をみすみす逃しているのだ。これは、少なくともリテールの面では致命的である。

19 結論

一〇年前に、あなたは化粧品を買うときの女性の行動について自他ともに認める専門家になるだろう、しかもそのために膨大な時間を費やして女性を観察することになるだろうと言われたら、私はその相手のために脳の専門医を呼んでやっただろう。ファストフード店のドライブスルーに並んでいる車の動きについて、わが社が権威になるだろうと予言されたとしても、まったく同じことをしたと思う。実際、どこかの企業の会議室で、シニアリサーチャーとしての決定権をゆだねられると、私はいまでも少し居心地の悪さを感じる。小売業の世界に身を投じている人びとのほとんどは、商魂にかりたてられてそうなったのである。とはいえ、私はこの方面に進んでよかったと考えている。同僚たちと私は、おかしいものに強く興味をひかれた。われわれのなかにビジネスマンは一人もいないが、起きている時間のほとんどをショッピングの世界を取り巻く問題を解決することに費やしている。商店街を歩くとき、レストランのメニューを眺めるとき、受けた印象を分析してどうすれば改善できるかを考えずにはいられない。近所の商店主たちは、私が無料で提供する数かずの助言にうんざりしている。大事な女性と休暇旅行にでかければ、いつもこう言われる。頭のなかにある店舗自動分析装置のスイッチを切ってちょうだい、と。そんなときでさえ、結局はショッピングモールへでかけていって、しばらくはあちこち見てまわることになる。私は文化人類学者のマーガレット・ミードとはちがい、ちょっとしたフィールドワークをするために地球の裏側まででかけなくてもいいのだ。

たいていの科学者にとって、調査していてわくわくするのは、発見の瞬間である。欠けていた骨を見つけてすべての謎を解明し、細菌培養のペトリ皿のなかで起こった思いがけない現象を目撃した瞬間などだ。見つけたもののなかに大切な秘密が隠されていたのに、われわれがその重要性に気づかなかったことは何度もある。例の一つは、6章で述べた、ブーメラン率である。買い物客が店内の通路をくまなく歩くことなどあまりないというのは、うんざりするほどわかりきった事実だ。しかし、一〇年以上もさまざまな店を調査してきて、われわれはふとこの行動を数量化し、そこに隠れている意味について考察してみようという気になった。これほど重大なことになぜいままで気がつかなかったのかといぶかしく思うが、実を言えば、われわれはまだ調査に使用する道具をつくっているさいちゅうなのだ。これからしなければならないことは、まだたくさんある。

ショッピングの科学には、複数の学問分野が混在している。自然科学と社会科学、さらに科学ばかりでなく芸術的な要素もある。だが、つねに実地に即して、情報を提供し、小売店の集客力を高めたり、誤った決断を下すのを防いだりするのに役立てようとしている。われわれの価値は、データを収集してその意味するところを突きとめ、最善の対応策を考えだすことだけにあるのではない。われわれの解釈はほとんど正しいが、ときには間違っていることもある。だからこそ、われわれは調査しつづける。たとえ、わが社の役員たちが一年のうち九〇日間も出張して店舗めぐりをし、週末をつぶして世界各地の商店、銀行、レストラン、ショッピングモールへでかけることになっても。われわれの私生活がめちゃめちゃであることは、とにかく自信をもって断言しよう。

とはいえ、ショッピングの科学における真実は移ろいやすいものだ。人間を分析するうえでの基本的な部分はだいたい変わらないが、店舗そのもの、そして客の好みや行動はつねに進化しつづけている。一九〇〇年ごろの農民は五〇年後の孫の代よりも一〇〇〇年前の農民のほうに共通点が多いが、それと同じことで、商業の世界も一九〇〇年から現在までにかなりの進歩をとげている。七〇年代を振り返ってみても、当時の大手小売店の多くはいまやどこかに消え去っているか、規模を縮小しているかのどちらかだ。コーヴェット、ウールワース、クレイジー・エディ、モンゴメリー・ウォードはいまやすべて過去の存在と化し、ほかにも多くの店がまもなくそうなると思われる。この先、ウォルマートがつまずき、スターバックスがすたれ、マークス&スペンサーが海外進出するようなことはあるだろうか。世の中は移り変わりが激しいものだ。古い時代には、適正な商品に適正な価格をつけて適正な場所で商えば、成功は確実だと言われていた。そして現在、そのことを肝に命じたところでただ生き残れるというだけだ。誰もが他と張りあっている世の中だから、脅威はどこからでもやってくる。競争相手は同業者だけだと信じている商店主は、危険なほど視野が狭いと言わざるをえない。実際、小売店の競争相手になるのは、消費者が時間と金を費やすもののすべてなのだ。われわれは先日、映画館の入場者を調査する依頼を受けた。このとき頭に浮かんだのは、一本の映画に消費された二時間と八ドルは、他の小売店にとって永遠に手が届かないところへ行ってしまったということだ。同様に、誰かの昼休みが二〇分余ったとき、書店へ行くよりもコンピュータ店をぶらぶらするほうが楽しければ、何かのソフトウェアが売れる可能性は高くなる。そして、本の売れる可能性はゼロになる。小売業者が売れ筋を予測し、メーカーが王様として君臨する時代はすでに終わった。二十一世紀には、消費者が王様になるのだ。ファッションの流行が街頭で生まれるのと同じく、小売業界のほうが客の動向を追うようになるのである。

まずもっとも大事なのは、ショッピングが社会の変化にともなって様相を変えることだ。ビジネスマンは、これがわかっていないと困ったことになる。われわれの時代に起こった社会の大きな変化が、女性の生活と関係の深いことは疑いようもない。未来学者のワッツ・ワッカーの説によれば、最近の状況から証明されたことだが、いまや家庭において男性は風変わりなペットになりつつあるという。女性がどういう生活を望んでいるか、何を必要としているかに注意を払っていないと、小売店は時代に取り残されてしまうだろう。男性や子供の生活における大きな変化も、女性の先導によってもたらされたことなのだ。注意深く耳を傾けて謙虚に受け入れれば、それだけ得るものはある。いまどきの買い物客は気まぐれなので、ブランド——商品にせよ、店にせよ——にたいする忠誠心が持続するのは、最後に買い物をしたときの余韻がつづいているあいだだけでしかない。

全国に支店をもつチェーンストアが、一つの四半期の失敗で大波をかぶるとすれば、二期、三期と失敗がつづくと、救命ボートの必要が生じることを意味する。危険に気づかないで自己満足にひたるのを避ける最良の方法は、店内の売り場と、そこで起こることの決定権を握る男性あるいは女性とのあいだの距離をなくしてしまうことである。つまり、もっとも賢い経営方針は、店長レベルの人間にもっと責任と権限をもたせることなのだ。その上に立つお偉方としては、客を相手にどんな商売をするか、その手段を講じる方法を店長に教えるツールを開発するべきである。去年のことだが、私は大部分が男性からなるウォルマートの役員たちにこう言った。女性用の化粧室の壁が最近塗りなおされているかどうかを見るだけで、その支店の店長が男性か女性かを言い当てられる、と。私のせいかどうかは知らないが、この半年ほど、ウォルマートの各支店の化粧室がきれいに塗りなおされているのが目につく。

ショッピングの科学から学ぶべきものは多い。とはいえ、創造性に富んだ店主がマニュアルを捨て去り、あらゆる法則を打ち破る余地も残されていることを認めなければならない。トロントで、私はナンバー・シックスという名の、広さが四〇〇平方フィートくらいある店を訪れた。この小さい店では、帽子、婦人服、ジュエリー、バッグ、靴、スカーフ、楽譜が売られていた。設備は救世軍から手に入れたものだった。だが、ここは嬉しくなるほどすばらしい店で、かぎられたスペースと予算にたいし、人のエネルギーが大勝利をおさめたといってもよかった。なかに入れば、何か買わずにいられなくなる。小売店の基本とは、客に店名を覚えられることだという人もいるだろう。だが、私の友人は自分の店の名前をわざと発音できないものにしようと、漫画『スーパーマン』にでてくる比較的マイナーなキャラクターにちなんでミクシプリジック（Ｍｘｙｐｌｙｚｙｋ）とつけ、これが大繁盛しているのである。バスルーム用品から書籍まで、幅広い品揃えのごちゃごちゃした店で、均一価格のサービス品があちこちにある。会計方法は旧式で、レシートは手書きである。しかし、店主のケヴィンに小売業について教えることなど一つもない。彼は自分のイメージで商品販売マシンをつくりあげ、それを非常に楽しんでいるようだからだ。われわれはショッピングの科学の伝道者だが、そればかりでなくファイト一発でうまくいくことも理解している。

プロのリサーチャーであるわれわれは、商業の世界で奇妙な役割をはたしている。小売業界で万引きを目撃して喜ぶ唯一の人間は、ほかならぬこの私だ、などと冗談を言ったりもする。われわれは不確定性原理をくつがえし、来店する買い物客の行動に影響をおよぼすことなく、彼らを観察できるようだ。いまも鮮明に覚えているエピソードのなかに、盗難さわぎの一件がある。ボストンのワシントン・ストリートにあるアウトレット衣料品販売のファイリーンズ・ベースメントで撮影したビデオテープを検証していたときのことだ。香水を売るカウンターに、きちんとした身なりの年配の婦人がやってきた。彼女は、応対にでたいんぎんな店員を離れたところへ何度も行かせ、そのあいだにカウンターの上にあった香水の瓶をさりげなく手提げ袋に詰めこんだ。実際、きちんとした服装の人が商品を一つ買い、あと一つを盗むという万引きの現場をよく目にする。サウスカロライナ州スパータンバーグのドラッグストアでのこと、パッケージからだされた使い捨てのおむつ（未使用のもの）が店の片隅に押しこまれているのを、わが社の調査員がよく発見した。謎が解けたのは、一人の客が半分空になったおむつの箱のなかに高価な頭痛薬の大瓶を詰めこむところを目撃したときだった。われわれの見た万引き犯のなかでもっとも哀れだったのは、眠っている赤ん坊のおむつのなかに工具のセットを突っこんだ父親である。

しかし、われわれの仕事は『スタートレック』にでてくる登場人物の任務のようなものである。でかけていって観察し、報告はするが、干渉はしない。ビデオに映っている人びとのプライバシーを保護するのは、われわれの究極の後援者である買い物客に誠実でありたいからなのだ。リサーチャーとしての私のルーツが大衆を擁護することにあるとすれば、われわれは仕事の場で、プライバシーの侵害という問題には入念に気を配らなければならない。有名雑誌に初めてエンヴァイロセル社が取り上げられ、記事のなかで「スーパーマーケットにひそむスパイ」呼ばわりされていたのを見たとき、私は仰天してしまった。パプアニューギニアの片田舎にある市場を調査するなら、われわれも社会科学者が身につけているフィールドワークの技術を受け入れてもいいと考える。では、ミネソタ州のショッピングモールで行なったわれわれの調査活動が、なぜちがう基準に縛られなければならないのか。いずれにせよ、ショッピングの科学で消費者個人のことがわかるわけではない。そういうことなら、その辺のダイレクト・マーケティング業者に聞くといい。すべてのアメリカ人について、名前、住所、電話番号、配偶者の有無、クレジットカードの利用記録、過去の購入歴を瞬時に調べてもらえるだろう。

同僚のなかには、本書を執筆することで、わが社の機密事項が公になるのを危惧する者もいた。小売業者がここに記した教訓を読めば、われわれに仕事を依頼せずにすませてしまうというのだ。だが、本書は前進のための第一歩でしかない。顧客をつねに気にかけている会社なら、ここに記したことの多くはすでに実行ずみかもしれないのだ。われわれの仕事によって、前に提案された意見が再確認されたというクライアントも多かった。われわれにしても、正しい方向へ進む企業と仕事をすると、より大きな満足が得られる。もう一つよく聞く意見は、われわれの助言のほとんどは、大々的なオーバーホールというよりも微調整だということだ。そのとおりである。店頭の掲示を二フィート向こうへ移動するとか、商品の陳列棚の配置を少し調整するとか、レジの周囲に強い印象を与えるものを置くといったようなことなのだ。店のあちこちを十数カ所も微調整すれば、徹底的に改良したような気分になるものだ。私が言いたいのは、マーケティングについて戦略ばかりに注目が集まれば、戦略に沿って行なわれる戦術のほうは無視されてしまうということだ。

たとえば、1章で述べたことだが、ドラッグストアで、コンシーラーのようなあまり魅力的とはいえない商品が足もとに陳列されていると、買うときに文字どおりひざまずかなければならず、これは年配の女性にとってはぐあいの悪いことだ。事実、われわれが撮影したビデオのなかに、床にはいつくばって陳列棚をのぞきこむ客の姿が映っている。強く心に訴える映像で、このうえなく印象的だと思ったものだ。現在では、ほとんどの店の化粧品売場で年配の客に合わせた棚割り計画を実施している。商品を二フィート上に移動させたことで、消費者の快適さと売上げに大きな変化がもたらされたのである。われわれは最近、オーストラリアのスーパーマーケットに依頼され、生花の売れゆきについて調査した。生花コーナーの売上げは期待を大きく下まわっていたが、われわれはすぐにその理由を見てとった。プラスチック製の大きな桶に、花がどっさり詰めこまれているディスプレイの方法が、客には謎めいて見えたのだ。花がいくらなのか、束で売られているのか一本ずつなのか、まったくわからない。花はかなりの本数がまとまって大桶に入っているので、家にもち帰ったときにどう見えるのか見当もつかない。つまり、もっとも単純なことがおざなりにされていたのだ。たいていの客はごくたまに花を買う人たちだったが、とりわけそんな人びとにはこのディスプレイが近寄りがたく思えた。そこで、数カ所にちょっとした変更を加えた。花の束はそれぞれ桶からだしてその前にディスプレイし、はっきりと読める値札をつけたのである。すると、花はにわかに売れはじめた。

小さい変更が大きな進歩をもたらす場合があるという事実は、驚くようなことではない。つまるところ、科学とは概して些細なちがいを研究することなのだ。チャールズ・ダーウィンはさまざまな鳥の嘴《くちばし》の長さをせっせと測ったが、この研究はわれわれの基準からしてもたいして重要性がないように思える。だが彼の研究によって、近代の生物学、そして生物の繁殖と絶滅についての理論が劇的に転換されることになったのだ。また、ダーウィンの発見——生き残るのは環境にもっとも適応した生物であるという説——は、ごく当たり前のことのように思える。店のなかでも似たようなことが起こる。ただし、小売業界の場合は、環境のほうが生物に適応しなければならないのである。

私は二〇年前、実例となるデータを集めて適応性と収益性のあいだをしっかりと結びつけられれば、それで立派なコマーシャル・サイエンスが成り立つと考えた。私は根っからの現実主義者だが、世の中の発展をうながすことによって経済的な利益を生みだせるなら、それを実現できるチャンスは非常に大きいし、可能性は無限大だと知っているのだ。

訳者あとがき

「人間が何かを買う必要があるときだけ店に入るのだとしたら、そして店では必要なものだけしか買わないのだとしたら、経済は破綻するだろう」と著者は言う。まさにその通りで、このたびの平成不況についても、わが国の政府が血眼になっていたのは当然として、先進各国の経済担当者は、口を開けば日本にたいしてもっと内需拡大のための手を打つよう要請していた。つまり、庶民にもっと浪費をさせろというわけだ。

しかし、この点はあまり案ずることもないだろう。われわれ庶民の日常の行動を見れば、生活に必要なものへの出費よりも、それ以外の趣味やレジャーへの出費のほうが多いことは、あらためて考えてみるまでもなく明らかだろう。私事にわたるが、訳者は会社のような組織に属さずに、フリーで翻訳の仕事に従事している人間だが、日常の出費で家計にまわす以上の金額を書籍や趣味に費やしている。お前の場合は特殊だと言われるかもしれないが、この本を訳しはじめてから気になって、人に会うたびに聞いてみたところ、ほぼ全員が比率に違いはあるが、家計費よりも趣味や娯楽、そして実際に必要とする以上の衣服や食物に多くの金を投じていた。日本人は豊かだからとも言われそうだが、聞いてみた人のなかには外国人も含まれていた。もちろん、統計を取ってみたわけではないが。

また、バブルがはじけたために、庶民が無用の出費を手控えるようになったのは確かだろうが、人間の生活習慣は多少のことがあっても容易に変わるものではない。バブルがはじけたことが不況の引き金になったことは疑うべくもないが、わが国の経済の不振が長引いた原因は、内需の冷えこみもさることながら、それ以外の要因も大きかったのではないかと思うのだ。

もちろん、ふくれあがったバブルへの対応に経済官僚の不手際があったことは、識者に指摘されるまでもなく明らかだろう。だが、それ以外に考えられるのは、日本の企業が消費者の購買行動が変化していることを見抜けなかったこともあるのではないか。本書にこんな記述がある。「メーカーが王様として君臨する時代はすでに終わった。ファッションが街頭で生まれるのと同じく、小売業界のほうが客の動向を追うようになるのだ」。わが国の企業に、こうした変化への認識が足りなかったとも考えられるのである。

かつて企業は、すぐれた品質によって消費者の信頼をかちえ、ブランドを浸透させて市場にゆるぎない地位を確保することができた。しかし、現在はどうか。品質の点ではハイテク機器から化粧品や洗剤にいたるまで、どこのメーカーの製品も質的に大きな差はない。消費者もそんなことは十分に承知しているから、もはやかつてのようにブランドへの忠誠心などもちようがない。また、小売業者が新しい店をだすのは、以前のように新しい市場の開拓を目指すというよりは、他の店の顧客を横取りすることが目的となっている。こうして小売りの世界で競争が激化するのにともない、他の店と差をつけることがどうしても必要になる。ショッピングという営みを科学的に考えることが不可欠なわけである。

この本を翻訳するにあたって、いつものことだが、原著と関連する参考書を物色していたところ、編集担当の河本法子さんから『販売の科学』（唐津一著／ＰＨＰ文庫）という本があることを知らされた。さっそく購入して一読した。この分野の先駆的なすぐれた著作として定評があるものらしく、ハードカバーで刊行されたあと改定版がでたうえ、文庫化されている。訳者が入手した時点でそうとう版を重ねているようだから、かなり多くの読者に迎えられているのだと思われる。内容の点でも、これまで経験やカンが幅を利かせてきた販売という分野に統計学を応用し、わかりやすい語り口で納得のいく議論を展開している。ただ、このたびの訳書と決定的にちがうところは、『販売の科学』があくまでも企業ないしメーカーサイドからの視点でつらぬかれていることであった。

しかし、右に書いたように、現在の販売（小売り）の世界では、客の動向から目をそらすわけにはいかない。企業はもはや王様として君臨してはいられないのだ。顧客の動向の調査、比較、分析を通して、商店や商品を買い物客により適合させるための高度に実践的な「ショッピングの科学」を確立することが必要なゆえんである。商品と買い物客は、最終的に一つの屋根の下に集まってくる。そのとき、店のなかで何が起こるかについては、これまであまり明らかにされてこなかった。本書はそこに焦点を合わせ、購買行動を企業サイドから統計的に分析するのではなく、ショッピングの現場を言わば人類学のフィールドワークの手法によって綿密に観察し、実践的な指針を導きだそうとしたものである。

なお、そのことと関連して、この訳書にでてくる言葉について、一つお断わりしておきたい。原書には retail environment という表現がでてくる。普通に訳せば「小売り環境」あるいは「リテール環境」ということになるのだが、この本の著者の立場から考えて、この訳書では買い物客と小売店の双方を含めた「ショッピング環境」とした。小売業界で仕事をしている読者にとっては違和感があるかもしれないが、上記の理由からご理解いただければ幸いである。

本書は、*Why We Buy : The Science of Shopping*（Paco Underhill, Touchstone Book, 1999, 2000）の翻訳である。初版のハードカバーによって翻訳にとりかかってからまもなくペーパーバックが刊行されたが、

17章が全面的に書き換えられていた。また、その他の本文にも多少の訂正があったので、実際には全面的にペーパーバックによって翻訳するかたちとなった。もちろん17章はペーパーバックによっている。著者の経歴については、本文中の随所に記述があるのでおよそのことはわかると思うが、原書の簡単な紹介文によると次のとおりである。「パコ・アンダーヒル。都市の地理学者、小売りの文化人類学者。《フォーチュン》一〇〇社にあげられる多くの優良会社をクライアントとして調査およびコンサルティングを行なうエンヴァイロセル社の創立者。これまで《ニューヨーカー》《スミソニアン・マガジン》などにその横顔が紹介されている。また、《アメリカン・デモグラフィックス》《アドウィーク》などの雑誌に記事を寄稿するほか、広く講演活動をしている。ニューヨーク・シティに在住」

この本は、早川書房編集部の慫慂によって翻訳することになった。訳者はこれまで、経済書や経営書にはささやかな経験があったけれども、流通や小売りを扱った本の翻訳はまったく手がけたことがなかった。それだけに、最初は躊躇したのだが、原書を一読して、ためらいの気持は吹っ飛んでしまった。考えてみれば、訳者も毎日買い物客になっているし、それをもう何十年もつづけていることになる。著者の筆致は軽妙で、本文の記述のなかには、なんと自分や友人知人とそっくりの行動をする人がでてくるではないか。それに何よりも「科学」とうたっているにもかかわらず、難解な専門用語や門外漢にはチンプンカンプンの業界用語がでてこないのは嬉しいことだった。それで、この仕事をお引受けすることにしたのだが、思ったとおり、これは非常に楽しい経験となった。それには、編集を担当された河本法子さんの行き届いたサポートが大きな役割をはたしていることは間違いない。ここに、あらためて感謝の意を表するしだいである。

二〇〇一年二月

なぜこの店《みせ》で買《か》ってしまうのか
ショッピングの科学

2001年2月28日　　初版発行
2001年5月10日　　7版発行

*

著　者　パコ・アンダーヒル
訳　者　鈴《すず》　木《き》　主《ちか》　税《ら》
発行者　早　川　　浩

*

印刷所　株式会社亨有堂印刷所
製本所　大口製本印刷株式会社

*

発行所　株式会社　早川書房
東京都千代田区神田多町2－2
電話　03-3252-3111（大代表）
振替　00160-3-47799
http://www.hayakawa-online.co.jp
定価はカバーに表示してあります
ISBN4-15-208335-2 C0063
Printed and bound in Japan
乱丁・落丁本は小社制作部宛お送り下さい。
送料小社負担にてお取りかえいたします。

〈検印廃止〉

ハヤカワ・ノンフィクション

明日から元気になれる

――ワーキング・ガールに贈る10の知恵

TEN THINGS
I Wish I'd Known-
Before I Went Out into the Real World

マリア・シュライヴァー／石田理恵訳

小B6判上製

へこたれたままでいいの？

「誰のために誰とともに働くかが大事」「完璧でなくてもいい」「子どもによって変わるキャリア」など、ユーモアと情熱に満ちた著者の経験に基づく知恵を満載。これから社会へ出ようとしている人、すでに出て頑張っている人にも役立つ貴重なアドヴァイスが満載

ハヤカワ・ノンフィクション

フィッシュ！

——鮮度100％　ぴちぴちオフィスのつくり方

FISH!
A Remarkable Way to Boost Morale and Improve Results

ランディン、ポール＆クリステンセン／相原真理子訳

小B6判上製

魚市場発！　イキのいいオフィスへの4つのコツ

態度を選ぶ、遊び心を忘れない、人を喜ばせる——ちょっとした心がけであなたの職場が生まれ変わる。マクドナルドから米国陸軍まで、世界中で四〇〇〇もの組織が本書で成功！　世界一活気ある魚市場に学ぶ、職場改善講座